新潮文庫

蒼い描点

松本清張著

蒼い描点

女流作家

1

椎原典子《しいはらのりこ》は、新宿駅発午後四時三十五分の小田急で箱根に向った。

多摩川の鉄橋を渡るころ、川の中では人間やボートが浮んでいるのが見えた。七月の太陽は傾いているがまだ水の上に燃えている。それからしばらくして相模《さがみ》の平野が青くひろがってきたが、暑い陽《ひ》ざしがなだれこむように窓からはいってきたので、典子のすわっている側の乗客は、あわててカーテンをおろした。

その騒ぎで、翻訳物の文庫本をよんでいた典子は目をあげた。

時間が時間だけに、車内には箱根泊りらしい客が見えた。若いアベックもあれば、中年の、夫婦者ではない組もある。どれもたのしそうに話をかわしていた。通勤で、小田原までで降りる客は、みんな疲れた顔をして黙って目を閉じていた。

典子の隣にすわっている男も勤めの帰りらしく、ワイシャツの腕を窓わくにかけて、その上に顔をもたせ、汗を出して眠っていた。典子は退屈した。彼女は箱根の宮ノ下に行くのだが、気持は隣の男と同じであった。つまり、これから二晩泊りで仕事をしに行くのである。

同じ箱根泊りでも、他の同伴組とはまったく内容がちがうのである。

典子は去年女子大を出て陽光社《ようこうしゃ》にはいった。そこは文芸図書の出版社だったが、『新生文学《しんせいぶんがく》』という雑誌も出していた。彼女はすぐにその編集部に配属された。半年は校正や割り付けなどの見習いをさせられたが、去年の秋から外まわりに出された。これは、執筆者の家をまわって、原稿依頼や、督促や、書きあがったものを貰《もら》ってくる仕事である。

典子は、カンがいい、と執筆者の間で好感をもたれた。

「椎原君をいつまでも僕の係にしてくれたまえ」

と編集長に注文する流行作家もいた。

「椎原さん、原稿、おそく持って帰ってもいいでしょう？　今夜はわたしとつきあいなさいよ」

と無理にひきとめて、ご馳走《ちそう》してくれる女流評論家もいた。

「そりゃア君がかわいい顔をしているからさ」

と編集長の白井は、半分は白い長髪を搔《か》きあげながら、長い顎《あご》で笑った。典子はあかくなってにげた。細いが、まるこい感じの顔と、均斉のとれた肢体《したい》が、若さを内側からはじきだしていた。歩き方も、バレエでもやっているように柔軟な弾力性がある。

実際、仕事ぶりも、きびきびしていて、締切日が迫ると、執筆家と編集部の間、編集部と印刷工場の間を敏捷《びんしょう》にかけめぐった。

典子は、新しいにもかかわらず、その社の大事な執筆家の三四人をうけもった。古くからいる男の編集員が陰で、

「白井さんも、リコには甘《あめ》えからな」

と舌打ちしたが、感情を悪くしてはいなかった。典子は、名前をつづめて、リコという愛称をつけられていた。

「いやだわ、リコだなんて。キャバレーの女みたい」

典子は二三度は抗議したが、若い編集者たちはおもしろがって受けつけなかった。しかし、そのあだ名は彼女の感じをよく現わして、快活な若さが出ていた。

だが、小田急に乗って、箱根に向っている典子の現在はあまり快活な気持とはいえなかった。彼女の係になっている女流作家の村谷阿沙子《むらたにあさこ》氏の原稿がひどく遅れていて、予定の締切日より二日も経《た》っていた。約束は今日の午《ひる》までだったので世田谷《せたがや》の家に行ってみると、家じゅう戸が締っていた。狼狽《ろうばい》した目に、玄関わきに封筒がピンで貼《は》りつけてあるのが見えた。椎原典子様と宛名《あてな》がペン書きしてあるので、中を開くと、村谷阿沙子の字で、〝原稿おくれてすみません。今月は疲れたので中止《おり》たいのです。行先は箱根の

宮ノ下、杉ノ屋ホテルです〃と、電話番号がていねいに書き添えてある。連絡するなら、ここにしろ、というわけだった。

その手紙を持ってあわてて社に帰ると、白井編集長が長い顎をつきだして目をむいた。

「何を言やがる。今ごろそんなトボケたことを言ってどうするつもりだ。こっちは二日も待ってアナをあけてあくびをしているのだ。よし、すぐに箱根に電話しろ」

編集長は毒づいたが、箱根の杉ノ屋に電話が通じて、村谷阿沙子の声が聞えると、

「村谷先生ですか。どうも弱りました。何とか助けてください。今月は、そろそろ夏バテでほかに目ぼしい原稿が集まらないので、先生のがハシラですよ。いえ、まったく。ツエともハシラともたのんで、お願いするわけです。今晩、そっちに椎原君をやりますから、明日《あす》の夕方まで何とか書きあげてください。え、無理？　無理なら明後日《あさって》のお午までぎりぎりお待ちします。何とかお願いします、先生のお原稿がはいらないと、今月の雑誌を出しても意味ありませんから」

などとおだてて、哀願していた。

村谷阿沙子という作家は今年三十二歳で、本名は麻子《あさこ》である。証券会社員村谷亮吾《りょうご》の妻であった。

村谷阿沙子は三年前、ある出版社の公募した懸賞小説に佳作で入選すると、急にジャーナリズムの注目を浴びた。その作品は、文学性はそれほど高くないが、題材が変っていて、筋がおもしろいのである。読んでいて大変おもしろい。それに、経歴を見ると、大正の終りから昭和にかけて活躍した法学博士宍戸《ししど》寛爾《かんじ》氏の娘であることも分った。宍戸博士は当時の自由主義的な法理学者で、文章をよくしてたくさんな随筆を書いて有名であった。阿沙子は宍戸博士の四女であった。

その出版社では興味をもち、つづいて第二作を依頼したところ、これまた前作を凌《しの》ぐおもしろい物語を送ってきた。文章もたいそう達者である。これは亡父ゆずりの才能らしかった。そのことは彼女の身上にだいぶん光を添えた。つまり、毛なみがいいということである。この毛なみのよさは日本人の嗜《し》好《こう》に適するところである。ジャーナリズムといえども——いや、毛なみをもっとも珍重するのは、ジャーナリズムかもしれなかった。

はたして、第二作を発表すると、たいそう好評であった。作品がおもしろい上に、作者が女であり、しかも随筆をよくして有名だった宍戸寛爾の娘なので、やはり血は争われぬものだということになった。それが彼女の人気のようなものを形成した。

村谷阿沙子はたちまち売れっ子作家になった。それほど多作ではないが、まず発表する作品はかなりな評判をとった。彼女の背後に宍戸寛爾の名前が淡い光線のようにまつわっているのを読者は感じ取るが、それは例の毛なみのよさに係《かか》わることなので、彼女のために損ではなかった。

村谷阿沙子は筆の速い作家とはいえなかった。どちらかというと、気むずかしい方なのである。作家のなかには、編集者を次の間に待たせておいて一晩で一編の小説を仕上げる者もいれば、談笑しながら原稿紙にペンを走らせる作家もいる。しかし、人を近づけないで、昼間でも雨戸を閉ざしてまったく独りにならなければ書けない作家もいる。村谷阿沙子の場合は、後の型に近いのであろう、どんなに原稿が遅れても、編集者を家の中に上げて待たせながら書くということは絶対になかった。

「あたしって、ほかの人が家の中で待っていられると気が散っちゃって、とてもだめなの」

村谷阿沙子は肥えた顔を振り、眉《まゆ》をひそめて言うのであった。赤ン坊のように二重にくくれた顎をし、小さい目と低い鼻とをのんびりと持った顔艶《かおつや》のいい彼女のどこにそんな神経質なものがひそんでいるかと思われるが、それはやはり小説家だからであろうと考えられた。

噂《うわさ》によると、女中さえも、執筆中は阿沙子の部屋の襖《ふすま》をあけることができず、ぜひない用事があるときは、ブザーを鳴らして彼女に知らせるのである。すると、彼女は肥えた身体《からだ》を大儀そうに部屋から出して、うるさそうに用件を聞くのであった。昼間から雨戸を閉めて夜の状態にするほどではないにしても、彼女が原稿を書くときは、それほど周囲とは隔絶が必要であった。一般に、遅筆な作家ほどそういう傾向が強いようである。

さて、村谷阿沙子がジャーナリズムに登場以来、二三年はかなり書いてきたが、近ごろはどういうものか速度が落ちてきた。依頼しても、約束の月に間に合わずに、一二カ月延びることもあった。

「スランプらしいのね。どうも書けなくて」

彼女は、目をくしゃくしゃにしかめて、原稿とりに来た編集者にこぼすのであった。

しかし、そのあとで、

「でも、もう脱《ぬ》けられると思うの。この埋め合せに、この次にはきっといいものを書くわ。少し長いものを書かせてね」

と言うのであった。その時の彼女の顔は、鼻翼《こばな》に脂《あぶら》をうかせて闘志に満ちた表情だけれど、次の作品もかならず流れるのであった。

実は、『新生文学』でも、村谷阿沙子のそういう何度目かの言葉をアテにして、今月こそはと目次を予定していたのだから、編集長の白井も簡単にはあきらめなかったのだ。

「村谷さんは明日《あす》の夕方までなら何とかしようと言っている。これがはずれたら予備もないし、本当に困るんだ。リコ、今夜箱根に行って泊りがけで取ってこいよ」

白井が典子にそう言いつけたのである。

編集長から頼まれたけれど、椎原典子はこれは厄介《やっかい》な仕事になりそうだと思った。村谷阿沙子は承知したと箱根からの電話で言ったそうだが、今度も、原稿は危ないのではないか。今晩くらいは、まあいいとして、明日の晩も泊ったあげく、とうとう投げだされるのではないか。そんなことにならないように、今夜はうんと督促してがんばらねばならぬ、校了日は切迫しているので、できれば明日の夕方までにもらって帰り、編集長を安心させてやりたいのである。遅筆な村谷阿沙子をそこまで追いこむのは、非常な努力を要しそうだった。

典子は、そんな屈託があるので、電車の中で目をさらしている文庫本の活字も、頭脳《あたま》のなかに溶けこんでこなかった。読書の三昧境《さんまいきょう》に浸ることができない。

終点の箱根《はこね》湯本《ゆもと》駅に着いたときは、陽が山の陰にかくれていて、窓が赤くなっていた。ここで電車の客は駅前からバスに乗ったりハイヤーを雇ったりして、箱根山中の八方の湯宿に散るわけだが、典子の乗っていた車両は後部の方だったので、彼女の前には降りたばかりの客がぞろぞろとホームを歩いていた。やはり男女の組が大半であった。

ここのホームは少し高くなっていて、駅の建物も駅前のバス通りも下に見おろせるようになっている。出口の階段の方へ急ぎ足に歩いていた典子は、ふと何気なく下の方を見ると、出口から通りに吐き出されている乗客の群れの中に、見覚えの人物の姿が混っているのを発見した。

――田倉《たくら》だ。

とすぐに分った。瘠《や》せて、背は高いけれど少し前かがみのからだつきと、何よりも手に提げている黒皮の書類鞄《かばん》とが特徴であった。彼は、その癖である一歩一歩大地を踏みしめるような恰好《かっこう》で歩いていた。

電車の内で彼を見かけなかったのは、たぶん乗っていた車両が違っていたからであろう。先方もこちらの乗っていたのを気がつかなかったのである。知っていたら、彼の方からかならず典子に話しかけてくるはずであった。

――車両がちがっていてよかった。

と彼女は思った。

あまり好きな人物ではない。田倉義三《よしぞう》という男は、籍だけはS出版社というあまり刊行物を出さない三流会社に置いているが、実はいかがわしい際物《きわもの》的な企画を立てては、自分で取材し、あちこちの雑誌社にネタを売りつけて歩いている男であった。『新生文学』でも中間読物用として一度買ったが、ひどい暴露《ばくろ》ものなので没にしたことがある。それでも田倉はたびたび、社に足を運んできて編集長に会って帰るのだが、そんなことで編集部の机にすわっている典子の顔を覚えて、やあ、どうですか、と声をかけてにやりと妙な笑いをしたりする。いつかも、典子が仕事で有楽町《ゆうらくちょう》の辺を歩いていると、この田倉とぱったり会って、執拗《しつよう》にお茶を誘われて困ったことがあった。少しずうずうしい男だけに、断わったあとでも腹が立ったものである。だから、今も同じ電車だったが、車両が違っていたので、その面倒さからのがれて、助かった思いがした。

典子は、今度はホームをゆっくり歩きながら、田倉のようすを上から観察した。早く出て彼につかまってはかなわない。場所も箱根で、典子ひとりだから、うるさいことを言いかねないのだ。それと、田倉は誰といっしょに、ここに来たのか、それを見たい興味もあった。どうせ箱根などに彼ひとりで来る気づかいはないと思っていた。

ところが、その見当と違って、どうやら田倉はひとりらしいのである。彼の傍《そば》に近づいてくる連れらしい女性はなかった。駅から出た乗客はほとんど散って疎《まば》らとなったが、田倉はバスの停留所に、ワイシャツの袖《そで》をたぐって立ち、小田原の方からくるバスをきょろきょろ見ながら待っている。七八人、ほかの同じバス待ちの客がいたが、いずれも田倉の同伴者ではなかった。

典子は、今、構内から出ると、田倉と正面から目が合いそうなので、待合室に残っていた。うかがうと、田倉は片手に上着と鞄を抱え、扇子を片手で使っている。四十ぐらいであろうが、暗い感じがただよった年寄りくさい顔であった。仕事の陰湿さが容貌《ようぼう》にも現われていた。

——どこへ行くのだろう。

ようすから見ると、田倉は遊びに来たのではむろんなく、どうせインチキなネタ探しに違いない。近ごろの箱根の旅館の内緒話でも探訪に来たのか。たぶん、そんなことだろうと思いながら、典子は田倉がバスに乗って、どこかに立ち去るのを我慢して待っていた。

典子は、ハイヤーで宮ノ下に向った。途中で田倉が乗ったバスを追い越したのは、ちょっと気持がよかった。このバスは元箱根行きであった。田倉は今晩、どこに泊るつもりであろう。

宮ノ下の杉ノ屋ホテルの前で車を降りると、建物の窓いっぱいに灯《ひ》が眩《まぶ》しく輝いていた。箱根はすでにたそがれていて、黒い谷や山の上下にわたって旅館の灯が段々になってきらめいていた。

典子は帳場《フロント》に行って、泊り客の村谷阿沙子に会いたいと言うと、蝶《ちょう》ネクタイの男が部屋に電話をかけてくれた。

「すぐにお降りになるそうでございます」

典子がうなずいて、赤い絨毯《じゅうたん》の上にきどった体裁で置いてある客待ち用の椅子《いす》に腰をかけていると、ほどなく奥のエレベーターのドアが開いて、村谷阿沙子の肥《ふと》った身体がひとりで出てきた。彼女はけっして洋服を着なかった。今も淡い色の薄ものに、博多帯《はかたおび》をしめていた。しかし、帯は彼女のまるい胴体を絞ってくっているというよりも、だらしなく巻きつけている状態に近かった。

典子は椅子から立ちあがった。

「まあ、遠いところをご苦労さんね」

村谷阿沙子は盆のようにまるい顔を崩し、低い鼻の両側に皺《しわ》をよせて笑った。

「いいえ、先生」

と典子はおじぎをした。

「ご静養先まで押しかけて申しわけありません。でも、今月はどうしても先生のを一本頂戴《ちょうだい》しないと雑誌ができないものですから」

「困ったわね」

と女流作家は、いくらか得意な表情を浮ばせて、眉をよせた。

「ここに逃げてきたわけじゃないけれどね。少し疲れたのか、ここんとこ筆が思うように進まないので、気分の転換に来たの。主人もいっしょにね」

「あら、旦那《だんな》さまもですか？」

「ええ、女中も連れてきたので、一家じゅうですよ」

村谷阿沙子の主人というのは、どこかの証券会社の社員ということだったが、典子も彼女の家で三四度見かけたことがある。三十八九くらいの年輩で痩せて背が高かった。

おとなしそうな人で、出会って挨拶《あいさつ》しても目を伏せて口の中でもぞもぞものを言っているような、気の弱そうな性質のようだった。編集者たちの陰口では、彼は経済的にも性格的にも、また名声的にも、妻の下に敷かれている従属者であるということだった。典子も彼を見たとき、その噂を肯定する印象をうけた。

しかし、一家じゅうで箱根に遊びにきているのでは、原稿の方はどんなことになっているのか、典子はその方が心配になっていると、

「原稿は大丈夫よ」

と村谷阿沙子は、典子の顔色を読みとったように言った。

「白井さんから電話でハッパをかけられて大急ぎで書いているところなの。明日の午すぎにはできあがりそうよ。そのかわり今夜は徹夜だけどね」

「まあ、よかった！」

典子は思わず歓声をあげた。

「それで安心しましたわ、先生。編集長もどんなに喜ぶかしれません。徹夜をお願いしてほんとうに申しわけございませんが、どうぞよろしくお願いします。わたくし、今夜は近くの宿に泊って、明日おひる前に一度お電話申しあげますから」

「そう。じゃ、そうして頂戴。ああ、あんた、食事まででしょう？」

村谷阿沙子は片手を典子の肩にかけた。

「いいえ、途中ですませましたから」

典子は嘘《うそ》を言った。村谷阿沙子を一刻でも早く原稿紙の前に追いやらねばならないこと、彼女の前で食事することが気づまりだった。よろしくお願いします、とさらに二三度おじぎをして、典子は杉ノ屋ホテルの玄関を出た。

山の黒い輪郭がすぐ目の前にあった。川の音が下から聞えてきていた。強羅《ごうら》あたりの灯が左手の高い山の頂上に光っていた。

今夜は、どこに泊ろうか、と典子は川音のする道の上に立って考えた。女ひとりで、少し心細い気もするが、孤独な旅人のような気持にもなって、たのしいのである。

思いきって、彼女は、灯のやや寂しい前方に歩きだした。ずっと前に仙石原《せんごくばら》に行ったとき、途中で知ったのだが、そこは渓谷《けいこく》のある静かな温泉のようだった。

暗い道を宿の浴衣《ゆかた》をきた男女が逍遥《しょうよう》している。典子は汗ばんだ肌《はだ》を早く湯に浸《つか》りたいと思って足早に歩いていると、散歩している浴客の中に、田倉らしい男の影を発見して、ぎょっとなった。

2

気温がさがりはじめたのか、うすい霧が出て、外燈《がいとう》の光にまつわっている。

椎原典子は前方から歩いてくる浴衣姿が田倉義三と分ったが、一方が断崖《だんがい》で、一方が斜面になっている一本道なので、避けようがなかった。足をかえして、もとに戻るのも癪《しゃく》である。

知らぬ顔をして行き過ぎようとすると、歩いている田倉の足がとまった。淡い外燈の光ですかして典子を覗《のぞ》きこむようにしたが、逆光で顔がよく分らないらしい。彼女は、しめたと思って横を通りぬけると、やはりいけなかった。

「やあ、『新生文学』の椎原さんじゃないですか?」

と呼びとめられた。

仕方なしに振り返ると、今度は位置がかわって、田倉が逆光になっている。表情はよく分らないが、声の調子では、にやにやしているようであった。

「やっぱり椎原さんだ。箱根《ここ》で会おうとは思いませんでしたな」

と二三歩寄ってきた。

「今晩は」

典子は仕方なしに言った。相手の顔は陰になって、こちらは光にさらされているので分《ぶ》が悪い。

田倉はどこかの旅館の浴衣の袖をぴんと張って、さばさばしていた。典子はスーツの下の汗ばんだ肌が気になった。

「何ですか、今ごろ?」

と田倉はききながら、前後の道に目をやった。典子に同伴《つれ》があるかどうか見たらしい。そういえば、田倉もやはりひとりのようだった。

「仕事ですわ」

典子はこたえた。

「仕事?」

と田倉はきき返して、すぐに言った。

「ああ、村谷さんとこですな」

この田倉がすぐに村谷阿沙子の名前を言ったことで、典子は彼も阿沙子のところに用事があって箱根に来たのではないか、とあとで直感した。しかし、この時は、田倉が箱根に阿沙子のいることをどこかで聞いたのであろう、ぐらいにしか思っていなかった。

田倉義三は作家や芸能人の消息に通じている。もともと彼の仕事がほとんどそんな消息をもとにして材料をつくるのだ。おもしろそうなのがあると、半分は暴露的な興味記事をつくって雑誌社に売りこむのである。

「ここまで原稿とりとはご苦労ですね。ああ、あなたんところはもう出張校正だな。そいじゃ、急ぐはずだ」

と田倉はそんなことまで知っている。

「村谷女史の原稿が難航しているのですか」

「ええ」

典子は曖昧《あいまい》に言った。社外の人だから答える必要はないと思っている。

「そりゃ困りますな。白井君もせっかちだから大変でしょう」

田倉はそんなことを言いながら、立ち話をつづけようとする気配だった。典子は早く彼から離れようとした。浴衣がけの田倉から、じりじり寄ってこられると薄気味が悪い。宿で少し飲んだらしく、酒のにおいまでしていた。彼はどうやら、この近くの旅館に泊っているらしい。

「それでは、失礼します」

典子が頭を軽くさげると、

「ちょっと。あなたは村谷女史の旅館に泊るんじゃないですか？」

と彼は追うようにきいた。

「いいえ、別ですわ」

「そうでしょう。女史はけっして編集者を同じ屋根の下に泊めませんからな」

典子が歩きだすと、田倉もならんでついてくる。よそ目には温泉地に遊びにきているアベックと見あやまられそうなので彼女は迷惑だった。

「村谷女史はここんとこ苦しそうですな。あまり、ぱっとしたものも書かないし、発表も少なくなった」

田倉は典子と歩いていることをたのしんでいるようでもあった。

「あれは執筆をセーブしているんじゃなくて、行きづまっているんじゃないかな」

田倉の言い方には、どこか茶化したようなものがあった。いわゆる消息通の人間にありがちな、冷嘲《れいちょう》的な口吻《くちぶり》であった。典子はこういう型の男は好きでない。

道は、疎らな外燈が立っているだけで、寂しくて暗い。遠くの高い山の上に灯が輝いているのが距離を感じさせた。田倉はどこまでついてくるつもりだろう。彼の下駄《げた》の音が彼女の神経にさわった。目的の旅館もそろそろ近くなったので、この辺で思いきって、さよならを言おうとしたとき、

「村谷女史は講演会とか、座談会には、ちっとも出たことがありませんね」

と田倉はあくまでも村谷阿沙子を話題にして典子から離れそうになかった。

「そんなところに出るのが、村谷さんはお嫌《きら》いなのじゃないですか」

典子は仕方なしに言った。講演会や座談会に出ようが出まいが当人の勝手である。田倉は、それでまた何か悪口を言うつもりらしい。

「そうだな。女流作家は、いったいに講演を敬遠するようですな」

田倉はあんがい素直にうなずいたが、

「しかし、座談会にはみんなよく出るようですね。講演というかた苦しいものでなく、おしゃべりならしようというわけだろうが、村谷さんは、それまで断わっている」

と彼は、はたして言った。

「村谷さんの小説を読むと、それほど孤高とは思えないがな」

典子は、もうたくさんだと思った。これ以上、際限なく彼のおつき合いをしてはたまらない。彼女は足をとめて、

「それでは、わたしはこれで」

と打ち切るように言った。

「そうですか」

田倉も、それ以上は追いかねるふうに立ちどまった。

「宿は決っているんですか?」

「ええ」

「どこ?」

「この先です」

田倉はその方角を見るようにして、

「ああ、木賀《きが》ですね。木賀なら静かでいいでしょう」

と言った。典子はまた話をしていると、彼がのこのこいっしょについてきそうな不安があったので、急いで歩きだした。

田倉は佇《たたず》んでいたが、しばらく行って典子がふり返ると、暗い中に彼の浴衣が遠くに

ぼんやりと白かった。霧がうすく流れている。

——典子がとった宿は、大きな家ではなく、誰かの別荘のあとということだった。いかにも旅館めいた感じがしないのがよく、部屋も落ちついたものだった。湯からあがって、宿から出された糊《のり》のきいた浴衣に着替えると、さっぱりした気持になった。田倉義三に会った不快さもほとんど消えてしまった。

旅館に客が少ないのもありがたかった。団体客がはいっていないのがよい。女ひとりだから、廊下などで、男客にじろじろと顔を見られるのが厭《いや》なのだ。

夕食の世話をしてくれた女中さんも、中年で、典子には親しみがもてた。

「昼間ごらんになると、この前がずっと渓谷になっていて、景色がよろしゅうございますよ」

と言い、地形など教えた。典子もいつぞや通りがかりに見たことのある、川の中に石の出た風景を思いうかべた。

食事をすませて典子は、宿の前の道路に散歩に出た。断崖の下では川音がしている。暗いので木賀渓谷と名づけた自慢の眺《なが》めは視界から閉ざされていた。

夜の空気は冷えている。黒い周囲から山気のようなものが迫っていた。さすがに箱根である。今ごろは東京は蒸し暑くて、どこの家も蚊帳《かや》の中で寝苦しい思いをしているに違いない。典子は、こんな場所にいる自分が少しもったいないと思った。

これも雑誌社勤めをしているお陰だ。いや、村谷阿沙子という作家のお陰かもしれない。彼女のために、ちょっとした贅沢《ぜいたく》をさせてもらった。静かだが、絶えず坂道を上り下りしている自動車のクラクションが聞え、闇《やみ》の中を光芒《こうぼう》が走ったり、交差したりしていた。山から段々にずりさがった旅館の灯はあいかわらず海上に浮んでいる特殊な虫のように光っている。静かな贅沢が、この山中一帯を包んでいた。

霧が濃くなったのか、あたりが白けて、遠くの光が淡くにじんできた。何となく夢の中のようであった。

典子は、このまま宿にはいるのが少し惜しくなった。ひとりだという心細さはあったが、少し足を伸ばして歩きたくなった。いや、ひとりでこんな処《とこ》を歩く機会は、将来もめったにないかもしれない。霧の夢幻的な作用が彼女を誘った。二十三歳の典子は、漂うような感情がしだいに胸にふくれてきた。

彼女は歩きだした。この道は箱根でも本街道をはずれているので、自動車はたまにしか通らなかった。今ごろとなっては、人も歩いてこない。

夜の霧の中で、典子は歩きだした。真暗い山中ではない。離れてはいるが、あちこちに灯が輝いているのだ。流れている白い霧が、鋭い夜気をやわらげてくれている。

もうこの辺で引き返そうと思いながら、ゆっくりと歩いているうちに、思わず足を伸ばしてしまった。

どの辺まで来たか分らぬが、別の旅館の灯が近くなったので、宮ノ下のあたりに戻ったのではなかろうか。

そういえば、村谷阿沙子は今ごろは懸命に原稿を書いているにちがいない。典子は、肥《ふと》った阿沙子が鼻翼《こばな》に脂《あぶら》を浮かせて、前かがみになってペンを走らせているようすを目にうかべた。あるいは難渋して、額に手を当てているのではなかろうか。どちらにしても、彼女に苦労をかけている自分が、こうしてぶらぶら歩いているのがすまない気がした。

が、明日の夕方までには何とか原稿を貰《もら》って帰らねば困るのである。白井編集長は、長い髪をかき上げながら、いらいらしているに違いない。そんなことを思うと典子の詩情はたちまち裂けて現実の意識が粗い素肌をむいてきた。やはり遊びにきたような気持にはなっていないのだ。職業的な責任感が、ベルトのように彼女の意識を大きく、くくっているのだった。

典子は、原稿の進行状態を偵察《ていさつ》かたがた、村谷阿沙子の泊っている杉ノ屋に、このまま行ってみようかとちょっと思ったが、彼女の主人も女中もいっしょに来ていることだし、それに、この女流作家は妙にそんな編集者のやり方を嫌うのを知っているので、典子は思いとどまった。どうせ、今夜は徹夜だろうから、明日《あす》の午《ひる》ごろに宿から電話してみようと考えた。

典子が足をかえして、もとの方に引き返そうとしたとき、ふと前の方を見ると、霧の中に、ぼんやり人影が二つ見えた。浴衣を着ているから宿の客に違いない。

この辺を男女の浴客が歩いているのは珍しくないが、典子の目をひいたのは、その男の方が、どうも村谷阿沙子の主人らしいのである。

典子は村谷亮吾には前に三四度会ったことがあるが、瘠せていて、ひどく背が高かった。妻の阿沙子の肥えて背の低いのとは対照的だが、性格もそのとおりらしく、妻が才気のある小説家なのに、夫の亮吾は証券会社の平凡な勤め人にすぎない。もっとも、妻が忙しくなってからは、亮吾は勤めの方はやめたらしいということだったが、妻の執筆の雑用ぐらいはしているのかもしれない。いずれにしても、妻の意欲的なのとは反対に、無気力そうな男であった。

その男の影を見て、典子は亮吾ではないかと思った。どうも背の高いところや、姿の恰好《かっこう》が似ている。それに、村谷阿沙子のいる旅館の杉ノ屋がこの近くなのである。ところで、その傍について歩いている女には、見当がつかなかった。暗くて顔が分らず、それに霧があるから、よけいにぼやけて見える。

亮吾とすれば、当然、妻の阿沙子がその横にならんでいるはずだが、彼女の肥った姿のかわりに、まるで違った細い小柄《こがら》な女が歩いている。二人は典子の存在など気づかぬふうに、ひそひそと語りあうようにして、のろのろと足を運んでいた。どう見てもたのしいアベックであった。

典子は悪いものを見たように、急いで引き返した。道々、歩きながら、あれがはたして村谷亮吾かどうか疑わしくなった。むろん、彼の顔をはっきりと見たわけではない。背の恰好からそう直感したのだが、亮吾が別の女を連れて歩いているはずはなかった。あんなに妻に対しておとなしい男が、妻といっしょに来ている温泉場で、そのような真似《まね》ができるわけがない。

すると、やっぱり人違いであろうか。似たような人を見て、そう錯覚したのだろうか。

典子は急ぎ足になった。一度、夢からさめたようになると、夜のこの道におじけづいた。典子は夜の霧に化かされたかと思った。

外燈が、ぽつりぽつりとあるのも心細い。またここに田倉がひょっこり現われそうな気がした。

宿に帰ると、女中さんが、

「お散歩でしたか。今夜は霧が出てきましたね」

とにこにこして言った。典子は明るい自分の部屋に帰って、ほっとした。女中さんがついてきて、

「明日の朝、ごらんくださいませ。この辺の朝霧は山裾《やますそ》や谷間をはって、墨絵のようで

ございますから」

と言ってお茶道具を置いて行った。

典子は床にはいって、スーツケースに入れてきた本をとりだして読みはじめたが、素直に文章の中に溶けこんでゆくことができなかった。村谷阿沙子の原稿がどうか明日の夕方までにできあがればよいがと思ったり、田倉の姿が目の前に出てきたり、夜霧の中の薄い灯《ひ》の明りで見た一組の男女の影が思いだされたりして、活字を見る邪魔になった。

「村谷女史は、講演会や座談会には出ないひとですな」

と言った田倉の声が耳によみがえったりした。そういえば、そうだった。あのひとくらい座談会を嫌う作家も珍しい。典子の編集部でも二三回頼んだことがあるが、絶対お断りであった。講演会に出たという話もついぞ聞いたことがない。

別に理由はなさそうである。田倉は何を考えているかしれないが、講演会や座談会に出たがらない作家だっていくらもいるのである。村谷阿沙子がそんな場所に出ないのは、彼女の性格からなのだ。ふしぎはなかった。

そのうち、典子は眠ってしまった。

典子は、六時に起きた。

昨夜《ゆうべ》の女中さんが朝の挨拶《あいさつ》をして、

「お散歩にいらっしゃいますか？」

ときく。典子がそうしますと答えると、今朝も霧が深くてよろしゅうございますよ、と言った。

典子はスーツに着替えて外に出た。女中さんは、お浴衣《ゆかた》でかまいませんよと言ったが、典子は明るいところに旅館の着物をきて出るのは嫌いである。

霧は、なるほど見事だった。山が深いせいか、朝の陽《ひ》ざしがなく、霧は蒼白《あおじろ》い沈んだ色で、海のように張っていた。昨夜見たように薄く、煙のように流れているのではなく、向いの山や渓谷《けいこく》をかくしていて、深い厚味があった。

夜とちがって、典子は、今朝はのびのびと、道を歩いた。近いところの木や林は、黒い色で濡《ぬ》れている。空には、少しずつ澄明《ちょうめい》な光線がひろがっていた。

爽《さわ》やかな気持であった。典子は、軽い足どりで歩いた。早起きの客もあって、道では何人かに行きあった。それも、五六間《けん》先から、影のように、ぼうと現われるのである。その現われ方もおもしろかった。

しばらく道を歩いたが、広い道幅を歩くのもおもしろくないので、わかれている小さな小径《こみち》を上がった。むろん、車の通る道ではない。人にも出くわさない。草も、木の葉も、露に濡れていた。

典子は、その径をどんどん上がった。どうせ広い道に出るだろうと思っていた。前方に霧がやはり白く立ちこめている。歩いて行くと、その中から、径や林が現われ、振りかえると、今まで歩いてきた林が白い中に消えていた。彼女は、まるで白の世界を歩いているような気持だった。

するると、前方の白い膜の中に、ぼうと黒い影が二つ現われた。それは歩いていなかった。二つならんで立っているのだ。

典子の目がそれに止ると、足も釘《くぎ》づけになった。二つの影の姿に見覚えがある。のみならず、声にも聞き覚えがあった。

霧の中の淡い黒影《シルエット》は、一つは肥った女で、一つは瘠《や》せて背の高い男だ。——女流作家の村谷阿沙子と、雑誌社に情報記事を売りつけている田倉義三——男の声はしゃがれた低い声であり、女の金属性のきんきん響く声は、阿沙子に違いなかった。

典子は、急いで小径をかけ降りた。なぜ、そうしたか分らない。たぶん秘密めいた雰《ふん》囲気《いき》をそこに感じたからに違いないのだ。それは直感のようなものだった。

典子は、大げさに言うと、息せき切って旅館の部屋に逃げ帰った。

例の女中さんが、茶をすすめて、

「どうかなさいましたか?」

と眉《まゆ》をよせてきいた。顔が変だったのかもしれない。

「いいえ、別に」

と言ったが、胸は平静ではなかった。

なぜ、村谷阿沙子と田倉とが朝霧の中にならんで佇んでいたか典子には分らない。だが、そのことで動揺する自分の気持も分らなかった。たぶん、それは、昨夜夜霧の中に、これも影絵のように見た阿沙子の夫の村谷亮吾と、未知の女とのせいかもしれないのだ。つまり、この二組の霧の中の人物には、理由の知れない不安な線のつながりがあった。目に見えない線が、昨夜と今朝の、二つの異なった男女の姿に、一直線にひかれているように思われた。

3

典子は午前中の時間をもてあました。これは無為だという意味ではない。村谷阿沙子に電話を掛けて原稿のようすをききたいのだが、昨夜はおそくまで執筆していたに違いないから、その遠慮で掛けたくても掛けられないのだった。

少なくとも十一時ごろまでは待たねばなるまい。原稿は今日の約束である。はたしてできあがったかどうか、気にかかって仕方がないが、おひる近くまでは、その結果を知ることはお預けであった。いらいらするけれど、これぱかりはどうも我慢しなければならぬ。執筆者を怒らしてはならないのである。

典子は新聞を見たり、本をよんだり、また新聞をとりあげたりして、時計の針の進むのを待った。何もしないようだが、精神的にはずいぶん疲れた。外国映画に、部屋じゅうをぐるぐる熊《くま》のように人間が歩きまわっている場面が出てくるが、典子は今の自分にそれを感じた。

ようやく十一時になった。典子はようやくの思いで、送受器をとった。

帳場で杉ノ屋を呼び出してもらうと、先方はすぐに出た。村谷阿沙子の部屋につないでくれと言うと、

「失礼ですが、椎原さまでいらっしゃいましょうか？」

フロントの男の声がかわった。そうですと言うと、

「それならご伝言がございます。村谷先生は今朝、坊《ぼう》ヶ島《しま》の対渓荘にお移りになりました。椎原さまからお電話があったら、さように申しあげるようにとのことでございました」

「もしもし」

典子は驚いた。村谷阿沙子が今朝になって急に宿を変えるとは思わなかった。

「その坊ヶ島の、対……」

「対渓荘でございます」

「その対渓荘というのは、どこですか？」

「このつい近くでございます。渓谷の下になっていて、専用のケーブルがございます」

電話はそれで切れた。

村谷女史の移った旅館が近くだと聞いて、典子は少し安心した。伝言も置いて行くくらいだから誠意を疑うわけにはいかない。しかし、この分だと原稿の方は心配だった。

すぐに宿に対渓荘を電話に出してもらった。

「そちらに村谷先生はいらっしゃいますか？」

典子の耳に宿の女中らしい声で、

「はい。お着きでございます。ちょっとお待ちくださいませ」

と聞えたかと思うと、三秒と経《た》たぬうちに当の村谷阿沙子の声にかわった。

「あら、椎原さん、昨夜《ゆうべ》はよく眠れて？」

眠ったこっちのことよりも、急に宿を移った理由もききたいし、そのため原稿がどうなっているか早く知りたかった。

「先生、お早うございます。ご苦労さまでございます」

典子が挨拶すると、阿沙子の声はおっかぶせるように、

「それがね、椎原さん。困ったことになったのよ」

と言ったので、典子はどきんとした。

「え？」

思わず自分の声がとがった。

「先生、何でしょうか?」

「今日までの約束だったわね。それが、どうも思うように筆がすすまないのよ。悪いけれど、明日の朝まで待って頂戴《ちょうだい》な。待てないかしら」

村谷阿沙子の声も困惑していた。

はたして悪い方の予感が当った。この予感があったから、実はもう一日の猶予《ゆうよ》が見込んである。しかし、これはぎりぎりの決着だった。明日がはずれると万事休するのである。

「困りましたわ、先生。今晩までお待ちしますが、何とか、いただけませんでしょうか?」

典子は哀願した。あと一日の猶予のあることを言ってはならぬ。執筆者が安心して、もう一日と延ばしかねないのだ。

「今晩までって、とてもだめ。だって、まだ半分もできてないもの。ねえ、椎原さん。頼むから明日の朝まで待ってよ。そのかわり、どんなに早い時間にとりに来ても大丈夫だから」

「困りましたわ」

「ほんとうに悪いけれど、何とか助けてよ、ねえ」

「困りましたわ、先生」

こういう問答を二三度くりかえして、典子はようやく譲歩した。そのかわり明朝という約束は絶対であると何度も念を押した。今度はこちらもかけ値のない必死であった。

「ありがとう」

村谷阿沙子の声には、ほっとした吐息がまじっていた。

典子は、その電話のあとすぐに東京を申しこんだ。原稿に関しては係の責任である。もし、明日の朝も間に合わないとなると、どんなことになるか。彼女はせっぱつまった気持になった。

電話が通じると、白井編集長がじかに出た。

「旅館を変えたって？　どうして、そんなことをするのだろう」

白井は不平そうに言っていた。それから旅館の名を聞きとると、

「よしよし。それじゃ僕からも村谷さんに電話しておこう。しかし、君も手綱をゆるめちゃだめだぜ。離れた宿に泊っていちゃだめだ。村谷さんと同じ旅館に移れよ」

「でも、村谷さんは、編集者が同じ宿に泊って居催促するのを、とてもお嫌《きら》いになりますわ」

「ああそうだったな。厄介《やっかい》なひとだな」

編集長は舌打ちした。

「では、仕方がないから、隣の旅館に君が移るのだ。村谷さんがのうのうと遊びに出るようなことがあったら、原稿ができてからにしてくれと押しとめるのだ。それから三時間おきくらいに、原稿の進行状態を電話できききあわせるんだな」

「つまり、監視するんですね?」

「まあそうだ。明日の朝が間違うと、もう印刷所が待ってくれなくなる。それくらいにしないとだめだよ。いいな?」

「はい」

典子は、編集長に叱《しか》られて、しょげた気持になった。

それにしても、村谷阿沙子は、今朝になってなぜ急に宿を変えたのであろう? 何か気に入らないことでもあったのか。

典子は、いま、今朝の霧の中で見た二つの人影を思いだした。一つは村谷阿沙子であり、一つは情報記事のネタ取りの田倉義三だった。声まで耳に聞いたのだから確かであった。話の内容までは分らなかったが、普通の調子ではなかった。つまり、散歩している時にかわす単純な会話ではなさそうである。それは、あの時の直感で分るのだ。どこか秘密めいたものが、彼女の目にも耳にもうけとれた。だから典子は後も見ずに逃げ帰ったのだ。

村谷阿沙子と田倉義三との組みあわせも妙である。一方は小説家で、一方はジャーナリストのはしくれだから無縁ではないが、それにしても、早朝、あんな場所で二人きりで立ち話をするのはおかしい。村谷阿沙子は、たしか昨夜から原稿書きでおそくなっているはずなのに、いかなる理由で早起きして田倉義三と会ったのか。

典子は、ふと、昨日ここに来る途中、田倉に出会ったとき、彼の口から、典子の行先を、

(ああ、村谷女史のとこですな)

と吐かれた言葉を思いだした。彼は村谷阿沙子が箱根に来ていることを知っていた、とその時は考えたが、いまにして思えば、彼こそ阿沙子に会う目的で箱根にやってきたのではなかろうか。何だかそんな気がしてならないのである。

阿沙子が田倉と会ったことと、その後で宿を移ったこと——この二つはまるきり無関係ではなさそうである。

そんなことを考えると、もう一つ妙なのは、昨夜の霧の中で、阿沙子の夫の村谷亮吾と見知らぬ女の影とを見たことだ。いや、それが亮吾だとははっきり断定できないが、まず間違いないように思える。

こうなると、昨夜と今朝の、二組の男女の影と、阿沙子の宿の移転とは、まるきり因果関係がないとは言いきれない。どうも偶然とは思われないのである。

それとも、霧の幻想が作用した自分の思いすごしであろうか。いったい、あの田倉義

三はどこに泊っているのだろう。しかし、とにかく、いまは村谷阿沙子の隣の旅館に移ることが先決だった。

典子は係の女中さんを呼んだ。

「坊ヶ島という温泉場は、旅館が二軒しかございません」

中年の女中は微笑して教えた。

「へえ、そんな辺鄙《へんぴ》なの？」

「いいえ、辺鄙というわけじゃありませんが、谷底になっていて、宮ノ下の温泉場からケーブルで降りる仕かけになっています」

箱根にはあまり詳しくない典子は、今までそれを聞いたことがなかった。

「一軒は対渓荘さんで、一軒は駿麗閣《しゅんれいかく》さんです。どちらも専用のケーブルカーをひいておられます」

村谷阿沙子は対渓荘に滞在しているのだから、典子はその駿麗閣という旅館に泊るほかはなかった。女中さんは、わたしの方からご紹介いたします、と言う。

ききあわせてもらうと、部屋は幸いにあるという返事だった。

「あちらにお移りでございますか？　それはお名残り惜しゅうございます」

と女中さんは言った。

車を呼ぶほどでもない距離だというので、典子は道を歩いた。今朝の霧は晴れて渓谷が真下に見える。その向い側は壁のように明星ヶ岳《みょうじょうたけ》が立っている。高級自動車が二台すれ違ったが、これは仙石原にでも向うゴルフ族であろうか。

旅館専用の空中ケーブルは、宿がちがうから二つあるわけだが、最初の方は対渓荘降り口と看板が出ている。この宿に村谷阿沙子が今朝移ったのである。

典子はそれを眺《なが》めて、百メートルばかり歩くと、今度は駿麗閣降り口の看板があった。

若い宿の男が前に立っていて、典子を見ると、

「椎原さまでございますか？」

と小腰をかがめてきいた。今、出発したと宿から連絡をしているらしかった。

そうです、と言うと、宿の男は典子のスーツケースを取り、ケーブルのある方へと案内した。

ケーブルカーは小さくてかわいかった。

六人乗りということだったが、客は典子ひとりで、その若い男が運転台に立った。足を箱の中に踏み入れるとゆらゆらと揺れた。

運転手になった男は、合図のベルをリン、リンと二つ鳴らした。すると下の方の旅館から、応答がある。小さな箱はケーブルを伝って下降しはじめた。

窓から覗《のぞ》くと、断崖《だんがい》は四十メートルもあろうか、旅館の屋根が小さく下に光って見え

る。その横に早川《はやかわ》の流れが筋をひいている。この激しい上下の空間は、視覚に一瞬の畏《い》怖《ふ》を与えた。

「今まで事故はありませんでしたの?」

たったひとりの乗客の典子はきいた。

「絶対にありません」

運転の宿の男は笑っていた。

その間にも、下方の景色は徐々にせりあがり、拡大されてきた。木が大きくなり、家が大きくなった。空中ケーブルは安定した場所にとまった。宿の女中が典子の到着を出迎えていた。この下降に要する時間をきいてみると、

「ほぼ三分間でございますよ」

と女中は答えた。

典子は川の見える部屋に通された。宿の庭が、そのまま河原であり、白い小石を区切って水が流れていた。向いは山の裾《すそ》が小さなあかい断崖で切り立っていた。しかし、そのほかの周囲は、深いオリーブ色が樹林を厚く塗っていた。

横手の窓を開くと、廂《ひさし》くらいに高い板塀《いたべい》で遮断《しゃだん》され、隣の対渓荘の屋根だけが見えた。

とにかく、ここに着いたことを、村谷阿沙子に知らせねばならない。それは同時に原稿の督促でもあるのだ。

宿から電話すると、村谷阿沙子は今度もすぐに出た。

「先生、お原稿の方、いかがでしょうか？」

「あら、さっき、あんたんとこの白井さんから電話でハッパをかけられたばかりよ」

阿沙子の声がきんきんして聞えた。

「そうですか。それはすみません。それで、あの、あと何枚くらいでしょうか？」

「何枚って、まだ半分もいっていないわ」

阿沙子は即座に答えた。典子はまた心配になった。依頼した枚数は五十枚で、それが半分もできてないとすると、明朝までにはたして完成するだろうか。

「先生。実は、わたくし、お隣の旅館に来ていますの。これからちょっとお邪魔してもよろしいでしょうか？」

「あら、あんた、隣に来てるの？　おどろいたわ」

村谷阿沙子も意外だったらしい。

「督戦隊なのね。白井さんの命令でしょう？」

と、ちゃんとこちらの意図を知っている。

「そうね」

と電話の向うで、少し考えたようにして、

「じゃ、いらっしゃいよ。おひるでもいっしょに食べましょうか」

と言ってくれた。

着替えの浴衣を持ってきた係の女中に、

「これから隣の対渓荘に行きたいんですけれど、どこから行ったらよろしいの？」

ときくと、女中は顔に苦笑をうかべた。

「恐れ入りますが、対渓荘さんには、ここからは行けませんの」

「へえ、だめなの？」

「さようでございます。今まで、いろいろと弊害がありまして、通路をあのとおり」

と振りむいて竹垣《たけがき》をさし、

「仕切って交通遮断になっております」

「じゃ、隣に行くには、もう一度、ケーブルカーで昇って、今度は隣専用のケーブルカーで降りるんですか？」

「さようでございます。どうも申しわけございませんが」

旅館二軒きり隣同士といえば、やはり事情が生じるのであろう。しかし、目と鼻の隣に行くのに、二つのケーブルカーを昇ったり降りたりするとは、ずいぶん不便なことだと彼女は思った。

典子は、いったん駿麗閣のケーブルで昇り、百メートルの道路を歩いて、対渓荘専用の空中ケーブルで降りた。

　こっちの方も、駿麗閣とほぼ同じくらいの大きさで、下降の時の信号も、リン、リンと二つ鳴った。それで気づいたのだが、駿麗閣では上昇の時は、この信号が三つのベルである。昇りが三つ、降《くだ》りが二つの合図らしい。対渓荘でも下降は二つだが、昇りの信号もはたして三つだろうか。

　対渓荘の玄関に着くと、宿の女中のほかに、三四度顔見知りの村谷家の女中が出迎えていた。

「いらっしゃいませ。先生がお待ちしております」

　村谷家の女中は典子に微笑して言った。二十《はたち》か二十一くらいの、小柄で、髪のかたちもあまり構わないが、目もとに愛嬌《あいきょう》がある。典子は彼女に好感をもっていた。

　この女中さんに導かれて、典子は奥に通ったが、赤い絨毯《じゅうたん》の廊下を長々と歩いて、離れのような部屋に連れて行かれた。

「お見えになりました」

　と女中さんは襖《ふすま》の外で言った。この暑いのに、村谷阿沙子は廊下の襖を閉めて仕事をしているらしい。

「どうぞ」

　阿沙子の声がこたえたので襖をあけると、そこは三畳ばかりの控の間がつき、次の八畳の広さの中央に、阿沙子の肥《ふと》った身体が机の前に悠然《ゆうぜん》とすわっていた。

「先生、お仕事中をどうもお邪魔いたします」

典子は両手をついた。

「いらっしゃい。まあ、こっちへ。あ、広子《ひろこ》」

と阿沙子は彼女の女中を呼びとめた。

「お客さまが見えたから、用意のもの、こっちへ運ぶよう言いつけてね」

「はい」

それが昼食らしいので、典子はあわてて言った。

「あの、もし、お食事でしたら、わたくし、もう……」

「あら、すんだの？」

阿沙子の小さい目が光ったので、典子は肩をすくめた。こんな気づまりな人とは、やはり会食したくない。

「そう」

阿沙子は少し不機嫌《ふきげん》に、

「じゃ、あとでいいわ」

と女中に、

「あんたも呼ぶまで来なくていいわ」

「はい」

女中が去りかけると、

「あ、広子」

また呼びとめて、

「旦那《だんな》さまは？」

「いま、お風呂にいらしたようでございますが」

「また、風呂なの？」

と阿沙子はいくぶん不満そうに言った。

「先生、お原稿の方は……？」

典子は、おずおずと切りだした。それとなく机の上をいま見たのだが、広げた原稿紙の上には文字が半分まできれいに埋めてあった。村谷阿沙子の原稿は、あまり消したり、書き替えのないことで編集者の間に定評があった。文字は下手だが、整理には楽なのである。

「そうね、半分近くまで来たから大丈夫らしいわよ」

阿沙子は典子の正面を向いて、ちかちかした顔で言いきった。

「そうですか。それはありがとうございます」

典子は、正直、ほっとした。

「あんた、隣に泊っているんだって?」

阿沙子は低い鼻に薄い笑いをうかべた。

「そう。それはご苦労さま。とにかく、こっちも隣から目を光らされていると思うと気が気でないから、今晩はがんばるわ」

その言い方に、多少の皮肉を感じたので、

「それでは、よろしくお願いします」

典子は長居は無用と匆々《そうそう》におじぎをした。ほんとうを言うと、彼女はこの村谷阿沙子にどうもなじめないのである。

帰りがけに廊下を歩いていると、向うから浴衣をきて、手拭《てぬぐい》をぶら下げて、帰ってくる男がある。何気なしに見ると、それが阿沙子の夫の村谷亮吾だった。

亮吾は何か考えにふけっているようすで、うつむきかげんに歩いている。典子はよほど声をかけようかと思ったが、亮吾の下に落ちた目がひどく疲れた恰好《かっこう》なので、こちらに気づかぬのを幸いに、黙ってすれちがった。幸い、廊下の幅が広い。

ふり返ると、亮吾の肩は、風にでも吹かれているように、たいそう寂しげに見えた。典子は霧の中で見た薄墨の姿を思いだした。やはり間違いはなさそうだ。

玄関で靴《くつ》をはいていると、

「もうお帰りでございますか?」

といつのまにか村谷家の女中が、目もとに微笑をみせ膝《ひざ》をついていた。

典子は上昇のケーブルに乗った。ここも駿麗閣と同じように、三つのベルの合図だった。

ケーブルカーの窓から下を見ると、対渓荘の屋根が、ずんずん小さくなって沈下して行く。隣の駿麗閣の屋根も連れのようにならんで縮んで行った。

彼女はその沈む風景を見ながら、田倉はどこに泊っているのだろう、とまた思った。

変死

1

典子は駿麗閣で夕食をとった。

給仕の女中は三十ぐらいだったが、

「お嬢さま、おひとりでこんなところにお遊びにいらしてお寂しくはございませんか?」

ときいた。

「いいえ、仕事ですわ」

「おや、さようでございますか」

女中は言ったが、何の仕事か見当がつかないようだった。それでも、調子を合わせて、

「それじゃおたのしみがございませんね。今度、ご結婚あそばしたら、ご新婚旅行には、あらためていらしてくださいませよ」

「ええ、ありがとう」

典子は軽く笑った。一つの幻像《イメージ》が目にうかんだが、すぐに消えた。まだ遠い先のことだと思った。

「そういうかた、多いの?」

「そりゃア季節《シーズン》には大変でございますよ。毎日何組もお受けいたします。慣れてはいましても、つづけて当てられどおしでは、頭がぼうっといたします」

典子は笑った。ご馳走《ちそう》さま、と言ったのは食事が終った意味である。女中は一礼して、卓上の片づけをしながら、

「何といっても、その時が花でございますね。ご夫婦も年月が経《た》ちますと、いろいろな故障が起ります。あ、そうそう、今もね」

と声を低めた。

「楓《かえで》の間《ま》、これはお離れでございますが、たいへんなご夫婦喧嘩《げんか》が起っております。旦那さまの方は、はじめにおひとりで見えたのですが、あとから奥さまが訪ねていらして、

騒ぎになりました」

「へえ、旦那さまが、ほかの女のかたを連れてきていたの?」

典子も雑誌の編集者だから、何かの参考のためにきく気になった。

「いいえ、おひとりだったのです」

「それじゃ問題はないはずだわ」

「それが、あなた、奥さまというのが、たいへんな剣幕でしてね。わたしは途中で逃げだしてきたのですが、何でも話のようすでは、奥さまが、心配でたまらず、旦那さまを探しに、箱根に駆けつけてこられたらしいんですの」

「へええ」

「もう中年のご夫婦なんですがね、旦那さまは、むっつりして、怒ってらっしゃるし、奥さまはヒステリー気味で泣いてらっしゃるし、そりゃもう、たいへんでございます。あんなのを見ると、ほんとに結婚もいやでございますね。あれは旦那さまが、きっと浮気な性分なんでしょうね。わたしの経験に照らして、あの奥さまの気持がよく分ります」

「あら」

「ええ、わたしも亭主でさんざん苦労いたしました。それでとうとう別れましたが」

この上、女中の身の上話を聞く興味はなかった。典子が腕時計を見ると、女中はおとなしく退《さが》った。

時計を見たのは、別の意味もある。いま八時前である。編集長は三時間おきに、村谷阿沙子に原稿の進行状態をきけと言う。三時間なら十一時に電話しなければいけない。次は午前二時だが、まさかその時刻に電話もできないので、とにかく、十一時には一度電話しようと思った。編集長の気持も分らなくはないが、作家も大変だな、とちょっと村谷阿沙子に同情した。

湯にはいって部屋に帰ると、床がのべてあった。十一時まではどうにもしようがないので、横になって本をとりだしたが、三ページと進まないうちに、いつのまにか眠ってしまった。やはり昼間の疲れが出たらしいのである。

そのうちに目がさめて、本能的に時計を見た。十時半だった。典子は安心した。が、なぜ、目がさめたのか。どうも自然に目があいたのではなく、何か外的な条件で起されたような気がする。本をよみかけて眠ったのだから、スタンドの明りはそのままになっている。見まわしたけれど、襖の合せ目はきちんとしまっているし、どこにも異常はない。

しかし、そのことはやがて分った。本をよみはじめて十分も経つと、チン、チン、チンと三つベルが鳴った。しばらくして、ケーブルの運転の音が微《かす》かに聞えた。

この、チン、チン、チン、という音をつい今しがた耳におぼろに聞いたような気がする。そうだ、確かに聞いた。それは夢の中のようだったが、やはり現実だったのだ。それで目がさめたということに初めて気がついた。

チン、チン、チンと三つのベルは、ケーブルの上昇の信号である。それは宿の者に聞いたから知っている。すると、十分前、つまり、彼女の睡眠を破ったときに一回ケーブルカーが昇り、それから今、一回昇ったのである。もっとも、その間に、こちらに戻る下降があるが、二つのベルが鳴らなかったところをみると、乗せる客がなかったらしい。空《から》の時の昇降は合図のベルが鳴らない仕組みになっている。

ずいぶん、おそい時刻に客が出て行くものだと典子は思った。帰る客か、外出かは判断はつかないが、十分おきにケーブルカーが二度客をのせて上昇したのである。

典子は時計を見た。十時四十分をすぎていた。十一時にはまだ早いが、何もかっきりと十一時を待つことはない。かえっておそくなった方が失礼な気がして、典子は卓上の電話機をとり上げた。

この時刻になると、宿の交換台もすぐには応答しないで、三分ばかり待たされた。やっと通じたので、

「すみませんが対渓荘にお願いします」

「はい、はい」

ところが、今度は対渓荘が容易に出ない。ここでも三分間くらい待たされた。

「はいはい、対渓荘でございます」

と眠そうな声がした。

「こちらは椎原と申しますが、村谷先生のお部屋にお願いします」

「かしこまりました」

これは五秒くらいして、

「村谷先生はお部屋にいらっしゃいません。ご外出でございます」

と同じ声が返った。

外出と聞いて、典子はびっくりした。こんなにおそい時刻に散歩に出たのか。対渓荘のケーブルの合図のベルはここまで聞えないから分らない。

「何時ごろにお出かけになりましたか?」

「さあ、ちょっとお待ちください」

とぎれた間は、係の女中にでもきいたのであろう。やがて声が来て、

「三十分ほど前だそうでございます」

「三十分前」

それではこの駿麗閣の前の客——典子が目をさまされた第一のベルの時刻より十分ほど前に、村谷阿沙子も対渓荘からケーブルカーで上昇したらしい。

「もしもし、それでは、先生のご主人さまをお願いします」

ともかく行先を知らなければいけない。出たらつかまえろ、と白井編集長が注意したのはここである。

「あの、ご主人さまも奥さまより少しあとで、お出かけになりましたが」

それでは夫婦とも出ているのか、と典子は気が気でなかった。原稿はできあがったのであろうか。いやいや、明朝までの約束だから、遅筆家の阿沙子女史が、そんなに早く書けるわけがない。途中でおっぽりだして、遊びに出て行ったのに違いないのである。

「困ったわ」

典子は思わずつぶやいた。

この時、チン、チン、と二つのベルが聞えた。客が下降してくるらしい。

「それでは、先生のお宅の女中さんをお願いしますわ」

女中なら夫婦の行先を知っているだろう、こう思ったのが誤りだった。

「女中さんも、ご主人さまのお供をして、お出になりました」

それでは、村谷家の一家総出である。典子はうろたえた。これは部屋に戻ってくるのはおそくなるな、と直感した。

「どこにいらっしたのかお分りになりませんか？　ぜひ、用事で伺いたいのですが」

「お待ちください」

女の声は少々うるさそうだった。何やら問い合せる声がしていたが、

「あいにくと、何もおっしゃらずにお出かけになったので、分りかねますが」

「そうですか」

「申しわけありません」

電話は先方から切った。

手のつけようがなかった。典子は胸が騒いできた。原稿ができなかったら、どうなるのだろう。白井編集長のどなり声が聞えてきそうである。

——こんな時に崎野《さきの》さんがいてくれたらいい、と思った。

典子は同じ編集部の崎野竜夫《たつお》に救いを求めたい気持だった。日ごろは軽口を叩《たた》いているが、彼の顔が一番にうかんだ。少々、ずうずうしいところがあるが、こういう場合は、彼の足を買わねばならない。すぐにもとびだして、暗夜の箱根全山を探しまわりかねない男だ。女性の弱さは、くやしいが、こういうさいの行動力のないことだった。

芸のないことだが、あと三十分したら、もう一度、対渓荘に電話する以外にはない。それで帰っていなかったら、また三十分おいて問い合せるのだ。

それにしても、なんと編集者をてこずらせる女流作家であろう。もう村谷女史の係はこりごりだと思いながらも、目下の危機には当惑するばかりであった。典子は、寸刻も一つところに落ちつけなかった。

が、三十分も待つことはなかった。

不意に電話が鳴ったときは、典子は飛びあがった。

「もしもし、椎原さん?」

と送受器を流れたのは、あきらかに村谷阿沙子の声であった。

「あ、先生」

「あんた、電話くれたの?」

阿沙子の声は思いなしかとがっていた。不機嫌ということはその語調で分った。

「ええ、そうです。あんまり、お原稿の方が心配だったものですから」

典子は、ほっとするとともに、おどおどした。

「大丈夫よ。そんなにたびたび、電話くれなくとも。明日《あす》の十時ごろ取りに来てよ」

「はい」

がちゃりと切った音が送受器から耳を衝撃させた。その強さは村谷阿沙子の語勢に通じた。荒れてるぞ——典子は男の編集者がよく言う言葉を思いだした。

しかし、大きな安らぎが彼女の胸の波をさらった。知らずに吐息が出た。ともかくも、原稿は間に合いそうである。それからは、よく眠ったのである。

朝、目がさめたのは八時すぎであった。何となく周囲がざわざわしていた。廊下を人がいそがしそうに歩いて行く音がする。どこかでは話し声が聞えていた。声に妙に落ちつかない調子があった。

典子が洗面を終ると、昨夜《ゆうべ》の女中が茶を入れてきたが、朝の挨拶《あいさつ》もろくろくしないで、

「お嬢さま、大変でございますよ」

興奮した顔で言った。

「今朝早く、自殺がありましたよ。この家からちょっと離れた河原の石に頭をぶっつけて滅茶滅茶《めちゃめちゃ》になったところを、散歩のお客さんが見つけて大騒ぎになったところです」

道理で今朝のあわただしい気配のようすが分った。典子は眉《まゆ》を寄せた。

「どうしたのでしょう?」

「崖《がけ》の上から飛びおりたのでございますよ」

「崖の上?」

断崖は四十メートルくらいの高さである。これはケーブルの架線してある高さと一致していた。典子は自分がケーブルカーに乗って下を覗《のぞ》いているので、そのときの視覚を思いだし、寒気がした。

「わたしも見にまいりましたが、死体を一目見ただけで恐ろしくなって逃げてきました。うちの浴衣を着ているのですから、よけいにこわくなりました」

「じゃ、ここのお客さんなの?」

「それが、あなた」

と女中の真剣な顔は少し蒼《あお》かった。

「楓の間のお客さんなのですよ。そら、昨夜、お話ししたでしょう？　夫婦喧嘩をなすっていたというお客さん、あの旦那さんの方なんですよ」

「まあ」

典子も目をみはった。

「ねえ、びっくりするじゃありませんか。まったく度肝を抜かれました。今朝からわたしたちは、そのことで仕事が手につかないくらいです」

「奥さまはどうしていらっしゃるの？」

「警察のかたと話しておられます。死体は小田原から救急車が来て病院に運ばれましたけれど」

死体を病院に運ぶ。ああ、それは解剖のためだと典子は考えついた。しかし、ここでは自殺者はいちいち解剖に付すのだろうか。

「なんでも、昨夜の十一時から十二時の間に死んだということでございますよ。今朝、死体が見つかったのは六時ごろでございますが。……それがね、お嬢さま、ちょっとおかしなことがあるんですよ」

女中は声をひそめた。

「昨夜、ご夫婦が大喧嘩をなさいましたが、そのあとは仲直りができたとみえて、女中にビールなど運ばせて、お二人で召しあがっておられました。わたしたちは、かげで笑っていたのですが、そのあとで旦那さまの方が浴衣着のままひとりで玄関に出てきて、ケーブルに乗って昇られました。そうですね、それが十時半ごろだったでしょうか。それから十分ぐらいして、奥さまが旦那さまのあとを追うようにして昇って行かれました」

典子は昨夜の二回のベルの音を思いだした。十時半といえば時間も合致していた。その最初のベルで彼女は眠りをさまされたのだ。二度目のベルは、村谷阿沙子に電話をかける直前に聞いた。

「奥さまは、三十分も経つと、ひとりで帰ってこられましたが、旦那さまはお帰りにならないのです。係の女中が心配して、奥さまにきくと、知った人が近所の宿にいて、麻雀《マージャン》に誘われたのだから、かまわない、というご返事でした。それで安心したんですがね、まさかこんなことになろうとは夢にもぞんじませんでした」

「まあ、こわいわね」

典子は自殺者が乗ったケーブルのベルを聞いていただけに、実感がせまった。

それはともかく、村谷阿沙子の原稿の方はどうなっているのだろう？　時計を見ると九時をまわっている。もう電話してもいい時刻である。朝食をとったが、心が落ちつかず、食欲がなかった。

「申しわけありません。お食事前にこんないやなお話を申しあげて」

女中は恐縮していた。

電話をかけようと思ったが、いずれにしても同じことだと考え直して、身支度をした。

宿には外出すると言って、昇りのケーブルに乗った。

同じ箱に四五人の客が乗っていたが、自殺者の話でもちきりであった。ケーブルがしだいに上昇してくると、窓から渓谷をのぞいて、

「こんな高さから落ちたら、ひとたまりもないだろうな」

などと話しあっていた。

典子も窓の下を見た。下の人間の姿が小さく動いているのを見ると、ぞっとした。

いったん、上に着いて、今度は対渓荘専用のケーブルで下降する。隣に行くのにおそろしく手間のかかることだった。

対渓荘の玄関に立つと、帳場の人が典子の顔を見てとびだしてきた。

「椎原さまでございますか？」

「そうです。村谷先生をお訪ねにあがったのですが」

「村谷先生は、今朝早く、そう、二時間ばかり前に東京にお発《た》ちになりました」

典子は声も出ずに、棒立ちになっていると、

「おことづけ物がございます」

と帳場から厚い大型の封筒を持ってきた。原稿である。典子が引き出してみると、原稿の最後のナンバーは43となっており、欄外に走り書きで、〝枚数が少ないけれどこれでかんべんしてください〟とあった。約束の五十枚には足りないが、しかし、それでも、典子は全身がゆるんだ。

「ありがとうぞんじました」

典子は帳場の人にていねいにお礼を言った。誰にでもお礼を言いたい気持であった。

それにしても、村谷阿沙子は、なぜ、急に東京に帰ったのであろう？　八時といえば、ずいぶん早い方だ。典子に連絡しなかったのは、時間の早いせいで遠慮したのかもしれないが、ちょっと言ってくれたらよかったものをと思わないでもない。

しかし、とにかく原稿は貰《もら》えたのだから、どっちでもよかった。思えばずいぶんと気をもました原稿だ。それだけにありがたい。とにかく、責任をはたしたという安心とよろこびが湧《わ》いた。

典子は駿麗閣に帰って、あらためて引き上げる支度をした。

「お嬢さま、お帰りでございますか。どうも行きとどきませんで。今度はご新婚の時には、ぜひいらしてください」

と女中が言った。

典子は安心で気持がはずんでいたのだろう、ふと思いついて言った。

「ねえ、今朝の死体のあった所を、ちょっと見てみようかしら」

「およしあそばせよ」

と女中はとめた。

「お若いかたのごらんになる所じゃありませんわ。まだ、そこらの石に血が散っていて、そりゃ気持が悪うございますから」

「かまわないわ」

好奇心もあった。それから何事も勉強だという編集者意識もあった。女中も一度は制止したが、やはり内心は案内したいのかもしれない、あんがい、いそいそとして先に立った。

現場は、駿麗閣の庭から三十メートルばかり離れていて、早川渓谷が四十メートルの断崖《だんがい》の下で終ったところにあった。大きな石塊がごろごろしている。

泊り客や宿の雇い人などが、二十人ばかりも集まって見物していた。その輪の中にはいって見ると、白っぽい水成岩の石には、変色して黒くなった血痕《けっこん》がぽつぽつと模様のように散っていた。

典子は飛び降りの現場など、血だらけのすさまじいようすなのではないかと、こわごわのぞいたのだが、そこはもう警察が片づけたあとだったのか、想像したような血だまりはなかった。

しかし、典子は石に付着している黒い血痕に、やはりぞっとして目をそむけた。

「いったい、どの辺から飛び降りたのでしょう？」

「あの辺からだということですが」

見物人の一人が上を向いて指さした。断崖の頂上は木の茂りが小さく見えていた。

「実際に飛び降りたところは、もう少し下だそうでございますよ」

女中は典子にだけ教えた。

「頂上は宮ノ下の道路からはいったところですが、それから分れて小さな村道がぐるぐると曲って降りているんです。飛び降りの現場は、頂上の少し下に当るその村道の傍《そば》だと警察の人が話しておられました」

女中の話を横で聞いていた男が、もの好きそうに寄ってきた。

「女中さん、その人は、あんたのところの泊り客かね！」

「はい」

女中はもじもじした。あまり大っぴらには言いたくないようすだった。

「どんな職業の男だね？」

「さあ、よく知りませんが」

女中は典子の腕をつついて、逃げるようにそこを離れた。

「お気持が悪かったでしょう？」

女中は歩きながら典子の顔をのぞいた。

「まあね」

典子の目には白を染めた黒い色が残っている。

「そのお客さんのご職業はね」

女中はいま答えなかったことを典子に言った。

「宿帳によると、雑誌記者と書いてありましたよ」

「え、雑誌の記者？」

典子は、どきんとした。胸に波が起った。

「年齢《とし》はいくつぐらいのかた？」

「そうですね。たしか四十二歳とありましたが」

典子は、はっとした。

「もしや名前は田倉とは書いてありませんでしたか？」

「あら」

女中が目をみはった。

「ごぞんじのおかたですか？　そのとおり田倉さんというお名前ですが」

典子はあたりが瞬間に遠ざかるのを覚えた。

田倉義三が変死した！

たちまち、きのうの朝、霧の中で見た田倉義三と村谷阿沙子との影がうかんだ。それは反射的に阿沙子の夫の亮吾と見知らぬ女との薄い影に一線にならぶのだ。さらに、村谷阿沙子たちが今朝早く倉皇《そうこう》として宿を去ったことである。

——典子は昨夜のケーブルのベルの音が耳によみがえった。それは黒い疑惑の中に聞えていた。

2

翌十四日の校了日は、目のまわるような忙しさだった。村谷阿沙子の原稿が予定した枚数に足りないため、典子はその穴埋めにカットを入れたり広告をふやしたりで、駆けずりまわらねばならなかった。原稿の出来もあまりいいものではなかったけれど、もうどうしようもなかった。

雑誌の編集というものは、毎号がこんな綱渡りみたいな危ない仕事であった。よくこれで毎月、発売日には遅れずにきちんと出るものだと思う。最後の朱《しゅ》を印刷工場に出して、はじめて安堵《あんど》の吐息をつくのである。

典子は、あの日、東京に着くとすぐに村谷阿沙子の家に電話したが、留守らしく、通じなかった。先に帰京したというのに、どこかをまわっているのかもしれない。とにかく原稿を間に合わせてもらった礼を言おうと、校正の途中、夜、電話すると、女中さん

が出た。箱根にいっしょにいった女中の声だから、てっきり阿沙子女史も帰っているものと思っていると、

「あの、先生はまだお帰りになりません」

との返事であった。

「ちょっとご用があって、ほかにまわられています」

「そうですか、お帰りになりましたら、お原稿をありがとうございました、とおっしゃってください」

それだけ言って、典子は仕事に戻った。どうも解《げ》せない。田倉義三が夜中に投身して死体が発見された朝、村谷阿沙子は不意に旅館をひきあげた。それから女中だけを帰して、自分は自宅に戻っていない。おかしな行動だった。

ところで、田倉義三の死を、典子が帰ってそうそうに報告したものだから、編集部はその話題で一騒ぎであった。

「自殺するような男ではない」

というのが、みなの一致した意見であった。誰もが田倉義三という人物を知っている。押しが強くて、横着なのだ。雑誌社に売りつける探訪記事でも、相手の迷惑も人格も考えず、ずうずうしく土足で踏みこむような取材の仕方であった。また、それくらいしなければ、ひとりで売り物のネタは取れないのであろう。だいたい、有名人のスキャンダ

ル専門で、秘密を嗅《か》ぎだすためには本職の刑事もおよばないような聞き込みや張り込みを行う。それも彼独特の執拗《しつよう》さであった。

もっとも、そういつもお誂《あつら》えむきのネタが転がっているわけではない。そのときは一粒の麦をたちまちパンくらいにふくれあがらせ、原稿を懐《ふところ》ろに雑誌社を練り歩くのである。ちょっと内容だけを暗示して気をひくところなど商売は心得たものである。見世物の呼び込みみたいだった。

そのかわり、これはと思うネタを摑《つか》むと、数社に電話をかけ、一番高い値で買ってくれるところを駆け引きしながら待っている。以前、地方で新聞記者をしていただけあって、文章は達者であった。

どの雑誌社も田倉など毛嫌《けぎら》いしているが、しかし、いいネタを見せびらかされると、つい手が出てしまうのである。呼びものの記事や色合いがなくて困っている時には、目をつむって田倉に手をさし伸べるのだ。これも雑誌を売るためにはやむを得ないのである。

今まで、田倉のために泣かされた人は少なくはない。雑誌社でもそれを考えて、なるべく彼のものは使わないことにしているが、最近のように雑誌社がふえ、激しい競争が起ると、田倉のような存在は重宝だから、なかなか繁昌《はんじょう》していた。悪どい、とか、下劣だ、とか非難されながらも、彼はせせら笑いながらマスコミの下層を徘徊《はいかい》していた。

その押しの強い田倉義三が、けっして自殺するわけはない、と皆が言うのだ。その前の晩には、田倉の妻が箱根の宿に押しかけてきて、夫婦喧嘩があったと典子が言ったものだから、

「女房に殺されたのかもしれないよ、あの男は女ぐせが悪かったからな」

という説が出た。

仕方がないな、とか、因果応報だとか、がやがや言っていたが、何しろ校了日前は戦場のような忙しさで、ゆっくり話しあっていられなかった。

崎野竜夫だけはその話に加わらず、にやにや笑いながら、くわえ煙草《たばこ》でゲラに朱を入れたり、割り付けなどしていた。

典子は、霧の中で見た人物や村谷阿沙子の行動などは黙っていた。それは田倉の変死に関係あることかどうか分らないから、めったなことは言えなかった。

ただ、崎野竜夫にだけは、ちょっと話してやりたい気がする。やはりひとりで秘密を持っていると、どこかで吐きださねば、心理的にガスが身体《からだ》の中に充満するようだった。

彼女は雑誌の校了日の過ぎるのを待った。

最後の日は半分徹夜なので、編集部の女性は早く帰してもらって、この時も話ができなかった。

あくる日は全員休養、次の日から出社だったが、その朝、典子は新聞の片隅《かたすみ》を見て、

目をみはった。

新聞記事の活字は次のようにならんでいた。

「七月十三日朝六時ごろ、神奈川県箱根町宮ノ下坊ヶ島の断崖下で男の墜死体があるのを散歩の浴客が発見、取り調べると前夜駿麗閣に投宿していた神奈川県藤沢市南仲通り著述業田倉義三(四二)さんと判明した。所轄《しよかつ》署では死因に不審の点があるので、小田原の××病院に送り、解剖したところ、死後約七時間、胃の中から睡眠薬と酒精《アルコール》分とを検出した。田倉さんは前夜、旅館でビールを飲んでおり、その直後に外出したまま行方不明になっているので、睡眠薬を飲んだ上、崖《がけ》の上から飛び降りた覚悟の自殺と見られる」

新聞によると、警察では田倉の死は自殺と認定しているらしい。典子はしばらく考えていたが、その新聞をたたみ、ハンドバッグに入れて出勤した。

崎野竜夫がねむそうな目つきをして十一時すぎに出社してきた。雑誌の編集部は出社がおそく、ことに校了日をすぎた二三日はみんなのんびりしている。編集長もほかの者も姿をみせていない。

典子は、崎野が自分の机の椅子《いす》をひいて腰かけたばかりのところに近づいて行った。

「崎野さん、外にお茶のみに行かない?」

崎野は典子を見あげて、目を大きくあけた。

「僕ひとりかと思って、いやに早々と誘うんだな、リコちゃん」

「背負《しょ》わないでよ。咽喉《のど》が乾いたから、早く来た人に冷たいコーヒーでもたかろうと思ってたのよ」

「やれやれ」

崎野は両手を机の上に突いて、かけたばかりの椅子から立ちあがった。長い脚をゆっくりした歩き方で外に出た。彼の背に眩《まぶ》しい陽《ひ》が当った。

昼前のことで喫茶店の中は空《す》いていた。給仕が蠅叩《はえたた》きを持って蠅を追っている。

崎野はアイスコーヒーを注文すると、肩を椅子にこすりつけるようにして背伸びした。

「疲れたな。校了日がすむと、やっぱり疲れる」

「昨日一ん日《ち》は休んだじゃないの?」

「うん。夕方まで眠ってたがね。ナイターを見て、それから麻雀《マージャン》に誘われた。寝たのが二時だった」

「それじゃ、疲れるわけだわ」

典子は崎野の重そうなまぶたを見た。

「一日でも、そんな時間がないとやりきれないよ。ところで、何の話だ?」

崎野はコーヒーのコップに突っこんだ顔を上げた。彼は典子が話を持って誘ったことに気づいていた。そんなところは、勘がよかった。

典子は、ハンドバッグから新聞を出して、崎野の目の前にひろげた。田倉の記事をさすと、

「ああ、それか、読んだよ」

と彼はちらりと見て言った。

「そう。どう思う?」

「どう思うたって、……君は偶然に同じときに箱根に行って、落ちた現場を見たものだから、いやにこれに興味を持っているんだな」

「ちょっと、あるわ」

「それだから女の子は困るな。箱根から社に帰った日なんぞ、えらく興奮してしゃべり散らしていたじゃないか」

「しゃべり散らしなぞしないわ。田倉さんが断崖から落ちて死んだと報告しただけよ。ほかの人が騒いだだけだわ」

そういえば、崎野だけが黙ってにやにやしながら仕事をしていたと、典子は気づいた。みんなが沈黙しているときはひとりでしゃべり、ぐるりが話を盛んにかわしていると、黙って仲間はずれになる妙なくせがあった。

「ねえ、あたし、あのとき、ほかの人には話さなかったけれど、箱根に行ったとき、少

し気になることを見たのよ」

「そうか」

崎野はコップの底の氷の間から、コーヒーの最後の一滴を吸いながら、急には興味を示さなかった。

典子は話しだした。皆の前では言いたくないが、崎野だけには話しておきたかった。霧の中の目撃が、はたして田倉の死と関係があるかどうか、自分だけでは処理がつかないのである。あるいは崎野の意見を聞きたいから処理をしないでいる意識もどこかにあった。

崎野は煙草をすいながら、遠い目つきをして聞いていたが、話を聞き終ると、

「なるほどね」

と低く言った。何か考えているらしいのは、興味を感じて黙っているのである。

「どうかしら。阿沙子女史と田倉さんとは、声も聞いたし、間違いないと思うんだけれど、阿沙子女史のご主人と、もう一人、知らない女のひととは、たしかにそれかどうか自信がないわ」

「田倉が駿麗閣に来た晩に、その奥さんが田倉を探しにきて、喧嘩がはじまったんだね、そしてあとで仲直りができた」

「そう。宿の女中さんの話ではね」

「ふうん。君の見た女史のご主人の相手の女が、田倉の奥さんかもしれないな。それだとちょっとおもしろい」

「…………」

「田倉という男は絶対に自殺するような男じゃないな」

崎野竜夫は断言した。眠そうだった目がようやくぱっちりと開いた。

典子はうなずいた。大勢の意見がそうだからというのではなく、彼女が田倉からされた態度で実感があった。

「自殺する意志がないとなると、過失か、殺されたかだ」

崎野は新聞記事に目を落した。

「これによると、田倉は睡眠薬をのんでいる。どれくらいの量か分らないが、むろん、自殺の目的ではなく、眠る目的だったのだろう。ところで、その睡眠薬はどこでのんだのだろうな?」

「胃からアルコールが検出されているから、それは宿で奥さんといっしょにビールを飲んだのが証明されたのでしょう。すると、睡眠薬はすぐそのあとか、あるいはビールといっしょにのんだのかもしれないわ」

典子は言った。

「そうだろうね。けれど、睡眠薬をのんだ者がどうして外出したのだろう。のむなら、外から帰ってからの方が普通だがね」

典子は宿のケーブルが上昇する合図のベルを十時半ごろ聞いた。女中の話から推して、それは田倉が外出したのである。そのとき彼は睡眠薬をのんでいたのだろうか。なるほど、眠り薬をのんで外出するのは不自然である。

そのあと十分ばかりして二度目のベルが鳴った。それは田倉の妻が、田倉のあとを追ってケーブルで昇ったのだ。夫婦は喧嘩したあと仲直りしたようだったとは、女中の話だが、彼らの間にどんないきさつがあって、田倉がまず外出し、妻があとを追う結果になったのだろう？

「もう一つ、睡眠薬は死の断崖《だんがい》の上でのんだという想像もある。こうなると自殺だ。しかし田倉は自殺するような男ではないから、現場でのむということは考えられない。すると、やっぱり宿屋かな？」

「睡眠薬をのんで外に出る。疑問はもとにかえるわね」

「いやいや、そうではない。睡眠薬は自分の意志でのむとはかぎらないよ。のまされる場合だってある」

典子は、はっとして崎野を見た。

「まあ、では、奥さんが？」

「そうさ、ビールに入れてのませるのだ。ご本人は知らずに外出する。外出先で眠くなってしまう」

「じゃ、あの断崖の上を歩いていて、居眠りして方角を失い、墜落したというの？」

典子は息をつめた。

「そうだ、それが自然の解釈だろうな。奥さんには殺意があった。なにしろ田倉は女道楽も相当だったらしいから、ヒステリー気味の奥さんは邪推して箱根の宿を探しあてて、喧嘩がはじまったのだ。いったん、仲直りしたのは奥さんが下心あって折れたので、眠った間にどうかしようと思ったに違いない」

崎野はコーヒーの空《から》のコップを手に持った。

「ところが、その中にまぜた睡眠薬がまだ効目《ききめ》をあらわさないうちに、田倉は外出したのだ。おそらく奥さんはとめたに違いないが、彼はふりきって外に出た。心配になった奥さんがあとを追う。が、行先が夜の暗さで分らないので、ひとりで宿に戻ってきた、と、こういう筋道ではないかな」

典子は、田倉の奥さんの殺意までは考えなかったが、それから先の崎野の推察は自然で無理がなかった。典子はたちまちこれだけのことを考える崎野に少しおどろいた。

「しかし、僕にもちょっと分らないところがある。田倉はなぜそんな夜ふけに、寂しい断崖の上に立っていたのかな。いったい、そのせまい村道は、どこに行くのかね」

「わたしもきいたことがあるけど、ずっと別な部落の方に降りて行くということだったわ」

「まさか、そんなところに田倉は用事があって行こうとしたのではあるまいしな」

崎野は考えるように腕を組み、

「そうだ、夜の十時半から外出した田倉が、なぜ、その地点に行かねばならなかったか、これが焦点だな」

と言った。

「すると、田倉さんが箱根に行った目的自体は何でしょう?」

典子はきいた。

「君の話から推察すると、村谷阿沙子女史に会うためだろう。その用事が何かを女史にきいた方が早い」

典子はその説に賛成だった。

「新聞によると、警察では死因に疑いがあるので解剖したとあるが、おそらく遺書もなく、その前に自殺の徴候のなかった者が投身したというので、調べてみたのだろう。結局、自殺と決定しているが、やはりおかしいと思ったんだろうな」

崎野竜夫は、髪を掻《か》いて言った。

「しかし、問題を明確にするために、出発点をつくろう。田倉は自殺かどうかだ」

「自殺ではないと思うわ」

「そうか。では、事故死か、他殺か?」

「さあ」

典子は目を宙に浮かせた。

「むずかしいわね。あなたのさっきの推理だと事故死の可能性が強いけれど、他殺の方はどうでしょう?」

「待て待て」

崎野は、ポケットから社用の原稿紙と鉛筆をとりだした。

「まず、データだけを書いてみよう」

と典子の話をきき返しながら書いていった。
① 田倉の箱根行きは、村谷阿沙子に会いに行くためであった。
② その晩、村谷女史の夫が別の女と会っていた。ただしこれは確認ではない。(典子の目撃)
③ その翌朝、村谷女史は、本道からそれたせまい小径《こみち》で、田倉とたった二人だけで会った。(典子の目撃)
④ 女史はその日の朝、旅館を変えて、坊ヶ島の対渓荘に移った。
⑤ 田倉もつづいて隣の駿麗閣に移った。
⑥ その夕方、田倉の妻が夫を訪ねてきて、二人の間に口争いがあった。(宿の女中)

⑦その争いのあとは仲直りがあった。夫婦はビールをとって飲んだ。(宿の女中)
⑧田倉は十時半ごろ、浴衣《ゆかた》着のままで、ケーブルに乗ってひとりで外出した。(宿の女中)
⑨田倉の妻は、十分後に、夫のあとを追い、次のケーブルで昇った。(宿の女中。この二つのベルは典子も聞いた)
⑩田倉の妻は十一時すぎに宿にひとりで帰り、夫は知人の泊っている宿で麻雀に誘われたと言った。(宿の女中)
⑪この間に、典子が阿沙子女史に電話をしたら、一家総出で外出し、留守であった。
⑫阿沙子女史から典子に電話があったのは十一時すぎ、つまり、田倉夫婦が外出している間、阿沙子女史の一家も外出していたと思われる。
⑬田倉の死は十時四十分から十二時ごろの間と思われる。何となれば、田倉がケーブルで昇ったのは十時半で、現場まで十分くらいは要すると思考される。
「ちょうど十三章だ。近ごろ流行《はやり》の何かのようだね」

崎野は、典子に、書いたものをあらためて見せた。

「細かいことを書けば、まだまだあるだろうが、まず、こんなところだろう」

典子は、それに目を通した。ずっと読んでみると、一貫した太い線が目の前に浮きあがってくる。

「すると、田倉さんの変死は、村谷先生と密接な関係がありそうね」

かねて持っていたぼんやりした疑問が、すこし固まってきた。——

「うん」

崎野は生返事をし、横を向いて煙草をすい、ぼんやり考えていた。こういう時の崎野の横顔の線が典子は何となく好きであった。

3

その日の昼過ぎになって白井編集長は、社に顔を見せた。いつもの中央の机にすわって、典子がサービスに持ってきた冷たい濡《ぬ》れタオルで長い顔をごしごし拭《ふ》くと、

「リコちゃん、今朝の田倉の記事を見たかい?」

と典子を見上げた。昨日の休みに、床屋に行ったとみえて、今日はさっぱりと垢抜《あかぬ》けした顔をしていた。

「はい」

典子は細い顎《あご》をひいてうなずいた。

「覚悟の自殺だとあるね。新聞は簡単に書いてあってよく分らない。おそらく著述業の人間が自殺したという関係で、ちょっと出したのだろう」

編集長はタオルを返して言った。

そのとき、白井の隣にすわっていた次長《デスク》の芦田《あしだ》が、横から口を出した。

「しかし、あの田倉の奴《やつ》が自殺するとは思えませんな。今朝の新聞を読んでも、記事自体におかしなところがあります」

彼は椅子にかけてある上着のポケットをもそもそとさぐり、皺《しわ》になった小さな紙片をとりだした。新聞の切り抜きだった。

「そら」

と皺を指で伸ばすようにしてひろげると、

「所轄署では、死因に不審の点があるので解剖したところ、死後約七時間、胃の中から睡眠薬とアルコール分とを検出した、とあります。睡眠薬をのんだ上、崖の上からとび降りた覚悟の自殺、とはおかしいですよ。普通、睡眠薬で自殺しようという者なら、薬をもっと多量にのんで畳の上で寝たまま死ぬのが当然だし、崖の上から飛びこむつもりなら、睡眠薬などのみゃしないでしょう」

彼は左右の机を眺《なが》めまわした。

部員の六人は出そろっている。しかも、校了のすんだ直後のことで暇だったから、たちまち次長の提出した疑問にとびついた。

「なるほど、そりゃ変だな」

と白井が言った。

「睡眠薬なら薬だけで死ぬ。投身するなら睡眠薬の必要はない。そのとおりだな。矛盾しているね」

「その睡眠薬は致死量だったのでしょうか?」

別な若い部員が言った。

「さあ、それは分らん。記事が簡単だからな」

編集長がこたえた。

「だが、おそらく致死量ではあるまい。本人が外出しているからな」

「しかし、薬が効いてくるのは、少し時間があるんじゃありませんか?」

「そりゃある。君はどう考えているんだね」

「いや、ちょっと思いついたまでですが」

部員は少しあかくなって言った。

「本人は致死量の睡眠薬をのんで急におそろしくなり、じっと死を待つことが耐えられなくなって、外にとびだし、崖の上から飛び降りたのじゃないかと思います。一種の精神恐怖ですね」

「文学的な解釈だが無意味だね」

次長が一蹴《いっしゅう》した。

「僕も今の推論には不賛成です」

別な編集員が顔を向けた。

「睡眠薬をどこでのんだかが不明ですが、いちおう、旅館でのんだと仮定しましょう。このばあい、のんだか、のまされたかが問題です。なぜなら、のまされたとしたら、眠っているところを誰かに抱えられて崖の上に運ばれ、投げこまれたという想定もあるからです。だが、これはそういう状態で旅館を出ることがむずかしい。一人の人間を抱えだすには、どうしても二人以上を要しますからね。宿の者に見とがめられますよ」

「本人は外出した、とあるよ」

白井編集長が注意した。

「そうです。だから薬をのまされたのは旅館の内ではない。外です。田倉が外出した時に誰かによって睡眠薬をのまされたということになります。それから崖の上に運ばれた」

「しかし、田倉が外出したのは十時半だぜ。ずいぶん、あの辺としてはおそい時間だ。その頃《ころ》から、どこに行ったのだろう。どのような人物に会って、のまされたのかね？」

「そいつは、もう少し考えないと分りませんが」

「だが、君の考えはちょっとおもしろい。とにかく、田倉は、みずからの意志で死んだのではないことは確かだね」

彼らは田倉が宿で妻女といっしょだったことも、争いがあった事実も知っていなかった。新聞記事は簡単すぎてそれが載っていなかったからだ。典子が机の列の端にすわっている崎野竜夫を見ると、彼はいつものように皆の話からはずれて、煙草をふかしながら、よその雑誌か何かに見入っていた。片頰《かたほお》の微笑は雑誌がおもしろいのか、皆の話がおもしろいのか分らなかった。

「ああ、そうだ」

白井編集長が、気づいたように、離れたところにすわっている典子に目をやった。

「リコちゃん。田倉が泊った宿は、君と同じ旅館だと言ったね？」

「ええ」

自分の机で読者からの投書を整理していた典子が顔を上げた。

「君は旅館では田倉の姿を見なかったのだね、廊下とか庭とかでも」

「はい」

それは箱根から帰って田倉の死を告げた時に話した。事実、そのとおりだが、返事は弱かった。姿こそ見ないが、田倉のようすは宿の女中から逐一聞いて知っていたのだ。

「うむ」

編集長は長い顎の下に拳《こぶし》を当てて考える恰好《かっこう》をした。

「その旅館は、村谷さんの泊っている旅館と隣あわせだ。待て待て、そうすると、田倉も村谷さんに用があってその旅館……何といったっけ？」

「駿麗閣です」

「その駿麗閣に泊ったかもしれないぜ。きっと、そうだ。田倉は村谷さんに会うために隣の旅館にはいっていたのかも分らん。ちょうど、リコちゃんがそこに泊っていたようにね」

「当然それは考えられますね」

　次長の芦田は賛成した。

「田倉だからそれはあり得るでしょう。相手が女流作家ですからね。ですが、そうだとしたら、なぜ村谷女史と同じ旅館にはいらなかったのでしょうね」

「二つの場合がある」

　と編集長は答えた。

「一つは田倉があとから来たので、その……？」

「対渓荘です」

　典子が言った。

「その対渓荘が満員だった。それで仕方なしに隣の駿麗閣にはいった。もう一つは、田倉の方が遠慮して、わざと隣に泊った」

「ほう、なぜですか？」

若い編集部員が聞いた。

「それは田倉が村谷女史の性格を知っているからだ。あの女流作家はね、妙な癖があって一種の人嫌《ひとぎら》いというのかな。執筆の時はどんなに締切が切迫していても編集者を自分の家にすわりこみさせないのだ。小説家の中には編集者が傍《そば》についていなければ書けない人がいるがね、女史はそれと両極だ。それが延長して旅館でも知った人間が泊っているのを嫌《いや》がるんだね、作家の消息に通じている田倉は、それくらいは、とうに心得ているのだ。それに田倉の用事というのが、どうせゴシップに毛の生えたネタ取りだろうからね。よけいに女史には喜ばれそうにはあるまい。だから隣の旅館に泊って会う工夫をしたのだろう」

ここまで言って白井は不意に黙った。自分で、おや、というように遠くを見る目つきをしていたが、

「おい、リコちゃん」

と呼んだ。

「村谷阿沙子が、はじめ泊った旅館は宮ノ下の杉ノ屋ホテルだったな」

「はい。そうです」

「それを、君が着いた翌朝には、急に予定を変更して、坊ヶ島の対渓荘に移ったのだな」

「はい。それで私もおどろいちゃいましたけど」

「それだ」

と編集長は言った。

「その杉ノ屋ホテルに田倉が泊っていたのだ。村谷さんはそれを見たものだから急に旅館を替えたのだろう」

典子はそれを聞いて、一つの推定だと思った。村谷阿沙子がなぜ、杉ノ屋から対渓荘に宿を移したのか。あの時、あわてたのを覚えているが、この旅館替えが今度の田倉の死に何かの関係がありそうに思えていたさいなので、編集長の言葉に興味があった。

「しかし、それは少し変ですな」

崎野竜夫が、はじめてのそりと発言した。頰杖《ほおづえ》を突いて、顔だけをこちらに向けていた。

「それでは田倉が村谷さんより先に杉ノ屋に泊っていたことになりますが、村谷さんを同じ宿で待ちうけていたというのは今のお話で論理が合わぬし、偶然に村谷さんがあとから杉ノ屋に着いたとすれば、村谷さんに会うために箱根に来たという田倉の理屈が合いませんね」

編集長は黙った。

しかし、典子は箱根に行ったとき、はっきりと湯本で同じ電車を降りた田倉を見ている。だから田倉が村谷阿沙子より先に杉ノ屋に泊っていたことはあり得ない。が、彼女が村谷女史の訪問を終えて、宮ノ下から木賀への一本道を夜になって歩いたとき、浴衣に着がえた田倉と会って、心ならずも言葉をかわした。その時、田倉はどこに泊っているのかとふと思ったものだが、あるいはそれが杉ノ屋ホテルではなかっただろうか。

崎野が指摘するような不備はあっても、白井説の方が村谷阿沙子の旅館変更の理由に近そうに思えた。

白井編集長は目をつぶり、両の掌《て》を机の上にひろげて妙に端然たる姿勢をしていた。こんな恰好になる時が、彼の頭脳には次号のアイデアがうかびあがり、その思索に陶酔している瞬間であった。

彼はにわかに目をあけると、

「たしかに田倉の変死に村谷さんは関連がある。少なくとも、その死の真相のようなものを村谷さんは知っていそうだな」

と言うと、典子に、

「村谷さんの家に電話をかけてください。これからお伺いしますからって。原稿のお礼だと言ってね」

と命じた。

典子は電話のダイヤルをまわしながら、編集長は田倉義三の死を記事にでもするのか、と思った。が、まだ田倉についての詳しいデータは言っていない。崎野竜夫にだけ話すつもりで、何となく言いそびれた感じだ。それに編集長がこんなに興味を持つとは思わなかった。

電話には女中の声が聞えた。先おととい、東京に着くとすぐに村谷家にかけたときに聞いた同じ声であった。

「先生は今朝早くお出かけになりました」

「何時ごろお帰りになりましょうか?」

「夕方までには帰るからとおっしゃっていましたが、行先は何も承っていません」

送話口を掌でおおって、この返事を典子が編集長に取り次ぐと、彼は黙ってうなずいた。そこで、電話を切った。

「リコちゃん。君はとにかく、村谷さんの家へこれから行ってくれ。その女中は箱根にいっしょについて行った女《ひと》だろう」

「そうです」

「彼女にそれとなくきいてみるのもおもしろい。村谷女史が話したくないことでも、うっかり言ってくれるかも分らないからな。あ、それに、女史の旦那《だんな》がいるだろう。これにも当ってくれ」

「はい」

典子は、ちぐはぐな感じになった。これでは村谷阿沙子の内偵《ないてい》に行くようなものだ。

「村谷さんが留守でも、原稿を頂戴《ちょうだい》したお礼に伺いましたと言って、きっかけをつけたらいいだろう」

「分りました」

典子は編集長の指示に従った。もとより自分でも興味がある。

白井さん、これを次号の記事にとりあげるのですか、とか、ある情報屋の怪死というのもマスコミ時代にひっかけておもしろいな、とか、編集部員はがやがや言っていた。

典子が支度をして出かけるとき、崎野竜夫は素知らぬ顔をしてふたたび雑誌の上に目を落していた。玄関で待っていたが、彼の姿は現われない。何か言ってくれるかと思っていただけに、小さな期待がはずれて、典子は小《こ》にくらしい気がした。

典子は、車で世田谷の奥に向った。四十分はたっぷりかかった。暑い陽《ひ》が舗道からも、密集した家からも照り返していた。車の速度から生れる風もなまあたたかい。これは、よけいな苛立《いらだ》ちを気持に与えた。

村谷阿沙子の家は、和風のこぢんまりした二階家であった。二階が村谷女史の書斎だが、ガラス戸に内側からひいた白いカーテンがいかにも主《あるじ》の不在を宣告しているようだった。

鉄平石《てっぺいせき》を敷いた玄関に立つと、二十《はたち》ぐらいとみえる細面《ほそおもて》の女中が、ワンピースで現われて膝《ひざ》をついた。典子とは顔なじみであった。

「箱根ではお世話になりました」

典子が微笑して言うと、

「いいえ」

と女中は、はにかんだように頭を下げた。

「先生は夕方までお帰りにならないんですってね。とにかく、お急がせしたお原稿を頂戴したので、そのお礼にとりあえずお伺いしたとおっしゃってください」

「それは、わざわざごていねいに恐れ入りました」

女中はまたおじぎをした。典子は、これからどう切りだしたものかと迷った。

「それから、ちょっと伺ってみたいのですが、箱根にいらした時、田倉さんというかたが、先生をお訪ねしなかったでしょうか？」

結局、正面からの質問になったが、

「田倉さま？」

女中は考えるような表情をしていたが、

「いいえ、お見えにならなかったようでございます」

と返事した。

田倉は村谷阿沙子を訪問していない。しかし、典子は霧の中でこの二人が佇《たたず》んでいたことを知っている。それでは電話ででも打ちあわせて、外で会っていたのであろうか。

「わたくしが伺ったお電話には、田倉さまというのはありませんでした。わたくしがその場にいない時、先生がじかに電話口にお出になったのは別ですが」

女中は質問の意図が解《げ》せぬように、典子を見つめた。大きく開いたその目に、典子は少しうろたえた。

「実はね」

典子は早くも底を割った。手がかりがないのでさぐりようがなかった。

「その田倉さんという人は先生もごぞんじの雑誌関係の人ですが、先生のお泊りになった隣の旅館の近くで、ちょうど先生がお引きあげになった朝、自殺体となって発見されたのですよ」

「まあ」

女中は小さく口をあけた。初めて聞いたという表情であった。

「先生はそのことをごぞんじなかったのでしょうか？」

「はい、ごぞんじなかったと思います」

「あの、旦那さまは？」

「旦那さまはごぞんじありません」

女中は、はっきりと答えた。この答え方が印象的であった。むろん、旦那さまが知るはずがない、というふうにとれた。同じ否定でもこの方が強い、典子にはそう感じられた。

知らないというのは、村谷家の三人が、死体発見の騒ぎの以前に旅館を出発したからだろうか。典子がそれを確かめると、

「わたくしたちはその朝、七時ごろに旅館を出発しました。その時は何にも聞いていませんでした」

と答えた。田倉の死体が散歩者に発見されたのは六時頃で、七時頃にはその騒ぎが隣の対渓荘には知れているはずである。もっとも、この二つの旅館は、平面的に互いの交通がなく、いちいちケーブルの厄介《やっかい》にならなければならないので、騒ぎの伝達がそれだけ遅れたという考えも起る。それに、宿の女中が黙っていたら分らないわけだ。いずれにしても、村谷家の三人は田倉の死を箱根では知らなかったというのである。

「あの、旦那さまはいらっしゃいましょうか、ちょっとお礼を申しあげたいのですが」

典子は、話を変えた。

「あいにくとお留守でございます」

「それでは、先生とごいっしょですか?」

「はあ、いいえ、ごいっしょではございませんが」

女中の答えは曖昧《あいまい》になった。顔をうつむけている。典子は事情ありそうに思ったが、

それ以上に立ち入ることもできないので、

「そうですか。それではよろしく申しあげてください」

と切り上げた。女中は玄関の外まで見送った。

典子は、帰りの車の中で、いま聞いた話を整理してみた。田倉義三は村谷阿沙子を訪問しなかった。女中の知るかぎりでは田倉からの電話も来なかった。田倉の死も出発までは知っていない。――はたしてそうだろうか。これは女中の話だ。女中の知らない裏側がかならずあるはずである。霧の中で目撃した村谷阿沙子と田倉義三の淡い薄墨のような影を典子は意識から消すことはできない。

車が社の前に着くと、崎野竜夫が玄関の横で煙草《たばこ》をくわえてぶらぶらしているのが見えた。

「何をやっているの」

典子が車から降りて、少し腹を立てて言うと、

「君の帰るのを待っていたのだ」

と崎野は典子の鼻先に立った。

「なんなのよ、いったい？」

「まあ、こっちへおいで」

と崎野は腕をとらんばかりにして、近所の喫茶店の中に連れて行った。

「村谷さんの家に行った話が早く聞きたいんでしょ？」

典子は多少意地悪く言った。

「それもだが、それよりも、もっと大事なニュースがはいった」

崎野は笑いを見せないで言った。

「なに？」

典子はけおされた。

「小田原駅に勤めている友人がこっそり電話で知らせてくれたんだけどね。村谷阿沙子が亭主の行先をしきりと駅できききあわせていたそうだよ」

「え？」

「その話では、七月十二日の晩、村谷亮吾氏は十一時ごろ、阿沙子女史に黙ったまま、宮ノ下からハイヤーを雇い小田原駅に向ったそうだ。そこまではあとで調べて分ったが、さてどの列車に乗ったか分らない。顔の特徴や服装を言って、改札口の係にきいていたというのだ。改札口氏が覚えていないと言ったら、今度はその時刻以後に出る上下線の列車の乗務車掌にきいてくれと、一昨日も、昨日も、今日も来てねばってるそうだ。その理由というのが、亮吾氏に自殺のおそれがあるとうったえているそうだよ。だが自分の名前の手前、秘密に手配してくれというのだ。亮吾氏は失踪《しっそう》したのだ。十二日の午後十一時といえば田倉の変死推定時間の圏内じゃないか。妙な具合になったな」

不在の意味

1

村谷阿沙子の夫亮吾の失踪は典子にとって初めて知った事実である。亮吾は十二日の午後十一時ごろ、対渓荘を出発したという。それは田倉義三の「変死時間の圏内」だと崎野竜夫は腕を組んで言った。

「驚いたわ」

典子も目をまるくした。

「村谷先生の旦那さまはなぜ、そんなことをなさったのでしょう？」

典子は、阿沙子を訪ねた夜、旅館の廊下ですれ違った亮吾のもの思いにふけった姿を思いうかべた。彼の目はひどく疲れたように見え、後ろ姿の肩には風でも吹いているように寂しそうだった。

「それは分らん」

竜夫は答えた。

「だが、田倉が変死したと思われる時間に、失踪したのは、変だよ」

「では、関係があるの?」

「あるという推定が自然だな、この場合」

竜夫は腕をとき、煙草を箱から一本抜いた。

典子もそれには同感である。典子が箱根に行った日の夜、濃い霧の中で、亮吾はある女と肩をならべて立っていた。田倉はその翌朝、阿沙子と朝霧の中に佇んでいた。この四つの人物に、見えざる相互の線がひかれている。そのうち、田倉が変死した。同時刻に亮吾は失踪した。これを偶然と考える方がおかしい。

竜夫はポケットから、手帳をとりだし、挟《はさ》んである紙をテーブルの上にひろげた。典子が覗《のぞ》くと、今朝書いた「疑問の十三章」であった。

竜夫は、その上を指で突いた。
② その晩、村谷女史の夫が別の女と会っていた。ただしこれは確認ではない。(典子の目撃)
③ その翌朝、村谷女史は、本道からそれたせまい小径《こみち》で、田倉とたった二人だけで会った。(典子の目撃)
「推定の根拠はこれだよ」

彼もやはり同じことを考えているのだ。

「ただし、これはリコちゃんの目撃だからな。客観的な信憑性《しんぴょう》は薄い」

「あら、どうして？　わたしの見たことを信じないの？」

典子はむっとした。

「いや、そうではない。人間の目は当てにならないということさ。少なくとも、君一人しか目撃者がないという弱点がある。他の数人が同じものを見たと言うなら強いがね」

「わたしひとりでも同じだわ。目の悪くないことだけは自信持つわ」

「目のよしあしじゃない、錯覚の問題だよ」

「大丈夫よ。そんな錯覚などするものですか」

典子は言いきったが、目の前に白い霧の流れるのを感じた。霧が典子の自信をかすめている。

「まあいい、君の視覚を信じよう」

竜夫がゆずって、紙の上に煙を吐いた。文字が瞬間に薄れた。

「とにかく、君の目撃もあるし、ほかの点からも推測して、田倉の変死と亮吾氏の失踪はつながりがあるね。阿沙子女史も係《かか》わりがある。それから、君の目を信用するともう一人、霧の中に或《あ》る女もいた」

典子はうなずいた。

「こうなると、田倉の墜死はただの過失ではないかという考えが強くなる。だが過失死、つまり、誤って足を滑らせ、断崖《だんがい》から落ちたという線は捨てよう。あとは自殺か、他殺かだ」

「他殺？　他殺だとどうなるの？」

「田倉は、誰かによって断崖から落されたのだ」

そうだ、それよりほかに考えようがない。

「すると、女ではないわね？」

「どうして？」

「だって、田倉さんは男でしょう？　いくら何だって女の力では突き落せないわ」

竜夫の目は、典子の顔にそそいだ。彼女はその目を見て、外国の小説によく出てくる〝あわれむような目〟という表現を思いだした。

「君はばかだな。田倉は睡眠薬をのんでいたんだぜ」

「あ、そうか」

「田倉は外出前に睡眠薬をのんだと仮定する。ケーブルで上にあがり、現場の地点に行った。そこでだれかと話をしている間が五分くらいとする。睡眠薬の効目《ききめ》がそろそろあらわれるころだ。誰だって、眠った人間を突き落すのはやさしいよ」

田倉は誰かと話をしているうちによろけはじめた。あるいは、そこにうずくまり、身体《からだ》を地面に崩れるように横たえたかもしれない。誰かの手が、その身体を断崖の端に転がす。暗い夜の中で行われるその操作が目に見えるようで、典子は息をのんだ。

給仕が二人の方をじろじろと見た。ねばっている客だと非難しているような視線だった。竜夫がぞんがい気弱な声で、

「リコちゃん、クリームでも頼もうか」

と言った。

「田倉さんは、自分で、睡眠薬を、のんだわけじゃないでしょう？」

「そうだ。薬までのんで眠るつもりの奴《やつ》が外出するわけはない。前に言ったよ、そのことは」

「ああ、田倉さんの奥さんが薬をのませたことね！」

「そうだ。ビールの中に薬を入れた。奴《やっこ》さん、それを知らずに外出した」

「すると、奥さんがいちばん疑わしいわけね？」

「動機は十分にある。なにしろ女狂いばかりしている憎い亭主だからね。睡眠薬をのませたのも、何をするつもりだったか、しれやしないよ」

「でも、それは旅館の部屋で眠ってからの話でしょ。この間は、たしかにそんなお説だったわ。それが薬の効目が来ないうちに、田倉さんがとびだしたので、奥さんが驚いてあとから追いかけた、という推測だったわ」

典子は運ばれたクリームに目もくれずに言った。

「待て待て」

竜夫は急にむずかしい顔つきをした。それは典子の返事に困ったというのではなく、別なことを考えている表情であった。

「田倉の奥さんは、今、どうしているだろうな?」

典子もずっと前から気になっていることである。

「わたしが箱根の宿を出るとき、警察の人から話を聞かれているということだったわ」

「事情聴取というところだな」

「警察から疑われていたんじゃないでしょうか?」

「そういうところもあったかもしれない。だが、田倉の死がいちおう自殺となっているんだから、結局それはなくなったのだろう」

警察では、田倉は自殺するような男でない、という性格が分らないのであろう。いや、それは知らないのだ。箱根の所轄《しょかつ》署では東京にいる多くの田倉の友人たちに当って話を聞いたわけではない。ただ、旅館に残されていた田倉の妻一人から事情を聴取しただけである。

田倉の妻は、その時、どう答えたのか。おそらく、自殺説を納得するようなことを言ったに違いない。警察の断定の裏には、その証言が多分に参考になっているだろう。もし、彼女が、「夫は、絶対に自殺するような性格ではないし、また、その原因もありませんでした」と主張したら、警察だって簡単に「自殺」を打ちだすことはできないはずだ。

田倉は自殺ではなかった。だが、その妻は自殺を肯定する。——すると、どうなる。ビールに睡眠薬を投じて夫にのませた彼の妻の殺意は、その証言によって、もっと強くなるのではないか。

典子にこれだけの考えがうかんだ。その思いついたことを竜夫に言うと、

「そうだ、そのとおりだよ」

と彼は素直に承認したようだった。

「僕は田倉の奥さんに会ってみたいな、もう警察からは帰されているだろう」

竜夫はつけ加えた。

「いろいろなことをききたいのだ」

「つまり、警察にそんな陳述をした根拠をきくのね？」

「いや、田倉の奥さんが警察にどのようなことを言ったか分っていない。僕も君も、想像だけで言っているのだ。だから、それを確かめる必要がある。それも必要だが、もっと大事なことをきいておきたいのだ」

「言ってよ」

「田倉がビールを飲んだあと、宿の浴衣《ゆかた》がけのまま外出しただろう。その時は、外から呼び出しの電話でもかかってきたのか、そうでなかったら、どんな理由を告げて外出し

たのか。それが一つ」

「それから？」

「外出後、十分くらいで奥さんがケーブルで田倉のあとを追っているね、これだ」

竜夫はメモの上に指をついた。
⑨田倉の妻は、十分後に、夫のあとを追い、次のケーブルで昇った。(宿の女中。
この二つのベルは典子も聞いた)
⑩田倉の妻は十一時すぎに宿にひとりで帰り、夫は知人の泊っている宿で麻雀《マージャン》に
誘われたと言った。(宿の女中)
「問題は、この⑩だ。はたして田倉を麻雀に誘った知人がいたかどうか。僕は、いたと
思う。警察でもこの点を突っ込んだに違いないからだ。ただし、いたというだけでは、
田倉がどこに行く気で外出したという証明にはならない。が、参考までにその知人の名
前を知りたい」
竜夫は溶けかかったクリームをすすった。
「でも、それは奥さんの言いわけのような気がするわ」
「なぜ？」
竜夫が紙ナフキンで唇《くちびる》をぬぐってきいた。
「田倉さんが麻雀に行くと言ったのだったら」

典子は言った。

「部屋を出る時に奥さんにそう言うはずだから分っているわけだわ。それを十分後に、どうして奥さんは彼のあとを追うようにケーブルで昇って行ったのでしょう。それから十一時すぎに宿にひとりで帰って、女中に麻雀のことを言ってるのも変だわ。何だか、田倉さんがその晩に帰らない言いわけをしてるみたいだわ」

「そうなんだ、リコちゃん、あんがい、いいところに気がついたね」

竜夫は身体を少しのりだして言った。

「田倉の奥さんは、夫が、その晩、旅館に帰らないことを予想していたのだ」

そうだ、と典子も思った。単なる外出なら、麻雀などという一晩帰らない理由を言うはずがない。それに、夫の後を追って、ひとりで宿に帰ってくるようなちぐはぐな行動がある。

この行動は、前にも竜夫が言ったように、彼女が夫の行方を探しに出て、暗くて分らないので空《むな》しく帰ってきたことの意味もあろう。

それは同時に、田倉が妻の同意を得ないで、勝手に飛びだした意味でもある。

しかし、典子の頭にうかんだ、もう一つの意味は、ずっと重大であった。

「そうだ、そうだ」

典子のその考えを聞いて竜夫はうなずいた。

「時間を考えてみよう」

彼は鉛筆を出して紙に走り書きした。

「田倉の外出、十時半ごろ。田倉の奥さんの外出十時四十分ごろ。奥さんの帰ってきたのが十一時過ぎ。過ぎというのは曖昧《あいまい》だが、かりに十一時十分としても、三十分だ。三十分の空白だね。この空白をわれわれは、奥さんが田倉をさがしている時間と想定していたのだが、同時に、眠りはじめた夫を断崖から突き落す操作の時間でもある。現場までの往復を見込んでも、その余裕はあったはずだ」

典子は息をつめた。そんな想像はしたくないが、今は理詰めで仮定法を設定するほかはない。

「すると、焦点は、十時四十分から十一時十分までの間ね」

「田倉の奥さんに関してはね」

田倉の妻に関しては、と竜夫は言った。そのことの意味が、別な方向の針を指す。

「あ、そうか」

典子は小さな声を上げた。

「分ったろう?」

竜夫が典子の目をのぞきこんだ。それからまたメモを指で押えた。

⑪　この間に（注・十時四十六分ごろ）、典子が阿沙子女史に電話をしたら、一家総

出で外出し、留守であった。

⑫阿沙子女史から典子に電話があったのは十一時すぎ、つまり、田倉夫婦が外出している間、阿沙子女史の一家も外出していたと思われる。

「これも、またもや十一時すぎのお帰りだね。そこで前と符節を合わせて十一時十分としてもよい。だが、違うのは、阿沙子女史の一家が何時ごろに旅館を出たかだ」

典子は思いだした。

十時四十六分ごろに村谷阿沙子に電話したとき、対渓荘の女中が出て、三十分前にお出かけになりました、と答え、夫の亮吾氏と女中もそのあとで出かけた、と言った。

典子は、それを竜夫に言った。

「すると、十時十五分か。では、阿沙子氏夫妻は約一時間の空白だ。これはだいぶん幅が広い」

その一時間を阿沙子夫婦は何をしていたのか。ただの散歩か、それとも、田倉の墜死の瞬間に立ち会っていたのか。

「田倉の死亡推定時刻は、もっと幅が広い。死後約七時間経過とあるが、それは前夜の十一時だ。が、それは一時間くらいの誤差は普通だから、田倉の細君の空白も、村谷女史夫婦の空白もすっぽり田倉の死亡時の中にはいってしまうよ」

竜夫は言った。

典子は瞳《め》を据《す》えた。村谷夫婦の一時間の行動は何だったか。時間の幅が広いだけに、田倉の変死に関係するさまざまな可能性が考えられるのである。

「ただ、一つ、分っていることは、阿沙子女史の亭主が、その空白の最後に失踪《しっそう》したという事実だ。十一時すぎだったね」

その言葉に、典子は視線を動かした。

「これは女史も気がつかなかった。知らなかったから、あとであわてて小田原駅に駆けつけて、行先を調べたわけだろう。してみると、夫婦の一時間の行動は詳しく知りたいね。それは阿沙子女史に直接会って言い分を聞くほか仕方がないだろう」

典子は、それを聞くと、すぐに村谷家の女中を思いだした。彼女も箱根には同行していたのだ。しかし、典子がそれを言うと、竜夫は首を振った。

「だめ、だめ。女中は主家の都合の悪いことは雑誌記者なんかに言わないものだ」

「そうかしら」

そうかもしれない。あの女中はしっかりしていて、口が堅そうだった。が、典子は何とかしてききだせる工夫がありそうな気がした。

「ところで、僕は亮吾氏がどの汽車に乗ったかをいちおう調べてみたがね」

「え、調べたの？」

「いや、汽車の時刻表を見てだが」
竜夫は、表紙のいたんだ手帳をひろげて言った。
「十一時すぎに宮ノ下からハイヤーに乗ったというのだから、小田原駅着は十一時三十分ごろだろう。十一時三十分すなわち二十三時三十分以後に小田原駅から発車する列車を見たらよい。口で僕が言うより、時刻表から写し取ったこの表を見たまえ」
手帳には表らしいものが、鉛筆で書きつけてあった。
　下り　小田原駅発
二三・四〇　姫路行　普通
二三・四八　浜田行　急行（出雲《いずも》）
二三・五九　沼津行　電車
〇・〇五　湊町《みなとまち》行　急行（大和《やまと》）
　上り　小田原駅発
三・一五　東京行　普通
（ここにあげた時刻表は、昭和三十三年七月当時のもの）
「該当《がいとう》するのはこれだけだ」
竜夫は説明した。
「下りは、〇時〇五分以後の列車もあるが、常識からみて、これくらいだろう。上りは三時十五分一本だけで、時刻から考えて、これもはずしてよかろう。すると、下り四本だね。そのうちでも、二十三時四十八分の急行《出雲》がもっとも考えられる。亮吾氏はたぶん、これに乗車したのだろうな」

「浜田って、山陰地方ね」

典子はつぶやいた。

「島根県だ。しかし、亮吾氏はまさか終着駅まで行ったわけではあるまい。途中のどこかに降りるつもりで乗車したのだ」

「なぜ、ご主人は、先生に黙って、そんなことをなさったのでしょうね？」

「なぜっていえば、全部がなぜだ。なぜ阿沙子女史は急に旅館を変更したのか、なぜ田倉は夜の十時半に旅館を出て、あの寂しい現場に行ったか、なぜ彼は墜落死をとげたか、なぜ田倉の妻は夫のあとを追い、ひとりで旅館に帰ってきたか、なぜ阿沙子女史は十時すぎから十一時すぎまで旅館から外に出ていたか、みんな、なぜじゃないか。ついでに、君の目撃した霧の中の人物の組みあわせも、なぜだな」

典子は少し黙り、それから言った。

「こうして考えると、田倉の奥さんも、先生夫妻も、田倉さんの死亡時刻にはみんな不在なのね」

「そうだ、だから全部がおかしい」

竜夫は目を少し輝かした。それは興奮した表情であった。

「なあ、リコちゃん。僕は何だか興味が出てきたよ。少し力を入れて調べてみたいね」

「わたしも」

典子はこたえた。興味というと悪いけれど、真相を突きとめてみたい誘惑が起った。

「よし、それじゃ共同捜査と行こう。今度のことでは編集長も食指が動いているから。

……だが、君が僕と共同というのは少し迷惑かな」

竜夫は目に特別な微笑をみせて典子の顔を見た。典子は頰《ほお》をあからめまいと努力した。

「少々ね。でも仕方がないわ」

「ご挨拶《あいさつ》だ。よし、それじゃ、田倉の奥さんと、阿沙子女史に会って話を聞く必要がある。僕らは二人から直接の話を聞いていないからね。それから、箱根の実地を見ておきたいね。リコちゃんに案内を頼むよ」

「箱根に崎野さんといっしょに行くの?」

「日帰りだよ。軽蔑《けいべつ》するな」

今度は竜夫の方が眩《まぶ》しい目つきをした。

「それじゃ仕方がない。行ってあげる」

典子は笑った。

入口から白い人影が流れてはいってきたかと思うと、大きな声が聞えた。

「なんだ、リコちゃん、こんなところにいたのか。編集長が帰りを待っていたよ」

編集部の青年だった。

「あら」

典子は、竜夫が伝票を持ってもそもそと金を払うのを尻目《しりめ》に、いそいで店の外に出た。舗道に暑い太陽が照りつけていた。崎野竜夫とはずいぶん長い話をした。彼女には充実した時間と内容のように思えた。

2

白井編集長は椅子《いす》を横向きにして、投書を読んでいたが、典子が来たので行儀をなおした。

「村谷女史の方はどうでした?」

と彼はすぐにきいた。

「お留守でございました。女中さんだけいましたわ」

典子が答えると、白井は長い顎《あご》を指で掻《か》いて、

「ずっと留守なんだね。どこへ行ってるんだろうな」

と舌打ちしそうに言った。

失望したときの癖であった。

「どこだか分りませんが、夕方までには帰るはずだと女中さんが言っていました。……

ご主人のことで外出されたのではないでしょうか?」

「ご主人? 阿沙子女史の主人がどうかしたのかね?」

白井は目を上げて典子の顔を見た。

崎野竜夫はまだ編集長には報告していないらしい。典子はどぎまぎしたが、仕方がないので崎野竜夫の話を伝えた。

「わたしも、いま聞いたばかりなんですけれど」

言いわけのようにつけ加えたが、

「しようのない奴だ」

編集長は実際に舌を鳴らした。

「おい、その辺から崎野を引っぱってこい!」

窓ぎわにいる誰かが、

「崎野さんなら、今、こっちに歩いてきていますよ」

と外を眺《なが》めてこたえた。

その言葉どおり、崎野竜夫の長身は入口のドアをあおってはいってきた。くわえ煙草《たばこ》で悠然《ゆうぜん》と歩いてくるのに、

「おい、崎野君!」

と編集長はどなった。

「はあ」

崎野竜夫は煙草を口から放し、典子が編集長の机の横に立っているのをちらりと見て、白井の前にすすんだ。

「村谷女史の亭主が行方不明だそうじゃないか?」

「いや、まだはっきりとは分らんです」

竜夫は答えて、典子にもう一度、目をくれた。彼女の目は微妙だった。

「阿沙子女史が懸命に探しているってほんとうかい?」

白井は顎を突き出し、目を光らせている。

「ええ。僕の友人で小田原駅に勤めている奴が知らせてくれたのですが」

竜夫がまだ踏ん切りに迷っているようすなので、典子は横から口を出した。

「崎野さん。もう編集長に言っちゃいなさいよ。わたしたちの話しあった過程も申しあげたらいいわ」

どうせ本気に突っこむ気なら、編集長の了解がいるのだ。崎野竜夫の迷いは、確信のなさからきているようだけれど、これまでの話だっておもしろいと思っている。

「何だか知らないが、二人だけでこそこそしないで僕にもみんな言えよ」

白井の目が竜夫と典子を見くらべた。

典子は何となく頬に熱さを感じ、竜夫は油気のない髪を掻いた。

「実は」

と彼がポケットからぼそりと出したのは、例の疑問の十三章の紙片であった。彼は紙についた煙草の屑《くず》など払い落し、ていねいにひろげて白井に見せた。

編集長は身体をのりだして読み、竜夫の話を熱心に聞いた。この人の癖で、夢中になると、途中で何度も、ふん、ふん、ふんと三つ返事をする。

「おもしろいね」

と聞きおわって白井は顔を逆に撫《な》でた。

「田倉は自殺するような男では絶対にない。だから彼の死は他殺だよ」

彼は十三の章句を検討し、

「なるほど、うまいね。村谷女史の滞在と確かに関係がありそうだ」

と指でも鳴らしそうに興がった。

「目下のところ女史の亭主は行方不明というわけだな。まさか失踪ではあるまいが、女史が血まなこで探しているのだったら、まさに亭主の単独行動だ。しかも、田倉の変死の推定時間の行動だから謎《なぞ》に包まれている。田倉の女房もおかしいが、こっちだってずいぶん怪しいぜ。どうだ、思いきりつついてみるか?」

と竜夫を見た。編集長の方が興奮していた。

「やってみましょう」

竜夫がぽつりと答えると、白井の目は典子に移った。

「リコちゃん。君もはじめからの行きがかりでむろん興味があるだろう？　ひとつ、崎野君と協力してやってみろよ。モノになってもならなくても、費用は出すよ」

典子は微笑といっしょにうなずいた。

最初に、どこから手がけようか、というのが二人の問題になった。

考えてみると、田倉の妻からも、村谷阿沙子からも直接の話を聞いていない。

「まず田倉の奥さんに会うことが先決だわ」

典子は主張した。

「田倉さんの死の外出の直前のようすをできるだけ詳しく聞くことね。ことに、奥さんが自殺説をほのめかしているというなら、その事情も聞いてみることね。もっとも、実際のことを言うかどうか分らないけれど」

「そりゃそうだ」

竜夫も賛成した。

「田倉の奥さんというのは、やはりこの事件の重大な鍵《かぎ》だよ。嘘《うそ》でも何でもかまわない。とにかく本人に会ってみることだな」

「家は、たしか藤沢だったわね」

「待て待て。新聞じゃ藤沢だったけれど、念のため、田倉と密接な関係のあるS社に電話して住所を教えてもらおう」

雑誌社のS社に竜夫は電話をかけて、手帳に書き取っていたが、送受器を置くと、典子を振り返った。

「やっぱり新聞のと同じだな」

典子は手帳の文字をのぞき込んで、

「そうね、遠いわ」

と口に出した。

「なに、電車で一時間だ。行ってみよう」

「ええ」

「どうしたのかい？　気がすすまないのかな」

「いえ、そうじゃないけれど。わたし、田倉さんの家から村谷先生の方へまわりたいと思ってたものだから。ちょうど先生も帰るころじゃないかしら」

「いや、おそくなった方がかえって都合がいいだろう。まあ、とにかく藤沢に行こう」

と竜夫は、ひどく藤沢行きに乗り気になっていた。

東京駅から藤沢までの一時間は、典子にとって妙にくすぐったい時間であった。今まで取材で方々をとび歩いたが、白井編集長といっしょだった以外、男の社員と同行したことはなかった。ことに、崎野竜夫と同じ座席にすわって、湘南《しようなん》電車に揺られようとは思わなかった。これが社内だとか、喫茶店などで二人きりで話しあっていても気持の拘束はあまりなかったが、一時間の距離にしても東京を離れたという意識が、気持に落ちつかない動揺を与えた。藤沢くらいは旅とは思えない。が、どこかにその錯覚がはじまって平静を失わせるような危惧《きぐ》を感じる。

竜夫も車窓をむいて黙って煙草をすっていた。もとから多く話をする性質《たち》でなかったが、竜夫の横顔にも、やはり同じ拘束された意識が流れているみたいだった。これで二人で箱根に行ったらどんなことになるだろう。典子は本気で少々心配になった。

横浜駅のホームで典子はシューマイを二つ買った。別にほしくはないが、気をまぎらすためだった。

「どう」

と一つを竜夫に出すと、

「ありがとう」

竜夫はすぐに包みを開いて、その一つを頬張った。見栄《みえ》も体裁もなかった。たちまち二つ目が口の中にはいった。

竜夫が黙っていたのは、別に自分と同じような意識があったからではない。何か考えを追っていたのだ。典子はそのことに安心し、それまでの充実感が弛緩《しかん》した。竜夫に邪気のない敵意を覚えた。

典子は、竜夫が今度の事件で車内でいろいろしゃべるかと思っていたが、彼は一言《ひとこと》も口に出さなかった。窓から吹き入る風に目を細め、髪をそよがせていた。子供みたいに外の景色を眺めつづけていた。窓には青い稲田が流れ、白い一本道を、トラックが重い荷を積んで埃《ほこり》を立てていた。

変ってるわ、と典子は竜夫の鼻のたかい横顔をじっと見た。

藤沢市南仲通り、というのが、崎野の手帳に書き取ってある田倉の住所であった。

駅前の果物屋できくと場所はすぐに分った。タクシーで十分とはかからなかったが、その家を尋ねあてるのが少し面倒だった。

狭い道が入《い》りこんだ路地をぐるぐるとまわり、お菓子屋にきいたり、酒屋にたずねたりしてようやく田倉の家を探しあてた。

それは二軒長屋の一つで、かなり古く、小さかった。四畳半と六畳二間くらいしかないと思われるような狭さで、板壁が剝《は》げている。「忌中」の紙を貼《は》った簾《すだれ》が入口にもの憂《う》そうにさがっていた。

あの大言壮語をしていた田倉義三も、路地裏のこんな狭い古い家に住み、その奥で骨《こつ》壺《つぼ》になっているかと思うと、典子は、彼がかわいそうになった。竜夫も足をとめて、外からその家を眺めていた。

典子が簾をくぐって玄関に立った。玄関というのも名ばかりで二人もならんで立てそうになかった。襖《ふすま》には繕いの新しい紙片が貼ってあった。葬式を出すので、急に破れを直したらしい。玄関の隅《すみ》には歯のうすい下駄《げた》が裏返っていた。

奥から出てきたのは二十三四の青年だった。髪をばさばさに乱し、とがった顔をしていた。彼はそれでも典子を見て、汚れたズボンの膝《ひざ》を折って手をついた。

「『新生文学』という雑誌編集部のものです。このたびはどうもとんだことで。お悔みにあがりました」

典子が挨拶すると、青年は黙っておじぎをくり返した。

「奥さまがいらっしゃいましたら、お目にかかりたいのですが」

「姉は、郷里《くに》の方に遺骨を持って帰っております」

青年は太い声で答えた。姉というからには、田倉の妻の弟だろうか。

「そうですか」

典子は背後に立っている竜夫と目を見合せた。彼の顔にはあきらかに失望があった。無理もない、あれほど乗り気になってここまで来たのだ。

「それでは、ちょっと仏さまを拝ましていただきたいのですが」

青年は、中腰になって、どうぞ、と言った。まだ世なれてない、ぎこちない動作であった。

仏壇は小さな机の上に白い布を掛け、新しいだけに粗末な位牌《いはい》がぽつんと立っていた。申しわけのように時季の果物が皿の上に載っている。それだけだった。この寒々とした祭壇に、手を合わせている典子は蕭然《しょうぜん》とした。

位牌となった田倉が声を出したら、どんなことを言うだろうか。彼の笑い声か、それともねばっこい声だろうか。目をつむっている典子はあの時の霧が真白に流れているのを感じた。

仏壇の寂しいのも、田倉の変死を象徴しているみたいだった。あるいは、彼の妻の憎しみがこの荒涼さに現われているようにもみえた。

ひどいことになりましたよ、椎原さん。と田倉のずうずうしい声が、妙な哀感をひそめて耳に打ってくるようでもあった。

香典の包みを供えると、青年はおじぎをした。

「あなたは奥さまの弟さんですか？」

典子がきくと、青年は、そうですというふうにちょっと頭を下げた。

「奥さまはいつお帰りになりますの？」

「二三日して帰ると言っていました」

「お郷里《くに》は？」

「秋田です」

そういえば、いかにも東北人らしい口の重さがこの青年にあった。

「お義兄《にい》さまは、おやさしかったでしょうね？」

典子がきくと、青年は言葉でも表情でも返事をしなかった。鈍重な小さな目には光をたたえていた。

「君はどこかに勤めているんですか？」

竜夫が横で初めてきいた。

「運送会社です。自動車の運転手です」

青年はぼそりと答えた。

彼は義兄夫婦と同居しているらしかった。姉を頼ってきたのであろうと思われた。

この青年に、田倉のことや彼の姉のことをきく気持には典子はなれなかった。それほど親しみのなさと寡黙《かもく》なものを、彼は薄よごれたシャツの姿に持っていた。

「あの青年は、生前の義兄にあまり好感をもっていなかったようだね」

外に出て広い道を歩きながら竜夫は言った。

典子もそれは同感だった。たぶん、田倉を憎んでいた姉への同調がそうさせたかもしれなかった。

駅に来ると、東京行きには三十分の間《ま》があった。典子は思いついて、東京の村谷阿沙子のところに、電話をした。

「はい。先生はお帰りになっていますが……」

電話に出たのは、あの女中だった。

「何ですか、お疲れになって、ただいまおやすみになっていらっしゃいます」

村谷阿沙子は外から帰っている。今度は典子の方がぜひ会いに行きたかった。

「では、二時間くらいあとでお伺いしますと申しあげてください」

典子が言うと、

「はい。……でも、何だか、たいへんご機嫌《きげん》がお悪いようですが……」

女中の声は心なしかふるえていた。

ともかく、お伺いする、と告げて典子は電話を切り、竜夫の方に向って、

「村谷先生はだいぶ荒れているらしいわ」

と言って、首をすくめた。

3

藤沢から湘南電車で品川に降り、山手線で渋谷に行き、そこから井の頭線《いかしら》に乗りかえて東松原で降りる。乗物だけで、たっぷりと一時間半以上かかったので、駅を出て商店街のだらだら坂を典子たちがくだっている時は暗くなっていた。

両側の商店には明るい灯《ひ》があったが、村谷阿沙子の家は果物屋の角からまがった道の奥にあった。果物屋の店さきの眩《まぶ》しい電燈をよぎると、急にあたりは暗くなり、黒い木立がつづいた。

「いやに暗い道だな」

崎野竜夫が不足そうに言った。

真黒な木立の間からは、ちらちらと人家の灯が洩《も》れていた。

「もうすぐ、そこよ」

典子は、竜夫をひき立てるように言った。今日のうちに、どうしても村谷女史に会いたい、と主張したのは典子である。彼女の靴音《くつおと》だけがはずんでいた。

村谷阿沙子の家も暗く静まり返っていて、生垣《いけがき》の奥に玄関の灯が一つぽつんとついていた。

「もう寝てるのかな」

竜夫が危ぶむようにつぶやいた。

女史はたいそう不機嫌だ、と電話で女中は教えてくれた。女史の昼間の不在は、夫の亮吾の行方を探しに行ったに違いないから、不興なのは目的がはたせなかったからであろう。亮吾はいったい、どこに行ったのか。そのことは、いずれこちらもさぐるとして、今は女史自身の口から話を聞くべきだった。

そう二人で電車で来る途中で話しあったのだが、なにしろ女史が荒れていると聞いて、家の前で竜夫は尻《しり》ごみしているようだった。

あんがい、意気地がないのね、と言ってやりたいのをおさえて、典子は先に立って玄関のブザーを鳴らした。

竜夫は後ろに突っ立っていて、あたりを眺《なが》めるふうをしていた。

玄関のガラスの内側に灯がつき、ドアが開いた。半開きにして顔を覗《のぞ》かせたのは、あの若い女中であった。

「いらっしゃいませ」

女中はおじぎをした。

「先生は？」

典子はきいた。

「はい、もうお寝《やす》みになっていらっしゃいますが」

典子は腕時計を灯に透かして見た。まだ八時前であった。

「あの、旦那《だんな》さまは？」

「はい、まだ、お帰りになっていませんけど」

女中はためらうように答えた。

「そう。それでは先生に、今ごろ恐縮ですが、わたくしがぜひお目にかかりたくて上が

った と申しあげてくださいな」

「はい。少々、お待ちください」

女中は奥の方に消えた。

竜夫が典子の傍に歩いてきた。

「リコちゃん。今の女中さんは、箱根に阿沙子女史といっしょに行ったひとじゃないか？」

と小さくきいた。

「そうよ」

典子が答えると、

「だったら、女史に会って成果が得られなくとも、あの女中さんにきいたらどうだい？」

「口が堅いひとらしいから、だめかもしれないわ」

「だめだったら、その時のことさ。とにかく、当ってみたら」

竜夫のささやきに典子はうなずいた。

このとき、玄関に女中の影が動いて現われた。

「先生はお目にかかるそうでございます」

女中は一礼して言った。

「そうですか。ありがたいわ。それではちょっと失礼します」

女中が先に立ち、典子と竜夫がつづいた。

廊下に薄い光の電燈がついているだけで、どの部屋も障子が暗かった。いかにも寝静まっている家の中の感じだったが、奥まった一室だけ、内側からあかあかと光が洩れていた。

それは、典子がいつも村谷阿沙子と会うときに通される部屋だった。八畳ばかりの広さで、真ん中に黒檀《こくたん》の応接台が置いてあり、いろいろと、飾り道具が置いてあるが、要するにそこは女史の書斎ではなく、客に会うための座敷であった。

典子は廊下に膝をつき、

「ごめんください。椎原でございます」

と遠慮深い声を出した。

「そう、おはいんなさい」

内側から女の甲高い声が返った。典子は、どきんとした。声はとがっていて、はっきりと「荒れている」ことを示していた。

典子は、おそるおそる障子に手をかけた。

村谷阿沙子は、黒檀の台の前に肥えた身体《からだ》を据《す》えていた。彼女のまるい顔にはかわいさが少しもなく、深い皺《しわ》と、小さな目とが鈍く光っていた。それはある意味で堂々としていた。

それを一瞬に見てから典子は畳の上まで頭を下げた。

「夜おそく参りましてたいへん失礼でございますが、この間のお原稿のお礼に伺いました」

気配では、竜夫もすぐ後ろにすわっていて、おじぎをしているようだった。

「あんたたち、そんなことで今ごろ来たの?」

阿沙子はきんきんした声で上から浴びせた。それは夜になっての訪問を非難しているようにもとれるし、原稿を渡してから数日経《た》つのに、なぜもっと早く来ないかと叱《しか》っているようにもとれた。

「はい。もう少し早く伺うはずでしたが、お電話申しあげても、先生はお留守のようでしたので、こんな時刻になりました。先生は、お寝《やす》みだと伺いましたけれど、ぜひ、お礼だけは申しあげねばとぞんじまして」

典子が顔を上げて言うと、阿沙子は正面で笑顔もしていなかった。

「いいのよ、そんなことは」

彼女は面倒くさそうに言った。

「はい。でも、編集長はたいへん喜んでおりました。お陰さまで結構なお原稿をいただいて、今度の号でハシラができたと申しております。ありがとうございました」

典子はもう一度頭を下げた。白井の言わないことを言ってしまったが、この場合これくらいの方便は仕方がない。

「でも、わたくしが箱根まで行き、泊りこみでお待ちしたので、何だか先生をお苦しめしたようで申しわけございませんわ」

「いいえ、そんなことはありませんよ」

阿沙子は言葉ではそう言ったが、口調はやはり硬直していた。

このとき、女中が茶を持ってはいった。三つの茶碗《ちゃわん》をそれぞれの前に位置におく。明るい電燈の下の女中の顔は、主人の不機嫌をはばかってか、少し表情がおびえてみえた。若い皮膚は、いくぶん蒼白《あおじろ》かった。

「もういいから、あんたは戸じまりの方を見て頂戴《ちょうだい》」

阿沙子は強い声で命令した。

「はい」

女中は追われるように退《さが》ったが、典子はこっちまで追っぱらわれているような気がした。

「先生」

典子は、ここでがんばらねばと思い、茶碗を両手にうけて言った。

「わたくしが泊っていた駿麗閣《しゅんれいかく》の近くで、先生もごぞんじの田倉さんが崖《がけ》から投身自殺したのをご承知でいらっしゃいますか？」

折しも女史は茶碗を口に当てていたが、音立ててすすりこむと、やはり無愛想《ぶあいそ》に答えた。

「そうだってね。新聞で読んだわ」

表情の動きはなかった。

新聞で読んで知ったとはおかしい。あの朝の騒ぎが隣の対渓荘に伝わらぬわけはないのだ。さすれば村谷一家の誰かの耳にもはいっているはずだった。

「わたくし、驚きましたわ。だって、田倉さんは、わたくしと同じ旅館に泊っていたんですって。騒ぎを聞いて行ってみたら、田倉さんですもの」

典子はそう言い、ひそかに女史の反応をうかがった。

「そう」

女史は茶碗をおいた。

「知らなかったね。あたしたちが宿を引きあげたのは朝が早かったのでね」

女史は小ゆるぎもしなかった。

「先生は、田倉さんが箱根に来ていることをごぞんじではありませんでしたか？」

できるだけ世間話風にしているつもりだが、典子の声は知らずに緊張していた。

「知らないね」

女史は、明瞭《めいりよう》に即答した。はじめから不機嫌な顔なので、些細《ささい》な変化は判然としないが、少なくとも顕著な動揺はなかった。

「あたしには関係がないからね」

このつけ加えた言葉は吐きだすような調子だった。

自分には関係がない。それは田倉自身と関係がないともとれるし、彼の死とは関係がないとも聞えた。

嘘《うそ》をついている、典子は心の中で叫んだ。わたしは見ていたのだ。田倉が死んだ日の早朝、霧の中で、あなたと田倉とがならんで立っていたのを、声まで耳に入れているのだ。

もう一つ質問がある。

その晩、十時すぎから十一時すぎまでの約一時間、阿沙子と夫の亮吾とは、どこに行っていたか、である。この田倉の死亡時刻の圏内に大きくすっぽりとはいる一時間の、彼女ら夫婦の空間的な所在が重大な質問であった。

しかし、典子がこの問いを発する隙《すき》がないほど、阿沙子女史の顔色は険悪《けんあく》を増してきた。

女史は、小さい鈍い目をあらぬ方に向け、自分の指を折って、ぽきぽきと骨を鳴らしはじめた。それは彼女が退屈を示す動作であり、客に早く引き取ってくれるようとの催促の表情であった。

典子は臆《おく》した。これ以上に、ねばる勇気を失いはじめた。

「先生」

突然、典子の背後から竜夫が声を出した。

「ご主人さまはただいま、ご在宅でしょうか？」

典子はびっくりした。竜夫が急に言いだしたのも不意だったし、こんな単刀直入のきき方をしようとは思わなかった。

典子が、ひやりとすると同時に、阿沙子女史の顔色が見るまに変った。

「あんたは、誰？」

怒気を含んで、典子の背後を睨《にら》みつけた。

「あ、申しおくれました」

典子があわてて、竜夫をかばうように言った。

「うちの編集部員で崎野竜夫と申します」

竜夫が村谷阿沙子と面識があるとのみ思いこんでいたのが誤りであった。竜夫は初対面だったのである。

「崎野です。どうぞよろしく」

竜夫は頭を掻《か》いておじぎをした。

阿沙子女史は、口を真一文字に結び、細い目を吊《つ》り上げて黙っていた。

「いえ、実は私の友人が、ご主人さまをぞんじあげているので、よろしく申しあげてくれとことづかりましたので」

竜夫は女史の怒りを解くように、柔らかい声で弁明した。

「何という方です？」

阿沙子は苦りきって問い返した。

「田中といいます。証券会社に勤めている男ですが、仕事のことで、ご主人さまにたびたびお目にかかったことがあると申しておりました」

「そう言っておきましょう。今夜はいませんが」

女史は鼻の先で答えたが、うっかりと正直なことを洩らした。

「それは残念です」

竜夫はそれを捕えた。

「明後日はご在宅でしょうか」

「明後日？」

女史の目がきらりと光ったので、竜夫がどもって言った。

「いえ、実は、その友人が至急にお目にかかりたい用事があるので、ご在宅ならご都合を伺ってくれ、と僕が頼まれたものですから」

これを聞いたとき、女史のきつい目に当惑と狼狽《ろうばい》がかすかに走った。が、それも指摘するほど目立ったものではなかった。

そのかわり、彼女の頬は、興奮で赤らみ、唇《くちびる》がとがった。

「明後日のことは分りません」

断固として甲高い声で言った。

「すると、ご旅行ですか?」

竜夫のこの質問は、女史を、たかぶりで身ぶるいさせた。

「どっちでもよろしい。とにかく、当分誰とも会わせません」

彼女は言いきると、典子に鋭い目を向けて命令した。

「わたしは疲れているから、これで帰って頂戴」

きんきんした声で言うと、女史みずからが重い身体をゆすって、黒檀の机から立ちあがりかけた。

「ほんとにお疲れのところを申しわけありません」

典子は身を縮めて、細い声を出した。

「広子、広子」

と女史は女中を叱るように呼び立てた。

「お客さまがお帰りだから、玄関の灯《あか》りをつけておきなさい」

暗いところから女中が廊下を走って玄関に行った。

女史には客を送る意志はなく、頭を下げて帰って行く典子の背中に、威厳に満ちた声を放った。

「椎原さん、あんた、当分、うちに来なくてもいいよ。編集長にはわたしから言っとくから」

ふだん見ると、この女流作家は、赤ン坊のように二重顎《あご》をしたまるい顔で、小さい目と、低い鼻と、少しばかりのおでこで、かわいい印象のはずだが、このときは目が異様に光って、すさんだ顔つきをしていた。

典子と竜夫が玄関から外に出ると、女中はおじぎをして門《もん》扉を閉めようとした。

「ちょっと」

竜夫が素早く女中の傍に行き、その手を押えるようにとった。女中はおどろいた。

「失敬」

竜夫はあやまってから、低い声で言った。

「ね、女中さん。ちょっとでいいからききたいことがあるんです。門の外で、話してくれませんか」

女中は迷うように典子の顔を見た。

「ねえ、広子さん」

典子は聞き覚えの名をはじめて呼んだ。

「ご心配なさることないのよ。わたしたち、雑誌の取材で、少しだけおたずねしたいのですわ」

なだめるように言うと、

「でも」

と女中は家の方を気づかわしそうに振り返った。

「ほんの三四分ですよ」

竜夫は言いながら女中の背中を押すように門の外につれだした。

このあたりは人通りもなく、暗い道と黒い木立があるだけだった。離れたところに外燈があったが、それにも木の梢《こずえ》が突き出ていて、光をさえぎっていた。

「あなたは、先生といっしょに、このあいだ、箱根に行ったんでしょう?」

竜夫が小さい声できはじめると、女中は落ちつかない態度ながら、それでもうなずいた。

「十二日の晩、ほら、覚えていますか? この人が対渓荘に電話で催促した晩ですよ」

竜夫が典子をさすと、女中はそれにもうなずいた。

「あの晩、先生もご主人も、ちょっと宿を出て散歩なさいましたね。あなたもいっしょだったのですか？」

「はい」

女中は返事した。

「十時ごろでしたか、先生は別間で原稿を書いてらしたようですが、少し頭を休めたいから散歩したいとおっしゃってお出になりました。旦那さまはそのあとで僕も少しぶらつくかな、と、わたしをお誘いになったのです」

「なるほど。で、あなたたちはどの辺まで行かれたのですか？」

「どこといって、わたしは、土地の名前はぞんじませんが」

「いや、およその道順をおっしゃってくだされば、だいたいの見当はつきます」

「ケーブルであがって、その大きな道を少しおりかけると、右手にきれいな道が分れていました。そこをあがって行ったのです。それから……」

「待ってください」

竜夫はさえぎって考えるようにした。

「強羅《ごうら》の方に行く道じゃない？」

典子が竜夫に言った。

「たぶん、そうだろう。ね、その道をあがって行くと、大きな旅館がならんでいませんでしたか？」

竜夫は女中をのぞきこむようにした。

「はい。立派な旅館がたくさんありました」

「やはり強羅だな。その道をずっとあがって行ったんですね？」

「はい」

「それから？」

このとき、突然、家の中から阿沙子女史の、

「広子、広子」

と連呼する声が聞えた。

それを聞くと、女中の広子は、びくりと肩をふるわせ、

「あの、これで失礼します」

と走り戻りそうになった。

「ちょっと、ちょっと」

竜夫も典子もあわてて引きとめて、

「それからどこをまわって旅館に帰ったのですか？　簡単に言ってください」

と言ったが、主人の甲高い呼び声を聞いた女中は、気もそぞろになって、

「ごめんください」

と逃げるように門の中にはいると、戸を閉めにかかった。

「広子」

と遠くからの阿沙子女史の声は前より苛立《いらだ》ったように聞えた。

「はい、ただいま」

女中は、うろたえて返事をした。

典子は、それに追いすがるようにして、

「ねえ、広子さん。もっといろいろなことをお伺いしたいのです。今度、先生のお留守のときにこっそり来ますから、先生にはないしょで、教えてくださいね」

と小さい声だが、力をこめて頼んだ。

それが通じたのか、通じないのか、暗い中で、門扉《もん》の閂《かんぬき》をかける音が高く聞えただけであった。

小田原にて

1

翌日のひるごろ、椎原典子は崎野竜夫と小田原に着いた。

——昨夜、あれから社に帰ると、白井編集長がひとりで待っていた。

「どうだった？」

と白井は長い顎をつきだすから、

「村谷先生はたいへんなご不興で、わたくしはとうとう出入り差しとめになりましたわ」

典子はうったえた。

「そりゃ、どういうわけだ？」

白井は怪訝《けげん》な目をした。

「それは僕からも説明します」

竜夫が横から言ってくれた。吸っていた煙草《たばこ》を灰皿にこすりつけて彼はゆっくり話しだした。

藤沢に田倉の妻を訪ねて行ったが、郷里の秋田に帰っていて留守であったこと、留守には細君の弟がひとりでいて、別に参考になるような話は聞けなかったこと、次に世田谷にまわって村谷阿沙子を訪ねたところ、たいそうなお冠で剣突を食い、二人とも閉めだされたこと、最後に女中に話をきこうと思ったが、これも女史の妨害にあって、はたせなかったことなどを順序どおりに語った。

この話は典子も口を添えたから、二人で報告したかたちになった。

「女中の話が完全にとれなかったのは、残念だね」

聞きおわって白井は憮然《ぶぜん》と言った。

「彼女は、亮吾氏に同行していたわけだろう。だから、失踪《しっそう》した当夜の彼の行動を、いちばん詳しく知っていたわけだ。何とか聞きだせないものかな」

「なにしろわたくしは当分出入り禁止になりましたからやりにくくなりました」

典子が当惑した声で言うと、

「なに、女なんて気まぐれだからね。その時の気分しだいさ。また、あとで機嫌《きげん》をとればケロリとしているよ。もともと、君が気に入っていたんだから、機嫌がなおれば、またリコちゃんをよこせということになるよ」

「しかし、編集長、あんな激情的なひとは、かわいさあまって憎さ百倍ということにもなりかねませんよ」

竜夫が新しい煙草をとりだした。

「あら、わたくし、先生に何にもしませんでしたわ」

典子が首を振った。

「そうさ。君は何もしない。原稿の礼に伺ったのだ」

竜夫は典子に言った。

「ただ、君が田倉のことを言いだしたからご機嫌が悪くなったのさ。それが女史には、よけいなことだったんだね。よけいなことといえば、僕が主人の不在を確かめたことも癇《かん》にさわったのだ」

典子は、竜夫がそれを女史に質問するのに、女史の夫の仕事関係にひっかけて架空の知人を出したことを思いだした。それはうまいテだった。女史は、それで思わず夫が当分帰らないことを洩《も》らしてしまったのだ。

「君たちの話を聞くと、女史の不機嫌は、田倉やご亭主に話題がふれたからだと思うね」

白井は顎を撫《な》でて言った。

「つまり、そのことは女史が田倉の変死に関係していることなのだ。それに、ご亭主のことは、その行方を探しまわっている最中なので、すこぶる疲労して、夕方、むなしく帰ってきた。もともと機嫌の悪いところに、君たちが押しかけてきて、ふれられたくないイヤな質問をしたので、ヒステリーを起したんだろうね」

白井は判断して、しばらく眉《まゆ》の間に皺《しわ》をよせて目を閉じた。それは命令を出す前の彼の癖であった。

「とにかく、君たちは明日、小田原から箱根に行きたまえ」

編集長は目をあけた。

「君たちは、まだ誰からも直接の話を聞いていない。村谷女史夫婦然《しか》り、田倉の細君然りだ。関係者の誰も君たちに話していないじゃないか？」

典子はうなずいた。そのとおりである。

「女史はヒステリー、ご亭主は行方不明、女中にもちょっと近づけぬ、田倉の細君は郷里に帰省している。それぞれちがうが、目下、みんなが沈黙だ。が、このなかで話がすぐに聞けるのは田倉の細君だけだ」

「え？」

典子も竜夫も、編集長の顔を見た。田倉の妻は秋田に行って、いないはずである。

「小田原署が細君から当時、事情聴取しているじゃないか。その調書を見せてもらうのだ。つまり、田倉の細君の話が聞けるというわけだよ」

ああ、そうか、と竜夫が思わずつぶやくのが典子の耳に聞えた。編集長はやや得意そうな顔をしていた。

「小田原署がすんだら、箱根の現場にまわりたまえ。リコちゃんが案内してね。君たちで実地検証するのだよ。女史と女中の話は、そのあとでゆっくり聞きだすことにするんだな」

――その白井編集長の指示で、典子と竜夫は今日、東京駅で落ちあって、湘南《しょうなん》電車に乗ったのである。

ひるになると、うだるような暑さだった。男たちの白いシャツに眩《まぶ》しい光が反射していた。

竜夫は小田原駅の改札口を出ると、構内の列車発着板を見あげた。

典子は彼の気持がすぐに分った。村谷亮吾の乗った汽車を前に時刻表で見たが、もう一度ここで見ようとするらしかった。典子もそれに視線を当てた。

下り。二三・四〇（姫路行、普通）、二三・四八（浜田行、急行出雲《いずも》）、二三・五九（沼津行、電車）、〇・〇五（湊町《みなとまち》行、急行大和《やまと》）

上り。三・一五（東京行、普通）

当然ながら、時刻表にあった数字が間違いなく掲示板にきれいな数字で書いてあった。

「あれだわね」

典子は、問題の二三・四八（急行出雲）の赤い文字をさした。急行を表わす赤い色が、いまの場合、いかにも注目せよといっているように見えた。

「うむ」

竜夫は確かめるような目をして、脂気《あぶらけ》のない髪をばさばさと掻《か》いた。が、現在はそれ以上は分らんという顔つきだった。

「ちょっと、ここで待っていてくれ」

竜夫は典子をふり返った。

「村谷女史が亭主の乗った汽車を探していると教えてくれた駅員の友人がここにいるんだ。ちょっと、そのようすをきいてみるからね」

竜夫は言い捨てると、人ごみの間を出札口の方へ歩いて行った。

典子は、ぼんやりと立った。周囲には多くの旅客が歩いたり、腰かけたりしていた。あわただしい駅特有の空気が舞っている。それは典子の心をいくぶん落ちつかなくさせた。竜夫と二人で見知らぬ駅に来て途方にくれているような錯覚をふと感じさせた。あたかも、竜夫が行先の連絡を駅員にききに行き、その間、自分が待たされて立っている旅先みたいだった。

その竜夫は一分も経《た》たないうちに引き返してきた。当てが違ったような顔をしていた。

「行こう」

と彼はすぐに言った。

「どうしたの？」

「いないんだ。今日は非番で休みだそうだ」

竜夫は陽《ひ》の照っている構内の外に出ながら友人の駅員のことを言った。

「まあ、会えなかったのは仕方がない。こっちの方はいつか問い合せるとして……」

「これから警察に行くわけね？」

「そうだ。編集長の言うとおりにね。おやじもなかなか張りきっているから」

「ほんとにね」

典子も同感した。白井編集長がこんなに意欲を燃やすことは半年に二度あるかないかだった。もっとも、それは彼の道楽気のときだが、今度もそれと言えないことはなかった。

「ねえ、崎野さん」

典子は、駅前のタクシーやバスのとまっているあたりをきょろきょろしながら歩いている竜夫に言った。

「先生の旦那さまが汽車に乗ったとすれば、やっぱりあの二十三時四十八分の急行でしょうか?」

「そうかもしれないな」

竜夫の返事は、どこか上《うわ》の空《そら》のようなところがあった。

村谷亮吾はいったい、何のために姿を隠したのか? そしてどこに行ったのであろう。

典子は、二十三時四十八分の急行が走りつづけている沿線のどこかに、亮吾の寂しい姿が、ぽつんと立っているような気がした。彼の瘠《や》せた肩に、ある暗さが感じられてならない。

小田原署の建物の中にはいると、受付と書いたところで若い警官が書類を書いていた。

「君は、ちょっとここにいてくれよ」

竜夫は典子をそこに待たせて、受付の前に歩いて行った。警官が顔を上げた。竜夫の背中が受付台にかがみこみ、話しはじめた。それはやはりジャーナリストの背中であった。

受付の巡査は立ちあがり、奥に行った。外が眩しいくらい明るいだけに、この建物の奥は薄暗くみえた。机にすわった警官たちの白いシャツだけが浮いていた。

白いシャツの一人が、巡査から何か言われて立ってきた。竜夫がそれにおじぎをした。

会話は短かった。

竜夫が典子をふり返り、呼んだ。

「話してもらえるそうだ。いっしょにお伺いしよう」

応接室のような狭い部屋に巡査は二人を導いた。

「暑いですなア」

四十恰好《かっこう》の背の低い警官がはいってきて竜夫と典子に言った。手に持った書類とじを卓の上に置き、親切に扇風機を回してくれた。古い型の扇風機は騒々しい音を立てて、生ぬるい風をけだるそうに起した。

「田倉義三さんの自殺死についてのおたずねでしたな」

警官は、和田警部補です、と自分で名乗って、卓上のつづりを開いた。汗かきらしく、額に雨滴のようにたまった汗をハンカチでぬぐったが、そのハンカチもぐっしょり濡《ぬ》れていた。

「まず、死体の検案からお話しすると」

警部補は東北訛《なま》りで言いだした。

「全身の創挫傷《そうざしょう》は三十五六カ所です。頭、顔、胸、背中、腰、手の肘《ひじ》、足、ほとんどいたるところですね。あの現場の断崖は高さ三十五メートルもあるから、それぐらいの傷はつく。ことに本人は浴衣《ゆかた》だけだったから、墜落途中の岩角に露出した皮膚がことごとく衝突して、傷が多くなったわけです」

「致命傷は何でしょうか」

竜夫がきいた。

「やはり崖下《がけした》の岩石にぶっつかった頭部の創傷ですな。解剖によると頭蓋底《ずがいてい》骨折ですから、おそらくほとんど即死でしょう。頭部には、もう一カ所挫傷がある」

「ちょっと。創傷と挫傷の違いは何ですか?」

「創傷というのは、皮膚が破れて出血している状態の傷です。挫傷というのは、皮膚の離断のない、打撲傷とか擦過傷とかの傷です」

警部補は答えた。

「なるほど」

竜夫はうなずき、手帳に控え、少し考えるようにしていたが、

「死体は解剖したのですね」

「開きました。ええと」

警部補は汗を拭《ふ》いて紙をめくった。

「創挫傷についての所見ははぶきましょう。胃の中からアドルムと酒精《アルコール》分とを検出しています。酒精分は投身前に、宿でビールを飲んだという田倉よし子、これは義三さんの奥さんですがね、そのよし子さんの証言で分りました。アドルムも義三さんは八錠のんだそうです」

アドルム八錠ならたいした量ではない。典子も不眠のときは、五六錠は服用している。

「結局、内臓所見には異常はなかったのですな?」

竜夫はたずねた。

「それはなかったのです」

「致命傷の解剖所見はどうなんです」

警部補は、質問されて、書類のその部分をさがした。彼は、そこを指で押え、

「その傷は、長さ三・五センチ、深さ〇・五センチ、頭頂部に近い前頭部で、頭蓋底骨折、頸椎《けいつい》骨折を起している。だから即死でしょうな」

典子はぞっとした。田倉義三の無残な最期《さいご》が、目にうかんでくる。

「普通、そういう変死体は、こちらでは全部解剖にするんですか？」

ややしばらくして竜夫がきいた。

「いや、かならずしもそうではありません」

警部補はまた汗をぬぐって言った。

「はっきり分っているものは検案だけですませます」

「すると、田倉さんの場合は？」

竜夫はきいた。

「あの旅館の女中の話で、その直前に田倉さん夫婦の喧嘩《けんか》があったと聞いたからですよ。投身したのはすぐそのあとですからね。これはいちおう、疑いをもたねばなりません。近ごろは、亭主が女房を殺すよりも、女房が亭主をやってしまう事件が多くなりましてな」

警部補は顔に皺をよせて笑った。

なるほどそれで新聞記事にあった「所轄署《しょかつ》では死因に不審の点があるので解剖した」という意味が分った。

それでは、田倉の妻が、警察にどんなことを言ったのか、いよいよそれを聞く番になった。

「田倉よし子さんを事情聴取のため調べたとき、こういう供述をうけました。ここにその陳述書がありますがね」
警部補は首筋に汗を流しながら言った。
「まあ、読んでください」
竜夫も典子も同時にのぞいた。この陳述書というのは、係官と田倉よし子の問答形式になっていた。
問　アナタガ田倉義三サント結婚シタノハ、イツデスカ。
答　昭和十七年デス。子供ハアリマセン。
問　夫婦仲ハ円満デシタカ。
答　ハジメハウマクユキマシタガ、最近デハ時々衝突シマシタ。
問　ソレハ何カ原因ガアリマスカ。
答　田倉ガ女遊ビヲ始メタカラデス。ソレモ一人ヤ二人デハナク、何人モ次カラ次ニツクッテイタヨウデス。
問　アナタガ七月十二日ノ夕刻、箱根ニ行ッタ目的ハ何デスカ。
答　田倉ハ雑誌ニ書ク記事ノ取材ニ箱根ニ行クト言ッテ二日前ニ出カケマシタガ、私ハイツモノヨウニ隠シ女ヲ連レテ遊ンデイルノデハナイカト思イ、ソレヲ見届ケニ行ッタノデス。
問　ソノ宿ガ駿麗閣デスカ。

答　イイエ、ソノトキハ強羅ノ春日《カスガ》旅館デシタ。ソウ言ッテ出カケタノデス。私ガソノ春日旅館ニ行ッテミルト、田倉ハソノ朝、駿麗閣ニ移ッタトイウノデ、私ハイヨイヨ女トイッショダト思イ、駿麗閣ニ行ッタノデス。
問　ソコデ田倉義三サンニ会ッタノデスカ。
答　ソウデス。田倉ハ私ガ不意ニ来タノデタイヘン怒リ、私モ腹ガ立ッテイタノデ、思ワズ言イツノッテ口喧嘩ニナリマシタ。ケレド、アトデ田倉モヤサシクシテクレ、私モ女トイッショデナイコトガ分リマシタノデ気分ガオサマリマシタ。宿カラ「ビール」ヲトッテ飲ミマシタ。
問　ソレハ何時ゴロデスカ。
答　午後十時前ダッタト思イマス。
問　「ビール」ヲ飲モウト言ッタノハ誰デスカ。
答　田倉デス。酒ガ好キデシタ。私モ少シハ飲ム方デス。
問　ソノ時、田倉サンハ睡眠薬ヲノンダノデスカ。
答　私ハ知リマセン。私ノイル前デハ薬ハノマナカッタヨウデス。
問　アナタハ「ビール」ヲ飲ンデイルトキ、田倉義三サンノ傍《ソバ》カラ離レマセンデシタカ。
答　手洗イニ行ク以外ハ、ズットイマシタ。

問　ソレカラドウシマシタカ。
答　三十分バカリシテ、田倉ハ取材ノ関係デ、誰カト会ワネバナラナイカラ、ト言ッテ、浴衣ノママ宿ヲ出テ行キマシタ。
問　誰ト会ウト言ッタノデスカ。
答　誰トモ申シマセンデシタ。仕事ノ上デハ、ナンニモ私ニ言ワナイ習慣デシタ。
問　ソレカラドウシマシタカ。
答　田倉ガ出タアト、私ハモシカスルト田倉ガ女ト会ウタメニ口実ヲ言ッタノデハナイカト思イ、スグアトカラ宿ノ「ケーブル」デノボリマシタ。
問　ソコデ会ッタノデスカ。
答　イイエ、会イマセンデシタ。田倉ハ一ツ前ノ「ケーブル」デノボッタノデソノ時ハ姿ガ見エナカッタノデス。
問　ソレカラノアナタノ行動ヲ言ッテクダサイ。
答　私ハ田倉ノ姿ヲ探シテ、宮ノ下カラ強羅ノ近クマデ行キマシタガ、ドウシテモ分ラナイノデ、宿ニ帰ッテ寝マシタ。オヨソ二十分クライ、探シタト思イマス。
問　アナタガ探シテ歩イテイルトキ、誰カ、アナタヲ見タ者ガアリマスカ。
答　時刻ガオソカッタノデ、誰ニモ人ニ会イマセンデシタ。
問　田倉義三サンガ死体トナッテイルノヲ、誰カラ聞キマシタカ。

答　宿ノ女中サンカラ、朝、七時ゴロニ聞キマシタ。
問　死ノ原因ニ思イアタルトコロガアリマスカ。
答　タブン、自殺ダト思イマス。
問　ソレハナゼデスカ。
答　田倉ハ、仕事ノ上デハ強情ソウナトコロガアリマシタガ、ホントウハ気ガ弱カッタノデス。イツモ、コンナツマラナイ仕事ヲシテ暮シヲタテテユクノハタマラナイト悲観シテイマシタ。オレガ女ト遊ブノモ、ソノ苦シサヲ忘レルタメダトモ言ッテイマシタ。前ニ発作的ニ家ノ柱ニ頭ヲブッツケテ怪我《ケガ》ヲシタコトモアリマス。死ニタイ、トヨク口走ッテイマシタノデ、タブンソノ時モ発作的ニ断崖《ダンガイ》カラ身ヲ投ゲタノデショウ。睡眠薬ヲノンデイタトイウコトヲ聞ケバ、マスマスソンナ気ガシマス。

2

調査の内容は、まだ少しつづいていた。
問　アナタハ田倉義三サンヲ探シテ見ツカラズニ駿麗閣ニ午後十一時スギニ帰ッタトキ、夫ハ知人ノトコロデ麻雀《マージャン》ニ誘ワレタト宿ノ女中ニ言ッテイル。ソノワケハ？
答　モシソノ晩帰ラナイトキハ、宿デモ心配スルデショウシ、私モハズカシイノデ適当ナ理由ヲ言ッテオイタノデス。

問　帰ラナイカモシレナイトイウ気持ガ、アッタノデスカ?
答　モシ女ガ来テイテ、他ノ旅館ニ泊ッテイタラ、ソウイウコトニナルカモシレナイト思イマシタ。家デモ無断デ外泊スルコトハ平気ナ人デシタ。
問　田倉義三サンハ、夜、熟睡デキナイ方ダッタノデスカ。
答　スグニハ眠レナイタチデシタ。
問　睡眠薬ヲノム習慣ガアリマシタカ。
答　アリマシタ。
問　ドレクライ服用シマシタカ。
答　イツモハ八錠デシタ。
問　田倉義三サンノ胃カラ睡眠薬ヲ服用シタ反応ガ出テキタガ、アナタハ義三サンガノムトコロヲ知ラナイト言ッテイル。
答　薬ヲ飲ムトコロヲ見ナカッタトイウ意味デス。私ハ手洗イニ立ッタリ、一二回田倉ノ傍カラ離レタコトガアルノデ、ソノ間ニノンダカモ分リマセン。ノンダトスレバイツモノトオリ八錠ダト思イマス。
問　ソレデハ田倉サンハ眠ルツモリデ薬ヲノンダト思イマスカ。
答　ソウ思イマス。
問　シカシ、ソノアトデ外出シタノハ矛盾シタ行動デハアリマセンカ。

答　アノ人ハ矛盾ダラケノ人デス。ソウイウチグハグナ行動ハ始終シテイマシタ。
問　田倉義三サンハ箱根ニ前ニ来タコトガアリマスカ。
答　タビタビアリマス。
問　投身場所ノ道モ知ッテイタト思イマスカ。
答　タブン、知ッテイタト思イマス。箱根ニハ詳シイ人デシタ。
問　田倉サンニ遺書ハナカッタノデスカ。
答　アリマセン。
問　田倉サンノ死ヲ、過失死ト見ズニ、自殺ト考エタ理由ハ何デスカ。
答　前ニモ申シマシタトオリ、田倉ハタビタビオレノヨウナ男ハ死ンダ方ガマシダト言ッテオリマシタ。突発的ニ乱暴スルコトモアリマシタ。タブン、急ニ発作的ニ死ヌ気ニナッタノデハナイカト思イマス。ソレニ、投身現場ノ村道ヲ見マシタガ、道ノ幅ハ二メートルモアリ、夜トイッテモ、道ノ白サハオボロニ見エルハズデスカラ、端ヲ踏ミ誤ッテ崖カラ落チルハズハアリマセン。私ハ田倉ガ発作的ニ投身シタノダト思イマス。

竜夫が読み、典子が次にそれを読んだ。彼女が読んでいる間、竜夫はわざと黙って考えるように煙草《たばこ》をふかしていた。

「ありがとうございました」

典子は、参考と思われるところをメモに取って、調書を警部補に返した。

「田倉義三さんが睡眠薬を八錠のんだというのは、奥さんが目撃した証言、というよりも推察ですね？」

竜夫がはじめて警部補にきいた。

「そうです」

警部補は調書つづりを閉じながら答えた。

「しかし、習慣的には田倉さんは八錠ずつのんでいたと言うし、胃部からの検出も顕著ではなかったのですから、信用していいでしょう」

「調書の質問にもあるとおり、田倉さんが睡眠薬をのんでから外出したというのがちょっとひっかかりますね」

「そうですね。ちょっとおかしいことはおかしい。だが、この奥さんの説明でも納得できないことはありませんよ。われわれの経験でも、自殺とは思われない変死体が自殺だったというのは、よくありますからね。そういうのはたいてい発作的です。精神状態が急激に異常になるのでしょうかな」

警部補は典子にも目を移して言った。

「ことに、奥さんの話によると、田倉義三という人は、かなり変った性格を持っていたようですから、それはありうると思います」

警部補には、いちおう決定して片づいた事件にそれ以上ふれられたくないようすが見えていた。

「何か田倉さんの自殺について記事を書くんですか?」

警部補はいぶかしそうにきいた。

「いや、別にそういうことは考えていません。ただ、田倉さんはわれわれと仕事上接触があったものですから、お伺いにあがっただけです。どうも」

竜夫は頭を下げた。礼を言うだけのことはあった。警部補は十分に親切だったのである。


元箱根行きのバスに、典子と竜夫は隣あわせですわった。ウイーク・デーのせいか、乗客はあまり混んでいなかった。バスはぎらぎらした陽《ひ》が光っている白い舗装道路の上を山に向っていた。

「やっぱり調書を見せてもらってよかったわ。いろいろなことが分ったわね」

典子は、汗ばんでいる竜夫の腕にふれないよう気をつけながら言った。

「田倉よし子の話で、君はどんなことが一番参考になったかね?」

竜夫は少し笑いを見せてきいた。無精髭《ぶしょうひげ》にうすい汗が浮いている。早く汗ぐらいふけばいいのに、と思いながら、典子は言った。

「田倉さんの性格よ。思ったより単純ではないのね。相当に苦しんでいたようじゃない？」

「自分の仕事にね」

竜夫はうなずいた。

「僕も陳述調書を読んで、そこんところを、ちょっと意外に思ったよ。やっぱり田倉義三も人間的な苦悩を持っていたんだな。それは分るよ。田倉の仕事というものは、ネタになりそうな人の私生活の裏側を探しては原稿を雑誌社に売りつけてたんだろ。ことにネームバリューのありそうな人間のね。酷評すれば、下等な内報屋さ。そんなことで生活している自分に愛想《あいそ》がつきる瞬間があったのだろう」

豪放磊落《ごうほうらいらく》に見える田倉義三に、そんな繊細《デリカシー》さがあったのか、典子も少しあんがいであった。

「自己の仕事に何らの意味も生産性もないからね。生産性のない、空虚な職業を持っている人間ほど虚無的な意識を持つことはないよ」

バスガールの声が拡声器から鳴りだした。石垣山《いしがきやま》を左に見て、秀吉《ひでよし》一夜城の由来を説明しはじめた。

典子は、その間、調書にあった一節を思いだしていた。

――田倉は仕事の上では強情そうなところがありましたが、ほんとうは気が弱かったのです。いつも、こんなつまらない仕事をして暮しを立ててゆくのはたまらないと悲観していました。おれが女と遊ぶのもその苦しさを忘れるためだとも言っていました。前に、発作的に家の柱に頭をぶっつけて怪我をしたこともあります。死にたい、とよく口走っていました。……

「田倉の気持は、よく理解できるよ」

バスガールの説明がすんだので、竜夫が声を出した。

「現代人は、多少ともそんな気持を持っているんじゃないかな」

典子は竜夫の横顔を見た。向い側の窓外に放っている彼のまなざしには、そのとき暗い思索的な翳《かげ》りが瞬間に浮んだように思われた。妙に典子の心にそれが残った。

「それから何が参考になったと思う?」

竜夫はもとの調子の声に返った。

「田倉さんが箱根に最初に泊った宿が、強羅の春日旅館だったことだわ。駿麗閣に移る前がその旅館だったのね」

それが初めて分った。典子は、原稿催促に到着した夜、旅館を求めて宮ノ下から木賀の方へ歩いて行く途中で、浴衣姿の田倉義三に出会ったことを覚えている。彼が近くの旅館に宿をとったらしいとは、その時も察したが、はたして近くの強羅だった。

「そうだ。それが分ったので、かなり調べる手数がはぶけるよ」

竜夫がはじめてハンカチを出して顔の汗をふいた。そのハンカチは薄黒くよごれている。典子は洗濯《せんたく》ぐらいしたらよさそうなものをと思った。

「それは、村谷女史がなぜ急に杉ノ屋ホテルから対渓荘に移ったかという問題に関連するからね。つまり、あきらかに田倉は村谷女史が宿を変えたから、自分も宿を変えたのだ。しかも、その隣にね。だから、春日旅館に行ってきけば、田倉が旅館を移る前後の事情が分るかもしれないよ」

典子が到着した夜は村谷女史は杉ノ屋ホテルにいた。杉ノ屋は宮ノ下で、春日旅館は強羅だ。この距離は接近している。

あくる朝、典子が原稿問い合せに杉ノ屋に電話したところ、村谷女史は坊ヶ島の対渓荘に移っていた。彼女はびっくりもし、困惑もしたものだが、その理由はいまだに分っていない。

なるほど、田倉は符節を合わせたように、村谷女史の移った対渓荘の隣の駿麗閣に変っているから、その事情を調べてみたら、村谷女史のにわかの移転の理由を推知できるかもしれない。

バスは湯本にとまって乗客の一部を入れ替えた。小田急の湯本駅がすぐそこに見える。

典子は、あの十一日の夕方、小田急でこの駅についたとき、黒皮の書類鞄《かばん》を持った田倉義三が先にホームを降りて行くのを見たものだ。

その後ろ姿を、彼女は今思いだした。

バスは宮ノ下の停留所に着いた。

典子と竜夫は坂道になっている中央に立ちどまった。両側の旅館の人が、同伴の泊り客ではないかとうかがうような目でみているので、典子はそこにいるのが辛《つら》かった。

竜夫は、ぼそりと三叉路《さんさろ》に佇《たたず》んで、あたりを眺《なが》めていた。一方は今来た小田原の方、それをまっすぐに行くと木賀から仙石原に向い、左手に分れたかなり急な勾配《こうばい》は強羅を経て小涌谷《こわきだに》に行く道である。

「村谷女史のご主人は十二日の晩の散歩に、こっちの道を行ったんだな」

竜夫は強羅への坂道をさした。

竜夫の言ったことは村谷家の女中の言葉である。

（十時ごろでしたか、先生は別間で原稿を書いてらしたようですが、少し頭を休めたいから散歩したいとおっしゃってお出になりました。旦那《だんな》さまはそのあとで、僕も少しぶらつくかなと、わたしをお誘いになったのです。ケーブルであがって、その大きな道を少しおりかけると右手にきれいな道が分れていました。そこをあがって行ったのです……）

それから、と言いかけた時に、女中の次の言葉は、広子、広子とヒステリックに呼び返す阿沙子女史の言葉に中断されたのだ。

「あの時は惜しかったわね」

典子は言った。

「もうちょっと先生の呼ぶのがおそいと、よく事情が分ったのにね」

「ああ」

竜夫はなおも道を眺めていたが、

「まあいいさ。それは東京に帰って、次の機会を狙《ねら》ってきこう」

と、あんがいあっさりしていた。それから歩き出した。

「さっそく、現場に行ってみようか」

「どっちの方？　死体のあった所？　それとも墜落した場所なの」

「墜落した道の方を先にしよう」

典子にはそれはよく分らなかったが、竜夫が小田原署で検案書についていた現場見取図を手帳に控えていたので、それを見当に行くことにした。

駿麗閣と対渓荘のケーブルカーの発着所の前を通りすぎた。竜夫は、ははあ、これだな、と合点《がてん》したような顔で見て通った。いずれ、ここには後から来るつもりでいる。

村道はそこから百メートルばかり過ぎたところに下り道がついていた。

一方が山で、片方が断崖になっている道は、幅二メートル半ばかりと目測された。むろん、舗装のない、小石の多いごろごろ道であった。七曲りのように曲折しているので、勾配は思ったよりゆるやかだった。

道の両側は夏草が生い茂り、草いきれが鼻にむせるようだった。断崖に面した端は、これも長い草と、突き出た樹木が茂って真下の光景は見られなかった。

二人は、その道をゆっくりと下った。道の片側を越して、炎天に蒸されたような色になった山が暑そうにそびえ、裾《すそ》を谷間の真下に落していた。そこと、この道の下にあるはずの断崖との間は、底に深い空間が巨大な穴のように陥没していた。

その垂直の距離の上を、ケーブルの線が傾斜していた。

それはある部分で光ったり、黒くなったりしていた。蟬《せみ》の声がこの渓谷《けいこく》の下からも山側からも湧《わ》いていた。

「この辺かな」

竜夫は手帳とくらべて、ふと足をとめた。それは道の曲り角と曲り角のちょうど中間で、二百メートルばかりのまっすぐな道の真ん中ごろと思われた。

竜夫は中腰になって断崖の側の草や小さな木を掻《か》き分けて下を覗《のぞ》いた。

「危ないわ」

典子は思わず声をかけた。

竜夫は典子を目で招いた。彼女が彼の傍におずおず寄って行くと、掻き分けられた高い草や木の葉の間から、二つの屋根が接近して光っているのが下方に見えた。

「あれが、対渓荘と駿麗閣だね」

竜夫が目を放さずに言った。

「こっちが駿麗閣よ」

その駿麗閣に向って、黄色い小さなケーブルカーがゆっくり滑り落ちていった。そうだ。ちょうど、この下の見当になるだろう。田倉の横たわっていた位置を、典子は目測した。

竜夫は身体《からだ》を戻し、その辺の地面を見回していたが、むろん、今ごろ何もあるはずがなかった。

「こんなところ、自動車が通るのかしら?」

典子が道の上についているタイヤの数条の痕《あと》を見て言った。

「トラックでも通うのだろう」

竜夫はそれにこたえたが、また断崖の方を向き、谷の深さを眺めるようにして、

「田倉もこんなところから落ちたんじゃ、なるほどひとたまりもないな」

と息をつくように言った。

「田倉さんはどうしたの? 誰かに落されたの? それとも、自殺か、あるいは過失なの? 崎野さん、もうそろそろ決定的な意見が出るでしょう?」

が、崎野竜夫は困った顔をして返事をしなかった。彼は黙ったまま、自分の意志だけ

で足を早め、先に道を下りはじめた。

道がいくつか曲って下降したとき、竜夫が典子をふり返って前方に片手を伸ばした。

「リコちゃん、見ろよ、やっぱりこの道はトラックが通《かよ》っているんだよ」

典子がその指のとおりに眺めると、道の突き当りは小集落になっていて、そこに一軒の製材所が建っていた。

製材所からは鋸《のこぎり》の回転する金属性の音が、周囲の山峡《やまかい》にまでひろがっていた。

3

その製材所には、七八人の男が働いていて、丸太杉を機械鋸《のこ》にかけては、板を造っていた。鋸が木にふれる金属性の音が、そのあたりに響いていた。

こういう所に製材所がある。箱根山中の部落だから珍しくはないはずだが、典子も竜夫も、今の場合、製材所の忽然《こつぜん》といった出現の仕方が妙に感じられた。

「ちょっと近寄ってみようか？」

竜夫が言った。

「そうね」

典子はうなずいた。二人はふしぎなものを見るような気持で足を進めた。

製材所で働いている人たちは、二人の見物人をふりむいたが、すぐに仕事に戻った。

箱根のアベック客が気まぐれにこの辺まで来た、という感じで、彼らには興味がなさそうだった。機械鋸からは木屑《きくず》が雨のように飛び、木の匂《にお》いがなまなましくただよった。

「そら、あすこにトラックがあるよ」

竜夫は典子の肩をこづいた。

この製材所の名をしるしたトラックは製材所の建物の端に、故障でもしたようにぽつんと置いてあった。その辺は材木が積み重なっていた。

「この道には、やっぱりトラックが通るのね」

典子は、今来た道にえぐりこんだタイヤの痕を考えて言った。

田倉の変死と、ここに製材所があることとはむろん、関係はあるまい。しかし、どこかに、それは、心理的な錯覚かもしれないが、典子の心には、この二つの間に二筋のタイヤのあとのような軌条を感じた。

「引き返そうか」

竜夫が促した。

二人は、もと来た道の方へ戻った。今度は上りになっている坂道を、ゆっくりと歩いた。暑い陽が真上から射《さ》し、竜夫は汚いハンカチを出して首筋をぬぐっていた。

道はいくつも曲っている。やがて、もと竜夫が断崖《だんがい》の下を覗きこんだ場所にふたたび来た。

「タイヤのあとがある」

竜夫が地面を見てつぶやいた。

地面に刻まれた二つの車輪のあとは、いくつも筋が乱れていて、トラック通行の習慣を示していた。

トラックの通行と、田倉義三の変死とは関連があるまい。そのような平凡な道は、いたる所にあるのだ。田倉義三は、そうした道路の一つから断崖へ墜落したのにすぎない。あまりにタイヤの痕を意識するのは、間違った判断になりそうな気が典子にした。

竜夫は、田倉が落ちたと思われる場所に立って、向うを眺めていた。強い光線が空から射していて、谷間も正面の山もけだるそうにしていた。強い草いきれが鼻を打った。

「夜は寂しい場所だろうな」

竜夫は腕を組んで立って言った。

田倉が死んだ晩、ここに来た時刻を考えているのだ。十時半すぎ、彼は宿を出てケーブルで上の道路に昇り、ここまで歩いてきたのだ。十一時前に違いない。その時刻にひろがっているこの地点の物寂しさ、暗黒さを、典子も考えていた。

「なぜ、彼はここに来たのだろう」

竜夫が疑問のかたちで典子に言った。太陽に直射されて、彼の顔は白く、目が眩《まぶ》しそうに細まっていた。

「誰かと会うためだわ」

典子が答えた。

「誰かに？　それは、そんな時刻、こんな場所で会わねばならぬ人間か？」

「そうだと思うわ」

「では、よほど、田倉義三に近い関係を持っている人間だ」

「そう、田倉さんは安心して来ているからね。奥さんとビールを飲んでいる途中、あわてたように宿を出ているから、前から場所も時間も約束していたに違いないわ」

「誘いだされたかな」

「誘いだされても、田倉さんが安心して会いに行った人物ね」

「そういう親近感のある人物は誰だろう」

二人は討論《ディスカッション》するような恰好《かっこう》になった。

「この事件に、われわれが知っている人物を片っ端からあげてみよう」

竜夫が言った。

「そうね。まず、田倉さんの奥さん」

「奥さん、なるほど、これは田倉に一番近いな。しかし、誘いだされたというのはおかしい。もし、夫婦がここで話をするつもりだったら、いっしょに宿を出て、同じケーブルで昇るはずだ。奥さんが十分も遅れて出るというのは、どういうわけだろう」

「旦那さんを先に出して、奥さんがあとから追って行くことだってあるわ。場所を決めてね」

典子は言ったが、田倉の妻に疑いをもっているわけではなかった。ただ、事件の条件を検討してみるつもりだった。

「それは不自然だね」

竜夫が木陰の方へ歩いて行った。直射日光をのがれると、空気がからっとしているので、箱根らしく涼しかった。二人は山ぎわの道端にならんで休んでいるような恰好になった。

「どうして?」

「だって、そうだろう、普通、夫婦がそういう状態で待ちあわせる場合にね、旦那がこんな寂しい道に来て待ってるだろうか。ケーブルから昇って、ここまで来るのに、十分ぐらいはかかるんだぜ。しかも寂しい道を、あとから細君ひとりを歩かせるだろうか? 普通なら、ケーブルで昇ったところで待ちあわせるよ」

竜夫の言うことを聞いて典子は思わず微笑した。彼が柄《がら》になく夫婦の心理を解説しているのがおかしかった。

「まったく、そのとおりよ」

典子は笑っている目で竜夫の顔を見た。

「では、ケーブルで昇った地点の付近で田倉さんが奥さんを待ったとしましょう。ご夫婦はそれからいっしょに歩いて、ここまで来たとしたら」

「なるほど、それなら分るね」

竜夫は顎《あご》を二三度たてに動かした。

「しかし、それは小田原署で見た田倉の細君の話とは違うな。あれでは、確か、ご亭主のあとを追ってきたが、姿が見えないので探したということだったな」

「それが奥さんの嘘《うそ》だとしたら？　事実、誰にも会わなかったと話しているじゃないの。あのおそい時間だから通る人もなく、実際に目撃者はなかったと思うわ。つまり、奥さんの話を証明する者は誰もいないわけよ」

「うまい」

竜夫はほめた。

「細君自身の話を証明する者はいない。だから、当夜の彼女の行動はどうにでも想像がつくというわけだな？」

「そうよ」

竜夫はその辺を歩きまわった。

「では、あの細君が亭主を何とか言いくるめてこの道に誘い、断崖から突き落したというわけか」

目をやると、渓谷の上に、今しもかわいいケーブルカーが徐々に下降して行くところであった。小さな胴体が陽《ひ》をうけて輝いていた。

三十五メートルのその下の高さを思い、そこを突き飛ばされて転落して行く田倉の姿を幻覚して典子は身体が冷えた。その田倉の背中を断崖に向って押しやる者が田倉の妻とは思いたくなかった。

それなのに、議論として、この場合、その仮説を進めねばならなかった。

「田倉は瘠《や》せてるとはいえ男なんだ。女の力で突き落せるかな?」

竜夫は分っていることをわざと知らぬ顔で言った。それは問答体のディスカッションの形式だった。

「睡眠薬よ」

典子は答えた。

「田倉さんは宿を出るとき、睡眠薬をのんでいたわ。それが効いて眠りはじめたら、無抵抗だわ」

「細君は、田倉が、睡眠薬をのんだのを知っていたのかね?」

「田倉さんがのんだというよりも、のまされたかも分らないわ。ほら、いっしょにビールを飲んでるでしょ。もし、奥さんが白い錠剤を肝臓薬とか何とか言ってごまかせば、田倉さんだってのみかねないわ。それに、睡眠薬をビールといっしょにのめば、効目《ききめ》が早いんじゃない?」

「そのとおりだ。なかなか有望だね」

竜夫は合点合点《がてんがてん》をした。

「動機は?」

「奥さんは田倉さんを憎んでいたわ。しじゅう、女出入りがあったというから、きっと、田倉さんからいじめられていたと思うの。ほら、藤沢の家に行ったとき、奥さんの弟さんがいて、あまり義兄をよく思ってないようすがあったでしょ? あれは、つまり奥さんの田倉さんに対する憎悪《ぞうお》が、弟さんの感情にも移ったと思うの」

「そうだな、あの弟はそうだったね」

竜夫は、つぶやくようにひとりで言った。田倉の妻の実弟のことが典子の口から出たので、不意に、それについて考えているような目の表情をした。

「完全だ」

と、竜夫はぼそりと言った。

「君の田倉の細君に対する推理は完全だ。動機もある。行動の理論にも納得性がある。それに細君が宿を出てから帰ってくるまでの時間も合うし、目撃者がないからアリバイが成立しない。完全に、君は、小田原署の調書にある田倉よし子の供述をひっくり返したね」

典子は、だが、理論として言ってみたけれど、実感はともなっていなかった。

土地の人が四五人、この道をくだって行ったが、彼らは道端の木陰に佇《たたず》んでいる竜夫と典子をじろじろと見て通った。箱根でよく見かける東京の若い男女の一組と思ったらしかった。

彼らが曲り角に消えると、皆で笑う声が聞えた。自分たちのことを下品に噂《うわさ》しているようで、典子は顔が赤くなった。

「リコちゃん、では、次に移ろう。歩きながらね」

竜夫も、その笑い声を意識してか、妙におごそかな顔つきになって言った。

「次は、問題の失踪《しっそう》した村谷女史のご主人、亮吾氏のことだ」

竜夫は新しい煙草《たばこ》に火をつけた。それからわざと典子の顔を見ないようにして歩きだした。

「亮吾氏の場合は」

と典子も少し固くなって言った。竜夫より自然と距離をとった。

「村谷先生といっしょに考えた方が便利じゃない？」

「しかし、二人は、べつべつに出かけているよ」

「けれど、時間的には、ほぼ同じくらいの間、宿をあけていたらしいわね。この時間はだいぶ幅があって、前後一時間くらいあるわ」

「そのくらいの時間的余裕があれば、何でもできるというわけだな」

「亮吾氏の場合は女中さんがいっしょにいたわけだし、強羅《ごうら》の方へ行ったというんだけど」

「初めは行ったかもしれない。が、そのあとでこの道に来るということは考えられる。田倉より時間的にずっと早く対渓荘を出ているからね」

「そのとき、女中さんも最後までお供をしていたんでしょうか？」

「それが問題だ。もし、亮吾氏が、田倉とこの道で会ったとしたら、女中の存在は邪魔になる。だから途中で用を言いつけて宿に帰らせただろうね。女中が何時ごろに帰ったかが、問題だな」

いつか二人は、ふたたびならんで歩いていた。話をかわしているうちに、無意識に肩をならべたかたちになった。が、典子はもう離れなかった。

「村谷夫妻のうち、阿沙子女史、あるいは亮吾氏が、ある用件で、田倉とここで会うことを約束した。だから、田倉は細君とビールを飲んでいるとき、今から仕事の関係で外出しなければいけないと言ったろう。彼はその時刻になったのであわてて外出したのだ。このとき、彼は細君から睡眠薬をのまされている。なぜ細君がそんなことをしたか、それは君のさっきの憎悪説に賛成して何か作為の下心があったといちおう考えておこう」

今度は竜夫が説明者の側だった。二人はゆっくりと足を運んだ。

「さて、ここで会っているうちに、田倉は睡眠薬とビールの特効で、眠気を催しはじめた。これは相手にとって意外だったろう。田倉義三は、だらしなく、そこに崩れてしまったのだ。相手は、かねてから田倉に憎しみを持っていたから、それを好機《チャンス》として、他愛《たわい》なく眠っている田倉を断崖から転げ落した……そういう設定は考えられる」

「だめだわ、よくできているけど」

典子は言った。

「なぜだ？」

竜夫は初めて典子の顔を凝視した。

「動機がないもの。先生ご夫婦が、そんなに田倉さんを憎悪している理由がないわ」

「それは分らない、ひとりずつ検討してみよう。阿沙子女史はどうだ？」

「理由が無いと思うわ」

「亮吾氏は」

「よけいに無いわ」

「そうかな」

竜夫は靴《くつ》の先で道の小石を散らした。

「しかし、人間関係は外部からは真相が分らないからね。意外な事情が潜在しているものだよ」

「何だか意味ありげね」

典子は竜夫の横顔を見あげた。考えているような彼の額には汗がいっぱいに滲《にじ》んで暑そうに光っていた。典子は思いきって自分のハンカチをハンドバッグから出した。

「はい、これ」

一瞬、竜夫はめんくらったようだが、黙ってうけとると自分の額をぬぐった。遠慮したような軽い拭《ふ》き方が典子の微笑をひきだした。ハンカチから仄《ほの》かな香りが風にのった。

竜夫はもったいなさそうに、すぐに典子の手にそれを返した。

さっきから気になっていることをして、典子は安心をおぼえた。またあの黒いハンカチをポケットから出されるとやりきれなかった。

「何か感じたの？」

典子は言った。

「ああ、いい匂いだってことは分った」

「いやね。さっきの意味ありげな言葉よ」

「あ、そうか。そうだな。おぼろに分りかけているが、いま言うべき段階ではない」

「ずるいわ。もったいぶってるのね」

「そうじゃないけれど、ちょっと重大だからな。僕の単なる想像だけでは言えないことだよ」

竜夫は遠いところを見る目つきをした。向い側の山には入道雲が輝いていた。

いつのまにかその村道を上りきって、二人はバスやハイヤーの行き交う宮ノ下の白い舗装道路に出ていた。

「さあ、これから強羅に行こう。田倉が最初に泊った宿が春日旅館だったな。そこを訪ねて、田倉の泊った部屋の係女中に話をきいてみるのだ、何か新しい材料が摑《つか》めるかもしれないな。対渓荘はあとまわしにしよう」

竜夫は、そう言って強羅への道を歩きだした。

典子は、ふと思いあたった。村谷家の女中の話では、亮吾氏は、あの夜強羅の方へ散歩に行ったという。そのことが、田倉が最初に泊った強羅の春日旅館と、何か関連があるのだろうか。

田倉の行動

1

春日旅館は強羅の中ほどにあった。

それほど大きな旅館ではなく、付近の広壮な旅館にはさまれた中級クラスの目立たない構えであった。

竜夫と典子が石畳みの玄関をはいって行くと、シャツだけの番頭が、

「いらっしゃいまし」

と景気のいい声をあげた。

竜夫があわてて、ていねいに頭を下げた。客でないことを示すためだ。その竜夫のようすが日ごろの彼らしくないので、典子にはおかしかった。

はたして、番頭は損をしたような顔になって、竜夫と典子をじろりと見た。

「こういう者ですが」

竜夫は、名刺を出した。出版社の名がはいっているので、うさんくさげだった番頭の目が少しやわらいだ。

「たいへん、ご面倒をかけますが、七月十一日の夜、こちらに宿泊された東京の田倉義三という人のことについて、私の方の社で調べているのですが、もしお差しつかえなかったら、その時の係の女中さんに会わせていただけませんでしょうか?」

竜夫の言うことを番頭は一度にのみこめなかった。二三度、繰りかえすと、番頭は名刺の雑誌名を眺《なが》め、ようやく承知した。

二人は玄関をあがってすぐ左側にある客用の応接間に通された。壁には箱根観光図と、

芦ノ湖《あしのこ》の航空写真とが掲げてあった。

肥《ふと》った中年の女が、簡単服を着て現われた。手に伝票つづりのようなものを持っている。

「わたしが女中頭《がしら》ですが」

女は微笑していたが、どこかもったいぶっていた。

「お客さまのことは、申しあげたくないのですが。それは、何か悪いことでお調べになっているのですか?」

「不名誉となるようなことではありません。雑誌の記事の上で必要な調査をしています。けっしてその人にも、お宅にも迷惑をかけるようなことではありません」

女中頭は二重になった顎《あご》でうなずき、手に持った綴込《とじこ》みを開いた。それは宿泊簿だった。

「七月十一日に泊られたかたに、たしかにそういう名前のかたがあります。これでしょうか?」

女中頭は、もう調べていたとみえて、そこをばたりとあけた。

——神奈川県藤沢市南仲通り　田倉義三　四十二歳　会社員

書きなれた筆跡だった。偽名しているかとおそれてきたのだが、田倉義三は本名を正直に記帳していた。

「そうです、そうです。この人です」

竜夫は勢いづいて目を上げた。

「係の女中さんが分りますか?」

「それは分ります。では、ちょっとお待ちくださいませ」

女中頭はやはりもったいぶったおじぎを残して出て行った。

竜夫は煙草をとりだした。ほっとした顔だった。

「よかったわね」

典子はそっとささやいた。竜夫は黙ってうなずいた。扇風機がゆるくまわり、この応接間の落ちつかなさをあおっていた。昼間の旅館の白けた空気がこの建物の全体にただよっていた。

小柄《こがら》の、細い女がはいってきた。これも無造作な簡単服を着ていた。旅館の女中は着物と帯でないとそれらしく見えなかった。

「萩《はぎ》の間《ま》のお客さまのことで、何かおたずねだそうですが。わたしが係の女中でございます」

二十四五とみえる女中はおじぎをした。

萩の間が田倉の泊った部屋らしい。竜夫は宿帳の田倉の名を女中に見せた。

「お忙しいところをすみません。少し調べごとがあってお伺いするのですが、この田倉さんというお客さんについて、おぼえていらっしゃいますか？」

「はい、おぼえていますけれど、あまり詳しいことは……」

女中は少し不安そうな顔をして言った。

「いや、ご迷惑をかけることではないのです。ただ、そのお客さんのようすだけを話してくだされぱいいのですよ。ところで、と……」

竜夫は話のひきだし方を考えるようにしていたが、

「このお客さんは、十一日の夕方に着いて、十二日の朝発《た》っていますね」

宿泊簿には、十一日午後六時到着、十二日午前九時三十分出発と記入されてあった。

「はい、そうです」

女中は答えた。

「宿に着いてから、散歩に出ましたか？」

「はい、八時ごろ浴衣《ゆかた》がけで、ぶらりとお出ましになって、十一時ごろにお帰りになったと思います」

典子はうなずいた。村谷阿沙子をはじめて杉ノ屋ホテルに訪問して、宿をとるため木賀の方角へ歩いているとき、浴衣をきた田倉と暗い所で出あった。あれが九時ごろだった。それが散歩の途中だったのだ。

「帰りが十一時ですか？　少しおそいようですね」

竜夫がきいた。

「はい、どなたか知ったかたに会われたようで、お帰りになってから、ご機嫌《きげん》がよろしゅうございました」

典子は、ぎょっとした。田倉が途中で会ったというのは自分のことではないかと思ったのだ。

「それは、どんな人か言いませんでしたか？」

「いいえ。でも、やっぱり箱根だな、おもしろいアベックに会ったよ、と、にやにや笑いながらおっしゃっていました」

「アベックに？」

竜夫は、典子を見た。二人は考えるような目をかわした。

「ただ、それだけだったでしょうね？」

竜夫は念を入れるようにきいた。

「はい。それだけでございます。ほがらかなお客さんで、僕も一度くらいは女に誘われてここに来たい、などと笑っておられました。それからすぐにおやすみになったようでございますが」

「その、翌朝も、早く散歩に出たのですね？」

「いいえ」

その質問に女中は首を振った。

「なに、出なかった？」

竜夫はききかえした。典子も女中の顔を強く見た。

十二日の朝は、典子が散歩のときに、朝霧の中で田倉義三が村谷阿沙子女史と話しているところを見ているのだ。木賀から強羅へ来る道の途中だった。たしか七時ごろであった。田倉義三は十二日の朝、出発前に一度は宿を出ているはずだ。

「はい、九時近くまで、お部屋でお寝《やす》みでございました」

女中は、はっきりと答えた。

「もう一度、考えてください。その朝早く、お客さんはいったん散歩に出て帰ったでしょう？」

「いいえ」

女中は頑強《がんきよう》に否定した。

「九時近くまで、たしかにお寝みでございましたよ。それは間違いございません」

断固とした言い方であった。

「ははあ、なるほど」

竜夫も女中の自信に負かされたかたちだった。

「それから、そのお客さんは、どこかに電話を掛けるようなことはありませんでしたか?」

「ございました。二度ほど」

それには女中はうなずいた。

「どこに掛けたか分らないでしょうな?」

「杉ノ屋さんです」

女中ははっきりと答えた。

「杉ノ屋ホテルですか」

竜夫と典子はまた顔を見あわせた。やはり田倉は村谷女史に用事があって箱根に来たのである。

「これはききにくいけれど、どんなことを話していたか分らないでしょうな?」

竜夫は女中の顔をさぐるように見た。

「それは分りません。ご会計のときに電話料《杉ノ屋ホテル二回》と書いてあったからです。もっとも、あとの一回は翌朝の食事のときでしたから、わたしもちょうど、その場に居合せて偶然に聞きました」

「はあ、なるほど、どういうことを言っていたか、差しつかえなかったら聞かせてくれませんか?」

女中は目を伏せて迷うようにしていたが、

「それは申しあげられると思います」

と言った。

「杉ノ屋さんが出たとき、そのお客さんは、村、村なんとかさんと、女のお名前をお呼びになりました」

「村谷阿沙子さん、という名ではなかったですか？」

「そうそう、そういうお名前でした。そして、こちらのお客さんだけの言葉ですが、なんでも先方がお発ちになったと返事したらしく、しきりと行先をたずねていらっしゃいました。それから電話が切れると、口の中でぶつぶつ言って、すぐ発つとおっしゃったのでございます」

「すると、それまでは、発つようすはなかったのですか？」

「はい、二三日くらい逗留《とうりゅう》するようなお言葉でしたから、わたしもびっくりいたしました」

だいたい、きくことはそれだけのようだった。竜夫は厚く礼を言い、辞退する女中にいくらか心付けを握らせて春日旅館を出た。

「さあ妙なことになったぞ」

ふたたび炎天の道を宮ノ下の方に下りながら、竜夫は典子に言った。

「田倉は十二日の朝、九時半の出発の前には一度も宿を出ていない。すると、君が霧の中で阿沙子女史とならんで話していたという田倉義三はどうなる？」

「わたしも、女中さんの話を聞いて変だと思ったわ。だって、わたしが見たのは、たしかに田倉さんだったと思うけど。田倉さんが散歩に出たのを、あの女中さんが知らなかったのじゃない？」

「さあ、そういうことも考えられるが」

竜夫はあまり賛成しないふうだった。

「きっと、そうよ」

典子は、それを見て強調した。

「しかしね。君が見たのは、霧の中だっただろう、見誤りということだってある」

「そうかしら？　でも、かりにそうだとしたら、あれはいったい誰だというの？」

「うん……それは分らない」

「それ、ごらんなさい。やっぱり田倉さんだわ」

「だが、それはそれとして、あの女中の話から興味のある事実を聞いたね」

「何よ！」

「田倉が十一日の晩におもしろいアベックを見たということ、十二日の朝、杉ノ屋ホテルから阿沙子女史が引きはらったと聞くと、自分もあわてて春日旅館を出発したこと、これだね。田倉はおそらく阿沙子女史が対渓荘に移ったことを嗅《か》ぎあてて、隣の駿麗閣に行ったに違いない。これもおもしろいよ。まあ、とにかく対渓荘に行こう」

——十分の後、二人は対渓荘の専用ケーブルに乗っていた。

2

ケーブルを降りたところで、対渓荘の女中が迎えに来ていた。ここでもお客扱いにていねいにおじぎされたので、竜夫は手を振った。

「いや、女中さん、お客で来たのじゃありませんよ。少し、ものをききに来たのです」

若い女中はきょとんとしていた。

「われわれは出版社の者ですが、こちらに前に村谷阿沙子先生が泊っていらしたでしょう?」

「はあ」

女中はうなずいた。

「その時の係の女中さんは、あなたでしたか?」

出版社ということが、作家との連絡の観念でここでは話が通じやすかった。

「いえ、わたしじゃありません。文子《ふみこ》さんです」

女中は首を横に振った。

「では、その文子さんに会わせてください」

「さあ、さっき使いに出たようですが、帰ったかどうか。まあ、こちらにおいでください」

女中は旅館の方へ案内した。

旅館の入口には朱塗りの橋がかかって、下に小さな流れが涼しげに水を運んでいた。

一方の高い木の上では、蟬《せみ》がうるさく鳴いていた。

女中は、二人を玄関の前に待たして内にはいった。浴衣を着た男客が三四人、じろじろ二人を見て通った。典子は竜夫から離れた。

しばらくして、女中が小走りに出てきた。

「文子さんは、まだ使いから戻らないそうです」

と告げた。

「いつごろ、帰るのでしょう?」

「もうまもなくと思いますが。どうぞ、内にはいってお待ちになりませんか?」

若い女中は親切に言ってくれた。

「ありがとう」

竜夫が典子を見ると、彼女は旅館の裏に流れている早川を指でさした。

「あっちの方へ行ってみません?」

索漠《さくばく》とした昼間の旅館の内で待っているよりも、その方がよっぽど気持が救われそうだった。

「では、そのへんをぶらぶらしてきます」

竜夫は女中に断わって典子に従った。

旅館の裏は大きな石がごろごろしていて、水が河床の真ん中を流れていた。水量はなかったが、あんがい急な流れで、白い泡《あわ》を立てていた。

真向いは山で、深味のある蒼《あお》い茂りが急傾斜でひろがっていた。風が涼しかった。

竜夫は旅館の裏を見て、その隣の屋根に目を移し、

「あれが、君の泊った駿麗閣だね?」

と言った。

「そうよ。同時に、田倉さんの泊った宿でもあるわ」

「ふうん」

竜夫は煙草《たばこ》をすいながら見ていた。

「何を感心して見ているの?」

「いや、両隣の旅館がきちんと高い塀《へい》で区切られていることさ。なるほど、これでは普通の交通はできないね」

その塀は、川まで端をせりだしていた。竜夫は振り返り、高い断崖《だんがい》を見あげた。

「一方はケーブルでしか上の道に昇れない」

とつぶやき、

「一種の密室だね、ここは」

とぼんやり言った。

「探偵《たんてい》小説ね。田倉さんの死が密室に関係あるの?」

「関係はなさそうだな。密室なんて外国の探偵小説のことさ。実際には、そんなおもしろいものはないよ」

竜夫は小石を拾って、川の真ん中に投げた。白いしぶきはわずかしか上がらなかった。

「深そうだな、この川は。人間は、歩いて渡れないだろう」

それから彼は、煙草を指にはさんだまま、じっと川を凝視していた。彼の前額に垂れかかった髪が、風に動いていた。

「ねえ、崎野さん」

典子は、その横顔を見ながら、一二歩、寄った。

「あなた、さっき妙なことを言ったわね?」

「いつだったかな?」

「そら、わたしが霧の中で見たのが田倉さんではないと言ったことよ」

「ふふん、あれか」

「軽蔑《けいべつ》したような笑い方をしないでよ。わたしは、やっぱり田倉さんだと思っているわ」

「思うのは勝手さ」

と竜夫は言った。

「思うってことは問題にならないよ。真実かどうかが問題さ」

そうだと思っていることが真実にはならない。竜夫は錯覚のことを言っているようだった。だが、あれが錯覚であろうか。顔はともかくとして声まで聞いたのだ。

それを主張すると、竜夫はこんなことを答えた。

「人間の声はね、太いとか、細いとか、きんきん声だとか、しゃがれた声だとか、澄んだ声だとか、野太い濁った声だとか、そのほかさまざまに分れている。面と向って普通に聞いていると、個人差がよく弁別できるのだが、遠くの方でぼそぼそと話しているときは、癖がよく分らない。一口にしゃがれた声といったって、よく聞くと、ずいぶん人によって違うのだが、それが距離のあるところで聞き、まして話し声が低く密談のようにささやかれていたら、区別はつくまい。君は話し声の内容をはっきり聞いていないだろう？　つまり、それだけ離れたところにいたのさ。まして、その霧の中の男が田倉と信じていたものだから、その声を田倉のものだと確信してしまったのさ」

典子は、竜夫にそう言われると理屈があるような気がした。自分が少し弱くなった。

「じゃ、あれは田倉さんじゃないと言うの？」

典子は抵抗するように言った。

「いや、田倉でないとは言わない。ただ、田倉だったという証明がないと言っているのだ」

「弁護士みたいに、へんに持ってまわるのね」

その典子の言い方がおかしかったのか、竜夫はにやりと笑った。

「それじゃ、ついでだからきくわ」

典子は睨《にら》んだ。

「あなた、春日旅館に行く途中で、妙なことを言ったわね」

「そんなに、妙なことばかり言ったかな」

「言ったわ。たいそう深刻そうな顔をして、何か考えが浮んだが、非常に重大なことだから今は言えないと言ったじゃないの？」

「ああ、あれか」

「あれか、じゃないわ。何のことか言ってよ。もったいぶって、変にひとりがてんして、おかしいわ」

竜夫はそれにすぐにはこたえなかった。彼は煙草の吸殻《すいがら》を川の中にほうった。それは水に躍りながら流されて消えた。

「リコちゃん。じゃ、話してあげよう」

竜夫は、笑わない顔を典子に向けた。眩《まぶ》しい陽《ひ》の具合で、それは白く見えた。

「村谷阿沙子女史が文名をあげだしたのは、いつごろだったかな、まずそれからきこう」

「三年くらい前よ」

典子は竜夫の妙にまじめになった目を見て答えた。

「何でデビューしたのだ？」

「ある雑誌の新人賞という懸賞に当選してからよ」

「そうだったね。それから注目されて方々の雑誌に書くようになった。文学的な価値は低いと言われているが、今どきの女流作家としては作品がタフだし、筋立てがおもしろいというので、いつのまにか売りだしてきた。婦人雑誌向きには、文章が少しごつごつして、男のような筆致で合わないが、まあ、女流としては、売れっ子の方だ」

「そうね」

典子はうなずいた。

「ところで、阿沙子女史は、執筆中は、絶対に他人を自分の書斎に入れないようだね。編集者が自宅で原稿のできあがるのを待っているのも嫌《きら》うそうじゃないか」

「ええ」

それは、そのとおりだった。

「それから、雑誌社から罐詰《かんづ》めにされるのを絶対に断わっている」

それも、そのとおりに違いなかった。

「それから、座談会とか、講演会にも、絶対に出席しない。どんなに頼んでも頑《がん》としてきかない」

「そうよ。それは有名よ」

典子は答えた。村谷阿沙子のその偏屈といっていい性質は誰でも知っていた。

「そのことで、君は、何か考えつかないか？」

竜夫は典子をじっと見た。

「別に」

典子は言った。考えても別段のことはなかった。

「君は、女史の係として、しじゅう、出入りしているからかえって分らないのだろうな」

「何が？」

「いいかい」

竜夫は、ゆっくりと言った。

「執筆中は絶対に人を部屋に入れない。女中も遠ざけている。編集者が同じ家に待っているのも嫌《いや》だ。罐詰めなどで編集者がちょろちょろと出入りする旅館で、原稿を書くのは絶対にお断わり。あ、そうそう、原稿といえば、阿沙子女史の原稿は、ひどくきれいだね、僕も見たけれど」

「そうね」

女史の原稿は、あまり消したり、書き加えたところがなくて、はじめからすらすらと書いたようにきれいだった。ほかの作家の原稿は、むやみに改変の個所が多くてきたならしかった。

「そのうえ、講演会と座談会は苦手らしくて、これもお断わりだ。以上で、何か結論の想像がつかないか?」

「さあ」

典子は考えたが、何も考えに出なかった。

「じゃ、僕の想像を言おう」

竜夫は言った。

「阿沙子女史の小説は、女史自身の書いたものじゃないんだ」

典子はびっくりした。

「え、何ですって?」

「あれは他人の作ったものだ。女史はその草稿を原稿用紙に写しているだけなんだ」

竜夫は眩しい目つきで言いきった。典子は彼の顔を、声をのんで見つめるだけだった。

3

典子は、しばらく息をつめて、竜夫を見た。村谷阿沙子に関するあらゆる思考が彼女の脳裡《のうり》をかけめぐった。

強い陽が竜夫の顔に当っている。その光線よりも竜夫の顔は強烈に見えた。

「だって」

典子はあえいで言った。

「そんなことで、そんな重大な推定はできないわ」

「どうしてだ？」

竜夫は反問した。自信に満ちた表情であった。

「だって、執筆中に家の人まで部屋の中に入れない作家はずいぶん多いわ」

「うん、それは多い」

竜夫はさからわずに、うなずいた。

「旅館で罐詰めになることを嫌う作家は多いわ」

「そりゃ、いるね」

竜夫は肯定した。

「講演会や座談会に引っぱりだされるのを絶対に断わる作家も多いわ。つまり、話すのが億劫《おっくう》な型ね」

「それも、確かにあるな」

「それに、原稿がきれいなことね、こういう作家もいるわよ。みんながみんな、書き損じするひとばかりじゃないわ」

「そうだな」

「文章のことを言ったわね、何だかごつごつして男みたいだって。女流作家だって、そんな人がいるわよ。ほら、Aさんなんか批評家に、そう言われてるじゃないの」

「そうだったね」

「何よ、賛成ばかりして、ちっとも論駁《ろんばく》しないじゃないの」

典子は、少し腹立たしくなった。

「それとも、あなたの推定が間違いだったことを認めてるの?」

「認めやしないさ。君の言うことを、肯定しているだけさ」

竜夫は煙草を口にくわえて、目を細めた。

「ばかにしないでよ。どういうことなの?」

「リコちゃんよ、そうムキになるなよ。まあ、少し落ちついてくれ」

竜夫は微《かす》かな笑いを目にうかべた。

「では、説明しよう。いいかね、君の言うことはいちいちもっともだ。そういう作家はいる。しかし、その全部の条件を備えた作家はいない」

「…………」

「罐詰めにされることが嫌いでも、講演会や座談会に出る作家はいる。家人を書斎に寄せつけない人でも、平気で旅館では執筆する。原稿がきれいな人だっている。つまり、さっき、僕のあげた一つ一つの条件はどの作家にもあるが、そのことごとくを一身に兼ね備えた作家は村谷阿沙子女史だけだ。考えてごらん、これほど、自己の作品を書いてないと証明する女流作家はいないじゃないか」

典子は沈黙した。

「家の中で、執筆中は編集者を寄せつけないし、罐詰めも断わるのは、自分が、創作していないからだ。なにしろ、だれかのテキストを写すだけだからね。知られてはならない秘密さ。原稿がきれいで、書き直しや、書きこみがないのも、それが清書だからだよ」

「…………」

「講演会、座談会には、むろん、出席するわけにはゆかない。話す言葉を持っていないんだからね。何か意見をきかれたら恥をかく」

「ひどいわ」

典子は言ってみたが、それ以上、言葉がつづかなかった。

「分ったかい、僕の推理が？」

「じゃ、じゃ、誰がいったい、村谷阿沙子の作品を書いたの？」

「分ってるじゃないか。阿沙子氏の身辺にいつもいる男性だ。すなわち、ご亭主の亮吾氏だよ。あれは、村谷亮吾氏の創作だよ。文章が女らしくなく、男のように、ぎすぎすしているのは、そのためだ」

「でも、でも、文壇にデビューした時から、村谷阿沙子だったわ」

「そうだ、懸賞でね。亮吾氏が懸賞作品に女房の名前を使ったのだ。自分では、あまり自信がなくて、気まぐれに女房の名前で出してみたのだろう。ところが、意外にそれが当選した。時は才女時代よりずっと早かったが、とにかく女であることが珍しがられて、他誌からも注文がくるようになった。今さら男の亭主が書いたとは言えなくなった。それに、あの夫婦の性格は君もよく知っているだろう？」

「………」

「女房の気性が強く、亭主は弱そうなようすだ。ここで女房に、虚栄心が起ったと考えてみよう。亭主に強《し》いて、以後の作品は全部、自分の名で発表を主張した、という臆測《おくそく》は、あの強引な阿沙子女史なら成立するね。さて、それが思うとおりになったのだ」

竜夫はつづけた。

「亮吾氏には、その才能があったとみえて、阿沙子女史の作品はしだいに売れだした。文名が出てくる。ますます引っこみがつかない。欺瞞《ぎまん》の上塗りだね。ところが、そうなると、忙しくなって、亮吾氏も勤めには出てはいられない。何しろ、書くことに追われるからね。そこで、亮吾氏も勤めの会社をやめて、阿沙子女史の創作に没頭したというしだいだろうな。だから、女史のいるところ、かならず亮吾氏の影があったのだ」

理論は合っている。典子は最初の衝撃がさめると、しだいにその理論の中に溶けこんでいった。

「意外だったわ」

とつぶやくほかはなかった。

「意外だ。僕も、この推定に驚いている」

「では、今まで、それを気づかなかったあなたが、どうしてそれに気づいたの？」

「田倉さ」

竜夫は、吐くように言った。

「田倉さんが、どうかしたの？」

「田倉が村谷女史のところに来たのは、むろんある用事があってのことだ。彼は鼻の利《き》く男だった。それに、有名人の秘密を探りだしては、ネタにするのが商売だ。この田倉が阿沙子女史を訪ねて箱根に来たことで、僕は考えたのだ。何の用事だろう、田倉は何を知って来たのだろう、そればかりを考えて、逆に村谷阿沙子女史に焦点を当てたのだ」

「じゃ、田倉さんも、村谷先生のことを知っていたのね？」

「知っていたと思うね」

「では、では、田倉さんの死が、もし他殺だとすると……」

典子は、自分ながらこわい表情になった。その先につづく声が出ない。

「それは、まだ分んないさ」

竜夫はなだめるように言った。

「ここまで推測できても、まだまだ、いろんな不可解なところがある。結論はまだ早い。たとえば、亮吾氏がなぜ、失踪《しっそう》したか、これだって重大な謎《なぞ》だよ。おや」

竜夫は後ろを振りかえった。

「ああ、女中さんが呼んでいるよ。使いに出た文子さんという女中さんが、帰ってきたに違いない。行ってみよう」

竜夫は川の傍《そば》を離れ、旅館の方へ歩いた。旅館の横では、はたして白っぽい簡単服を着た女がこちらを見て立っていた。

典子は、あとから歩きながらも、いま聞いた竜夫の声が、耳からはなれなかった。それは風立つ水面のように頭脳を混乱させた。

旅館の横手にまわると、さっきの女中が、ならんで立っている新しい女中をさした。

「この人が文子さんです」

文子という女中は笑って頭を下げた。

「やあ、あなたが文子さんですか、村谷先生の係の女中さんでしたね？」

竜夫も微笑しながら言った。

「はい、そうです」

「もうこの女中さんから聞いたでしょうが、村谷先生が最後に泊られた晩、散歩に出られましたね？」

「はい、たしか十時過ぎでした」

女中はよく覚えていた。

「そうそう、そのころです」

竜夫は相槌《あいづち》を打った。

「それで、お帰りは何時ごろでしたか？」

「そう、十一時ちょっとすぎだったと思いますわ」

女中は少し考えるようにして答えた。

「ご主人もそのころお帰りになったのですか？」

「いいえ、ご主人はお帰りになりませんでした。朝、村谷先生がお発《た》ちになるまで、お帰りになりませんでしたよ」

竜夫はうなずいた。そうすると、亮吾氏は散歩に出たまま車に乗って小田原駅に行ったことになる。念のためにきくと、阿沙子女史とつれてきた女中とが浴衣《ゆかた》だったのに、亮吾氏ははじめから外出着だったと答えた。

「ははあ、では、女中さんは、何時ごろ帰ったのですか？」

「そうですね」

と女中の文子さんは首を傾《かし》げたが、

「たしか女中さんは、三十分くらいあとで、一人で帰ってきたようでした」

「そうすると、十一時半過ぎですね？」

「それで、あの女中さんは、先生に叱《しか》られていましたよ」

文子はつけたして言った。

「え、叱られた？　どう言って叱られたのです？」

「それは、はっきり分りません。先生のお部屋からそんな声が聞えていたのです。その女中さんは、すぐに出てきましたが、廊下で行き会ったとき、泣いていましたわ」

ちょっとした新しい事実だった。竜夫と典子とは顔を見合せた。村谷家の女中は、広子という名だった。昨夜、訪問したとき、門のところで何かを語ろうとする彼女を、広子、広子と連呼した阿沙子女史の声が耳についている。

竜夫と典子は目を合わせた。

ふたりは箱根をおりた。その前に、竜夫は典子に教えられて駿麗閣のケーブルを降り、田倉の死体の横たわっていた現場を目に収めた。

今日は、ずいぶん、収穫があった。やはり、実地を詳しく見なければ分らないことが多かった。とくに、春日旅館の女中と対渓荘の女中の話とは、たいそう参考になった。乗った小田急は風を切って新宿の方に向っている。長い夏の太陽も、よほど西に傾いて、沿線を歩いている人の影が長かった。

「亮吾氏が小田原駅からどの列車に乗ったかを調べるのが、まだだったわね？」

典子は、横の座席で腕を組み、目を閉じている竜夫をつついた。暑い中を歩きまわったので、疲れているらしい。髪が窓の風になびいている。

「なに、それはあとでゆっくりでいいさ」

竜夫は眠そうに言った。

「崎野さんの推察には、びっくりしたわ」

典子は、彼の目をあけさせようとして、耳のそばで大きな声を出した。

「阿沙子女史の代作のことかね？」

「そう、編集長が聞いたら、仰天するわ」

それではじめて竜夫は目をあけた。満足そうな表情だった。

「おやじ、驚くだろうな」

と口もとをにやにやさせた。

「でも、たった一つ、反対があるわ」

「何だね?」

「霧の中で、わたしが見た阿沙子先生と田倉さんね、あれが田倉さんでないというあなたの推理には、やっぱり反対だわ。田倉さんだったと、わたしは信じます」

「頑固《がんこ》だね」

竜夫はやはり、にやにやしていた。

「だったら、春日旅館の女中の話はどうなる?」

「女中の気がつかないうちに、客が外に散歩に出て、帰ってくることだってあるわ」

「そうかね。今のところではまだ僕にも確信はないけど……しかし……」

「しかし、何よ」

「それだけだ。今は、それ以上言えない。ヒント程度だね」

「始まったわね」

典子は竜夫を睨《にら》んだが、彼は知らぬ顔をしてまた目をつぶった。

電車は下北沢《しもきたざわ》駅に近づいてきた。典子は、ふと思いつくと、竜夫の肩を叩《たた》いた。

「崎野さん、下北沢よ」

竜夫は目をあけた。

「なんだい、下北沢は?」

「村谷先生の家が近くじゃないの? ここで乗りかえれば東松原は二つめだわ。行ってみましょう。先生のとこの、広子さんというあの女中さんに会うのよ。彼女がきっと真相の一部を知ってるわ」

竜夫も、典子の言うことが何を意味しているか、とっさに分ったらしい。

「おっ」

と小さくかけ声をかけると、あわてて席を立った。

東松原で降りると、昨夜来た道を、二人は急いで歩いた。八百屋がある。パン屋がある。果物屋の角から曲った。目になじんだ道である。

村谷の家が見えてきた。門はぴたりと閉じていた。おや、と思ったのは、その門扉《もんぴ》に白い紙が貼《は》りつけてあることだった。

――当分、旅行中につき不在　村谷

その文字を読んで、典子も竜夫も、声をのみ、棒のように立った。

誰もいなくなった

1

翌日は、朝から暑い天気だった。

典子が出社すると、白井編集長は、もう出ていて、誰もいない編集室で扇風機をまわしている。ワイシャツの前をあけて、風をぞんぶんに腹に当てていた。

「お早うございます」

「お早う」

白井編集長は扇風機の前から離れた。

「昨日《きのう》はご苦労さん」

目がこちらをのぞくように見ていた。それは一刻も早く報告を聞きたい時の彼の表情であった。

「リコちゃん、どうだった、箱根は？」

「はい、たくさんな収穫がありましたわ」

典子が言うと、白井は長い顎《あご》をひいて、満足げな笑みを洩《も》らした。

「まあ、こっちへおかけよ」

と椅子《いす》をひいてくれた。

「そのお話をする前に、ちょっと気がかりなことが起きましたわ」

典子は椅子の上に、落ちつかなくすわりながら、言った。

箱根の話は、竜夫がここに現われてからすることになっている。それは昨日、彼と別れるときの約束だった。

「なんだい、気がかりなことというのは?」

編集長はひっかかった。

「昨夜、箱根の帰りに村谷先生のお宅に伺ったんです。すると、旅行中につき、不在って紙が、貼ってありました」

なんだ、そんなことか、というような顔を、白井はした。

「旅行か。執筆のために、どこかへ行ったんだろうな」

白井は気にもとめないふうに煙草《たばこ》をふかした。

「でも、それはちょっと心配なことですわ」

典子は白井の注意をひこうとした。

「原稿を頼んであるのかい?」

編集長は、仕事のことを言った。

「いいえ、そんなことじゃないんです。それは箱根の話を聞いていただければ分りますわ」

「だから、それから聞きたいと言っている」

「崎野さんが来てから、二人で話しますわ」

典子は、とうとう本音を吐いた。

「よほど、手のこんだ話のようだね」

白井は、にやりとしたが、典子の言う意味のことをだいたい察したようだった。

「それで、村谷さんの家は、誰もいないのかね、女中も?」

「はい、戸じまりがしてありました」

「ふうん、いつからだろう?」

「お隣にききましたの。そしたら、昨日《きのう》の朝、先生は女中さんといっしょに戸を閉めて外出したそうです。そのとき、旅行用のスーツケースを提げているのを見たと言ってました」

「何か隣に言いおきはなかったのかね?」

「いいえ、ただ、当分、留守をしますから、よろしく、と先生の言葉を女中さんが伝えにきただけだそうです。門扉の不在の貼紙は、先生が自分で貼ったそうです」

「昨日というと……」

編集長は言った。

「君たちが村谷さんを家に訪問したのは一昨日《おととい》の晩だったね。女中から話をきいたそうとしたら、急に村谷さんが呼び立てて聞けなかった……」

「そうです」

白井の表情で、こちらの言う意味が通じたのだと典子は思った。

「待てよ。まさか、逃亡じゃあるまいな」

編集長は手帳をとりだし、ある個所を開いた。それは各雑誌社の電話番号表だった。

白井は電話を、村谷阿沙子の執筆関係のある雑誌社に次々とかけた。白井はジャーナリストとして古いだけに顔が広かった。

「やあ、A君か、白井です。しばらく。どうだね、このごろ。ああ、そうか。結構だね。ときに、村谷阿沙子さんが昨日から家にいないんだ。急ぐ原稿を頼んであるので、困ってるんだがね。君、どこへ行ったのか知らないか。ああ、そう。ありがとう。そのうち、いっぱいやろうじゃないか」

白井は、どの電話にも、そんなことを言った。

「分らないね」

白井は最後の電話を切って、手帳をしまいながら言った。

「心あたりのありそうな雑誌社は、知っていない。だから、雑誌社の関係ではない」

典子は胸騒ぎがした。

村谷家の広子という女中は、田倉が変死した十二日夜の、村谷亮吾の行動を知っている。阿沙子女史にとっては、それは、しゃべられては困ることではないか。だから、竜夫と自分が訪ねて行った夜、広子をけたたましく呼んで、自分たちから離した。

それだけではなく、将来、危ないと思って、ある期間、女中を連れてどこかに逃避したのではあるまいか。

そう考えると、ますます、村谷夫妻と田倉の怪死との接着が濃くなってくる。

崎野竜夫が、ほかの部員と前後して、顔を見せた。

それから三十分後には、典子は、白井と竜夫と三人で、三階のがらんとした部屋で話していた。この部屋は、会議室と称しているが、大きな机が一つと、粗末な椅子がいくつもならんでいるだけであった。ひどく埃《ほこり》っぽい部屋である。竜夫が、昨日の報告を地味な口吻《くちぶり》で話していた。

白井編集長は一語も聞きのがさないように耳を傾けていた。行儀は悪く、身体《からだ》を絶えず動かしていたが、熱心になっているときの彼の癖だった。

「リコちゃんから、収穫があったと聞いたが、なるほど、たった一日にしては上出来だ」

白井編集長は、ほめてくれた。

「しかし、おもしろい新事実は、いろいろ分ったが、あいかわらず事件の筋は分らないね」

編集長は、頰《ほお》をぼりぼり搔《か》いて言った。

「村谷阿沙子女史と田倉の死とが、なんらかの関係がありそうなことは、確かなようだがね。しかし、亭主がなぜ、失踪《しっそう》したか分らない」

「僕にも分りません」

竜夫は同意した。

典子は、汗をふいている竜夫を見た。今日はハンカチが新しい。昨日のことが気になったとみえる。彼女は竜夫の肘《ひじ》をつついた。

「崎野さん、例のことをお話しなさいよ」

「例のこと?」

竜夫は、典子を見た。

「代作の一件よ」

白井はそれを聞きとがめた。

「代作って、何だい?」

竜夫は、少し困った目をしたが、思いきったように、

「これは、僕だけの推測ですが」

「うん、いいよ。なんだい?」

「村谷女史は自分で小説を書いているんじゃないと思うんです」

「え。何だって?」

さすがの白井編集長が目をむいた。

「じゃ、君は?」

「そうです。実際の作者は、ほかにいると思います。女史は、ただ、それを原稿用紙に

写しているだけと思います」

「その根拠は？」

白井は畳みかけた。

竜夫は、典子に説明したとおりのことを話した。阿沙子女史は、執筆中は部屋に家人も入れない。編集者が同じ家に待っているのも嫌《きら》い。だから罐詰《かんづ》めなどはお断わり。講演会、座談会の誘いは絶対に謝絶。原稿はひどくきれいで消したりした個所がない。文章は男のように、ぎすぎすしている。

その現象の一つ一つが、他人の代作である理由を話した。

「おもしろいね。そういえば、僕にも思いあたるところがないでもない。ふん、ふん」

白井はひとりでうなずいた。顔に赤味がさしていた。

「それで、君は、その真の作者を誰だと思うんだね？」

白井は目を光らせた。

「女史の亭主の亮吾氏です」

「なに、あの亭主が？」

「はあ、そう思います」

その推定の理由を述べた。それは典子が彼の口から聞いたとおりだった。

「ふうむ」

白井は、頬杖《ほおづえ》を突いて考えこんだ。珍しく、彼の顔は、長い時間、静止していた。

「違うようだな」

白井は顎をあげてぽつりと言った。

「え、違いますか？」

今度は竜夫が声をあげた。典子も思わず白井の顔を見つめた。

「なるほど、女史の作品が誰かの代作であることは正しい。よく気がついたね。しかし、実作者が亮吾氏というのは、どうかね？」

白井は顔を傾けていた。

「推定の理論が合いませんか？」

竜夫はきいた。

「いや、理屈は合っている。合いすぎているくらいだ。しかしね。僕には、どうもピンと来ない」

白井は答えた。

「どう、ピンと来ないんです？」

竜夫はつめよるようにきいた。

「それは説明できない。君の理屈は納得できる。しかし、ピンと来ないのだ。何と言ったらいいか、そうだ、カンだね、これは」

カン、という一語が竜夫の胸を撃ったらしかった。彼は沈黙した。典子はそれを傍《そば》で見ていて、竜夫の気持が分るのである。編集者としての白井の長い経験がそれを言わせたのだ。彼の長い頭髪に混じっている白髪、額の皺《しわ》、それは雑誌編集者としての十数年の経験が叩《たた》きこまれてあった。彼が言うカンとは、その長い履歴による直感力であった。

典子は、貴重なものにふれたような気がした。竜夫も同じ受けとり方をしたのであろうか、一語も言い返さなかった。

「せっかくのところ悪いけれど、僕はそんな気がする。実作者はあの亭主ではない。もっと他の人物だ」

編集長は、竜夫に気をかねたように、遠慮めいた声で言った。

「残念だが、この説明ができない。やっぱりカンと言うほかはないね。君は軽蔑《けいべつ》するかもしれないが」

「いいえ、とんでもないですよ、編集長」

竜夫は、しんから叫ぶように言った。竜夫がこれほど尊敬したような言い方をするのを典子は聞いたことがなかった。

「僕は、編集長のカンを信用します」

「ありがとう」

と編集長は礼を言った。

「しかし、崎野君、これは難物だね。難物だが、少しずつ雲間が薄れてくるような気がする。僕は、さっき君の箱根土産の説明を聞いて、ちょっとおもしろいことに気づいたよ」

しかし、それが何であるか、白井は話さなかった。

「まあ、君も、もう少しリコちゃんと調べてくれ。僕も研究する」

そう言ってから気づいたように、

「あ、そうそう、君の来る前に、阿沙子女史と女中とがいなくなったのをリコちゃんから聞いたよ。ほかの雑誌社に電話で問いあわせたが、心当りがないということだった」

「そうですか」

「おもしろいね、君。この事件に関連した者は、全部いなくなったじゃないか」

——誰もいなくなった。

この言葉は典子の頭に刻みこまれた。

誰もいなくなった。誰もいなくなった。……

いや、そうではなかった。翌朝、典子は自分の家で籐椅子《とういす》により、新聞をひろげた時に、

「あっ」

と声を立てた。

2

典子の目は、新聞の文化面の片隅《かたすみ》に吸いついた。典子はいそいで、その短い内容を読んだ。

「作家村谷阿沙子氏入院」という見出しだった。

「——作家村谷阿沙子さんは、十七日、都内品川区西品川××番地、進藤精神病院に入院した。強度の神経衰弱のため。なお、当分の間、面会謝絶の由」

典子は激しい衝撃をうけたが、次に呆然《ぼうぜん》となった。

村谷阿沙子が、強度の神経衰弱で入院したというのが唐突すぎて、すぐには頭にはいってこなかった。

あの、まるい顔をして、肥《ふと》った身体をしている村谷阿沙子が強度の神経衰弱にかかっているとは、どうも病名とそぐわない。糖尿病とか、心臓疾患というのなら分るが、少し、ちぐはぐな感じがする。

けれど、主人の亮吾氏の失踪は、阿沙子女史にたいへんな打撃であったに違いない。

彼女は、夫の行方を探しに、何度も小田原駅に問いあわせに行っている。

それが、普通の失踪ではない。どうも田倉の変死とからみあっているようだ。そのことは、典子が崎野竜夫と箱根に行って調べれば調べるほど、確実になっているといっていいように思われた。

阿沙子女史は、それを知っているだろう。いや、それ以上に関係しているに違いない。それで悩んでいたという推測はありうるのだ。そういえば、最近の阿沙子女史が、ずいぶん、いらいらしていたことを典子は思いあたった。

原稿とりの係だから、彼女には分るのだが、阿沙子女史には、以前の鷹揚《おうよう》さも、落ちつきもなかった。女史の細い目と低い鼻とは善良そうに見えたものだが、近ごろは、その細い目が、きらきらと異様に光り、低い鼻の頭には脂汗《あぶらあせ》が絶えずにじみ出ていたように思う。

女史のきんきん声は前からだが、このごろは鋭い金属性を帯びてきた。箱根の旅館で原稿の催促を電話でしたときも、その声だった。とにかく、機嫌《きげん》が悪くなっていたのは確実である。

あれで、あんがい、細い神経の持ち主かもしれないと、典子は考えなおした。人は、顔つきや、体格で神経をはかれない。

そこへ、推察どおりだとすると、田倉の変死の問題、つづいて夫の亮吾氏の失踪がつづいたのだから、過度に神経を消耗させて、入院を要するくらいまでになったのだろう。

典子は、竜夫と阿沙子女史の家を訪ねた晩の、女史のヒステリックな応対を思いだした。それから、門のところで聞いた、広子、広子と叫ぶ金切声も耳によみがえった。あれは、たしかに普通ではなかった。

門扉《もんぴ》に貼《は》られた「旅行中につき当分の間不在」とは入院のことなのだ。あの女中も付添いに従って行ったに違いない。

普通でも、典子は村谷阿沙子の係だから放ってもおけなかった。阿沙子女史から、「あんた当分、うちへ来なくてもいいよ。編集長に言っておくからね」と出入り差止めみたいな宣言を浴びせられ、出て行け、と指で戸口をさされたが、あれも病気が言わせた言葉だと思うと、もう腹は立たなかった。

新聞には、面会謝絶と書いてあるが、とにかく病院までは行ってみるつもりで、典子は出勤の支度をした。

社に出てみると、白井編集長はもう先に来ていて、あいかわらず扇風機の風に当りながら目を細めていた。

「やあ、今朝の新聞を見たかね?」

白井は典子を見ると、すぐに言った。目をまるくしていた。

「はい、見ました」

典子は挨拶《あいさつ》のおじぎといっしょに答えた。

「精神病院に入院とは驚いたね」

白井は扇風機を典子にまわしながら言った。

「各雑誌社で行先を知らぬはずだ。新聞だって、一昨日のことを、今朝、のせてるんだからね。しかし、強度の神経衰弱とはね」

編集長は、長い顎《あご》を掻き、驚きを強調した。

「あの女史に、そんなところがあったのかね」

誰も、考えているのは同じだと、典子は微笑した。

「最近は、多少、思いあたるところもありましたわ。何だか、ご機嫌が悪うございました」

典子は控え目に言った。

「ふうん」

白井は首をひねった。

「やはり、原因は田倉一件かな。どうも問題がこんがらがってくる。しかし、阿沙子女史が気違い病院に入院とはおもしろい。リコちゃんよ、面会謝絶とあるが、君は見舞いに行ってくれるだろうね?」

もちろん、そのつもりだと典子は答えた。

「そうだ、崎野君が来たら、いっしょに行ってくれたまえ。阿沙子女史に強引に会うのだ。強度の神経衰弱になった女史は、思わず真相を口走るかもしれないよ」

「阿沙子女史に会うと、また、あんた誰、と怒られそうだな」

崎野竜夫はタクシーの中で、苦笑しながら典子に言った。先夜訪問した時を、やはり思いだしているのだ。

「もっとも、今度、神経衰弱なら、相手の顔の見さかいがつかずに、ほんとうにそう言うかもしれない」

車は品川の精神病院を探して走っていた。両側は商店の軒がならび、ごたごたと狭い道路であった。

「白井さんは、そこがつけ目らしいわ」

典子は言った。

「強度の神経衰弱といったら気違いに近いんでしょう。だから、村谷先生は、思わず真相の一端を口走るかもしれないと言うの」

「そううまくゆくかな」

竜夫は膝《ひざ》を貧乏ゆるぎさせた。

「しかし、女史にこれから会いに行くのは、興味があるよ。それに、そら、あの女中がいっしょに来てるだろう。いろんなことを質問したいな」

竜夫はそのことがたのしそうだった。いつか果さなかった女中の説明が聞けるのだ。典子も期待がふくれあがった。

進藤精神病院は、商店街を抜けて、住宅街となり、さらに工場が近くに見えるところに建っていた。思ったよりきれいな病院だった。病棟も、裏に大きなのがあるらしかった。

タクシーを捨てて、二人は病院の玄関をはいった。受付が左側にあり、そこから廊下が、まっすぐについていた。

「ちょっと、お願いします」

竜夫が受付に言うと、看護婦が小さな窓から覗《のぞ》いた。

「村谷阿沙子さんを見舞いに来たものですが」

「一昨日、入院なさったかたですね」

看護婦は名簿を見ないで言った。

「そのかたなら、面会謝絶です」

「ちょっとでいいんですが、顔だけでも見たいのです」

「困りますわ。先生からとめられています」

看護婦は断わった。

「そんなに重症なんですか」

「はあ、そのようですわ」

受付の看護婦が分らぬのは、無理もなかった。

「では、先生にお目にかからせてください。患者さんについて病状をおたずねしたいのですが」

「どういうご関係でしょうか？」

受付は心得ていた。仕事の上で関係のある出版社の者だと言うと、看護婦の顔は窓から消えた。

「医者の話を聞いたら、いっしょに来ているあの女中に会おうね」

竜夫は典子の方を向いてささやいた。彼女はうなずいた。

四五分すると、医者が白い上っ張りをワイシャツの上にひっかけて、スリッパを鳴らし、廊下を歩いてきた。医者は若かった。

竜夫は名刺を出した。

「ご面会は無理ですね」

医者は、典子にも目をくれて言った。

「ははあ、そんなに重症ですか？」

竜夫がきいた。

「そうです。一昨日、はいられたばかりだから、ひとりでおいてあげたほうが、よろしいでしょう」

医者は答えた。

「いったい、どういう病名ですか?」

「神経衰弱ですが、医者の方では、心因性反応といっています」

「ははあ、それは、どういう症状で……?」

「詳しく言うと、異常体験反応です。これはつまり、抑鬱《よくうつ》、驚愕《きょうがく》、不安、疑惑、嫉妬《しっと》、激怒など反応の程度が強く、これらの反応は異常に強力な動機があったとき、または異常に敏感な、自信のない性格に起りやすいですね。村谷さんの場合は抑鬱、不安の反応が非常に強いのです」

医者は多少、講義めいた口調で言った。

竜夫と典子は目を見合せた。

「やはり、面会は無理ですか?」

竜夫は自信を失いかけたようにきいた。

「無理でしょうな。この病状は心因性の臓器障害を起します。実際、村谷さんは心臓障害を起しているのですよ。面会となると、患者は興奮しますから、医者としては謝絶したいのです」

若い医者は、きっぱりと言った。

「そうですか」

竜夫は仕方がないという顔をした。

「それでは、付添いにきた女中さんがいるでしょう。そのひとを呼んでいただきたいのですが」

「いや、その女中さんなら、いませんよ。暇をとって帰ったようです」

「何ですって、暇を取った？」

竜夫は声を上げたが、典子もびっくりした。

「そうです。かわりの者が来ていますよ。もっともこれは派出婦会の付添婦ですがね」

医者は言った。

あの広子という女中がいなくなった。

主人の阿沙子女史が入院というのに、しかも亮吾氏が行方不明というのに、広子の暇のとり方は逃亡にひとしかった。

広子に会って、いろいろなことをきこうと期待してきたその失望よりも、背信行為みたいな広子のやり方に、典子はあきれた。おとなしくて、誠実そうに見えた彼女も、やはり、ただの女中であったのか、と思った。興ざめて、心が白くなった。

とにかく、亮吾氏もいない、居なれた女中も暇をとってどこかに行った、とすれば、村谷阿沙子に万一のことがあったら、いったい誰に連絡するのだろう。典子は、他人《ひと》ごとならず心配になった。

「あの、村谷さんの連絡先は入院患者名簿か何かに書いてあるでしょうか?」

典子が、はじめて医者にきいた。

「それは、あるでしょう。事務でないと、分りませんが、きいてみましょう」

医者は、受付をのぞき、看護婦に何か言いつけた。しばらくして、看護婦は紙片を手に持ってきた。

「この方だそうです」

紙片には鉛筆で、

——鳥取県東伯《とうはく》郡東郷町《とうごうちょう》××番地　島田義太郎《よしたろう》(兄)と書いてあった。これは村谷阿沙子の実兄らしかった。

ずいぶん、遠方の人を連絡先にしたものだと、典子は思った。

二人は、これ以上、病院にいても仕方がないので、医者に礼を述べて出た。

帰りはバスということにして、二人は停留所までぶらぶらと歩いた。

「あの女中さんたら、ずいぶん、不親切ね」

典子は腹立たしげに言った。

「そうだね」

竜夫は、その感想に気乗り薄のようだった。

「しかし、別の見方だってあるよ」

「どういう？」

「たとえば、阿沙子女史が暇を出したかもしれない」

「あら、どうして。それじゃ、ご自分がお困りになるじゃないの？」

「背に腹はかえられぬさ。つまり、あの女中を置いておくと、いつ、われわれが行って、いろいろなことをききだすかもしれないという恐れからとも解釈できる」

「あ、そうか」

典子は、初めて気づいた。

「それにしても、連絡先が鳥取県のお兄さんの家とは、ずいぶん、遠いところを指定したものね」

「僕も、そう思ったな、あれは少し遠すぎる」

竜夫はそう言ったあとから、何かを考えるように、ぼんやりしていた。

大きな車体のバスが来た。二人は、それに乗った。

「村谷先生が、遠いお兄さんを指定して、旦那《だんな》さまの名をお書きにならなかったのは、もうお諦《あきら》めになったからでしょうか？」

典子は、バスの座席でつづきを言った。

「そうかもしれない。少なくとも現在は当てにならないからね」

竜夫も言った。

「いったい、亮吾氏はどこに行っているのでしょう?」

典子は、竜夫の解答を求めるようにきいた。

「それは分らん。待ってくれ、今、それを考えているところだ」

竜夫は、顔をしかめて、目をつむった。

「何のために、失踪《しっそう》したのでしょう?」

「それも、考えている」

竜夫は瞑想《めいそう》するように腕組みしていた。典子はその恰好《かっこう》の仰々しさに吹きだしそうになった。

バスが速度を落して、のろくなった。それから動かなくなった。車掌が降りて、笛を吹いた。

見ると、前方から、別なバスが来て、すれ違いに両方が苦労しているところだった。

せまい道に、バス路線がふえ、車体がアメリカの車のように大型になるばかりだから、こんなことになるのだ。

二台のバスは、屋根を商店の軒先にこすりつけ、店頭の陳列品にふれあうようにして徐行した。あとにつづいているタクシーも自転車も、迷惑そうに停頓《ていとん》していた。車掌はしきりに笛を鳴らし、手を振った。

「大変なのね」

典子は窓をのぞいて言った。

竜夫は、ぼんやりしていたが、何を思ったか、突然、手をうった。

「どうしたの?」

典子がふりむいた。

「分ったぞ」

竜夫はこわい目をして、興奮していた。

「田倉がどんな方法で殺されたか、分った!」

3

田倉がどんな方法で殺されたか分った、と崎野竜夫が突然興奮して口走ったものだから、典子はびっくりした。

「え、やっぱり田倉さんは、殺されたの?」

竜夫の顔を見つめた。

「殺されたのさ」

竜夫は断定的に言った。

田倉の変死が、自殺よりも他殺に近いことは想像されていたので、それは意外ではなかったが、はっきり他殺と断定されると、その根拠を問わなければならない。

「方法は何よ？」

典子はきいた。その声があまりに大きかったので、隣の席の学生が顔をこっちに向けた。バスは無事にすれ違いの難所を通過したところだった。

「撲殺だ」

竜夫は声を小さくして言った。

「え、ボクサツ？　なぐり殺したの？」

典子は竜夫に顔を近づけた。

バスの乗客が、ちらちらと二人を見ている。たぶん、恋人同士がひそひそ話をかわしているくらいに見えたのかもしれなかった。が、典子はそんなことに遠慮してはいられなかった。

「そうだ。絞殺や、斬《き》り殺したのでは、もちろん、ない。可能なのは崖《がけ》から突き落すか、撲《なぐ》り殺しておいて、転げ落すかだ。が、前者よりも後者の方が可能性が強いね」

「その根拠は？」

「君は、小田原署で見た田倉の死体検案書のことを覚えているだろう。たしか、全身に三十数カ所の創挫傷《そうざしょう》があったね。頭、顔、胸、背中、腰、手の肘《ひじ》、足、ほとんど身体《からだ》のいたるところだった。ほら、僕が致命傷は何ですか、ときいたろう。すると警部補の答えは、長さ三・五センチ、深さ〇・五センチの挫傷で、頭頂部に近い前頭部にあった。これが頭蓋底骨折《ずがいていこっせつ》を起しているので即死だ、と警部補は言ったはずだ」

「まあ、よく覚えているのね」

「数字を覚えるのは、昔から僕の得意だった」

と竜夫は自慢した。

「先を急いでよ」

典子はうながした。

「これは、死体を解剖した医者の所見だから間違いはない。ところで、この傷は、警察も医者も、そして、われわれも、断崖《だんがい》を転げて落下するときに、突起した岩角に当ってできた傷の一つだと思っていた」

「そうね」

「ところが君、あの断崖は、君といっしょに見たが、急斜面といった程度の傾斜だ。下まで落ちて、その岩石に衝突したとしても、頭頂部近くに、傷ができるはずがない。そこに傷をこしらえるとすれば、断崖はほとんど垂直で、頭を最後までまっさかさまにしなければできないのだ」

典子は、目をつぶって考えた。宙に人間が落下する状態を描いて、竜夫の言うことが分った。

「すると、致命傷だった頭頂部の傷は……」

「人工的に加えられた傷さ。それが、ほかの三十数カ所の傷といっしょに考えられていたんだね」

そのとたん、典子は、あの朝の、想像していたように血だらけでなく、黒ずんだ血が石の上にぽつぽつと飛び散っていた現場の情景を思いだして、ハッとした。典子がそれを口にすると、竜夫はふんふんとうなずいて目を光らせた。

「頭の傷からは、わりあい出血の少ないものだと聞いたことがあるが、しかし、なんだかおかしいようにも思うね」

「だとしたら、凶器は何かしら？」

「鈍器だね」

典子は考えた。田倉は背の低い男ではない。頭の真ん中近くに攻撃を加えるとすれば、田倉よりもっと背の高い人間でなければならぬ。彼女は、その意見を言った。

「いいところに気がついた。まさに、そのとおりだ。田倉より背の高い人間だね」

それは、典子には、この事件の関係者で一人しか心当りがない。

「じゃ、村谷阿沙子先生の旦那さん？」

彼女は言った。

「亮吾氏か」

竜夫は微笑を洩《も》らした。

「なるほどね。あの亭主は背が高かったそうだね。僕は見たことがないが。それに、目下、理由の分らない失踪をしているので、もっとも怪しい」

彼は典子の顔を見た。

「しかしね。リコちゃん。背の低い者だって、相手より高くなることもできるぜ。君は女としては背が高く、僕と三センチとは違わないだろう。しかし、僕は、君の背丈の倍近く高くなることもできる」

竜夫は、とたんに、座席からすっくと立ちあがった。

「ほら、ね？」

と突っ立ったまま、すわっている典子を、上から見おろした。バスは終点に来て、乗客はみんな立ちあがるところであった。

二人は品川駅から国電に乗った。

典子は、吊皮《つりかわ》にぶらさがった。すぐ前の乗客は自衛隊の青年で、週刊誌を一心によんでいた。体格がいい。立ったら、典子よりたしかに背がずっと高い。

なるほど、こういう位置だと、典子でも、鉄棒のようなもので一撃したら、自衛隊員の頭頂部は、真正面である。

自衛隊員は、そんな物騒なことを考えている人間が目の前に立っているとは知らず、時代小説によみふけっている。

――すると、田倉は、あのとき、どういう姿勢だったか。立ってはいなかった。今まで立っている田倉ばかりを考えていたから、新しい発見だった。田倉は、あの村道で、しゃがんでいたのである。

田倉が、しゃがみ、犯人は立っていた。そういう光景が典子の目に映った。では、なぜ、両者がそのような妙な構図をとっていたか。――

「暑いが、天気がいいので気分が爽《さわ》やかだ」

耳の傍《そば》で、竜夫が突然言った。

電車は新橋駅に近い高架線の上を走っていた。さまざまな建物をかかえた街が下に沈み、蒼《あお》い空が眩《まぶ》しい光線を含んで空に広がっている。

「どうだい、すこし、風に吹かれに、海でも見に行こうか。しばらく潮の匂《にお》いをかいだことがないからね。ときどき息抜きしないと。村谷先生みたいに精神病院に閉じこめられてもつまらない」

電車がとまり、ドアが開くと、竜夫はさっさと人のあとについて出て行った。

「どこへ行くの?」

典子は追って、きいた。

「どこって、浜離宮《はまりきゅう》さ。海が見えるのは、ここから一番近い」

へえ、と典子は、竜夫を見直した。その場所と竜夫とが、どうにもそぐわなかった。浜離宮あとの公園では、若いアベックが多かった。木陰にすわって、ひっそりと話し合っている。

竜夫は突端に出た。さすがに海からくる風が顔に涼しかった。潮の匂いがつよいのは、彼のお望みどおりだった。竜夫は目を細めた。

お台場《だいば》と、船が見える。海水浴の客を詰めこんだポンポン船が沖に向っていた。

典子は、竜夫の暗示から解いた自分の想像を、一分でも早く聞いてもらいたかった。

「ねえ、分ったわ」

典子は言った。

「何が?」

竜夫は、海を向いたまま、こたえた。

「田倉さんが殺される直前の恰好よ」

「ああ、そうか。どういうのだね?」

「田倉さんは、しゃがみ、犯人はその前で突っ立っていた。その位置なら、犯人は田倉さんの頭頂部を完全に狙《ねら》えるし、力もはいるわ」

「そうだ、力がはいっていることに気づいたのは、賛成だね」

竜夫は言った。

「なにしろ頭蓋底骨折だからね。真上から、力いっぱいに凶器を打ちおろさねばならん。犯人が立って、しゃがみこんでいる田倉を一撃した仮説は、十分に納得できるね。さて、二人がそういう姿勢をとっていた理由は？」

「田倉さんが先に来て、相手を待っていた。時間が長かったから、待ちくたびれてしゃがんだところに、犯人が来た」

典子は話しはじめた。

「けれど、田倉さんは、面倒だから、そのまま、しゃがんで犯人と話していた、というのは、どう？」

「じゃ、犯人は、よっぽど田倉と親しい間柄《あいだがら》だったんだね」

「そうね」

典子は、考えた。言われてみると、そのとおりだと気がついた。

「君の説だと、よほど犯人は限定されるな」

「そうね。そういうことになるわ」

「誰だね？」

分らなかった。たとえば、亮吾氏がそんなに田倉と親密とは思えない。阿沙子女史とも、そんなのではあるまい。一番、考えられるのは、田倉の妻だが。——

「いまは分んないわ。もっと考えてみるわ」

典子は逃げた。

「でも、その姿勢で考えられるのは、もう一つの場合があるわ」

「ほう、まだあるのかい？」

竜夫が、初めて海から目をはなして、典子を見た。

「人間は、何か熱心に、ものをよんでいるとき、つい、しゃがみこむ癖があるわね」

典子は、雑誌によみふけっていた自衛隊員の姿を思いうかべた。

「うむ、そりゃ、あるね」

「田倉さんは、そのとき、犯人が持ってきた何か、を熱心に読んでいた。犯人は、突っ立って待っている。いや、待っていると見せかけて、実は、かくし持った凶器で、しゃがんで頭を垂れている田倉さんを……」

さすがに、その先の残酷な言葉は口に出せなかった。

「そうか。では、犯人と田倉とは、そこで時間を決めて会う約束をし、犯人は書類のようなものを渡したわけだね？」

「まあ、そうね」

「その書類とは何かい？　田倉がそれほど熱心によむ書類とは？　しかも、夜の寂しい道で渡さねばならないような秘密めいたものは？」

典子は、阿沙子女史の代作原稿が頭をかすめた。が、それはすぐには理論的な結びつきにはならなかった。

「分んないけれど、ここでは構図の設定だけにしぼっての話よ」

「おもしろい想像図だな」

竜夫はまずほめて、

「だが、夜だぜ、書類が読めるかい？」

とすぐにつけいった。

「懐中電燈があるわ」

典子は、うち返した。

「なるほど、それは誰が持っていたのかい？」

「犯人が手に持っていて、読んでいる田倉さんのために照らしてやっていた」

「犯人は、片手で懐中電燈を持ち、片手で凶器を持って田倉を殴ったのかい？」

「そう」

「犯人は、力いっぱい田倉の脳天を叩《たた》いたのだ。身体の重心の関係で、行動の瞬間、懐中電燈は大きく揺らいだに違いない。田倉はそれでも、じっと書類を見ていたのかい？」

「では、田倉さんが片手に懐中電燈を持って、書類を照らしながら読んでいた」

「死体は懐中電燈を持っていない。また付近にそれが落ちていたことも警察記録にない」

「犯人が奪って逃げたかもしれないわ」

「うむ」

竜夫はつまった。

「懐中電燈をさがせ、か」

と仕方なしにつぶやいた。

「どう、いいじゃないの？」

典子は勝ちほこったように言った。

「弱いね」

「どうして？」

「ピンと来ないよ」

「あら、白井編集長の口真似《くちまね》をしてるわ」

それで、二人は声を揃《そろ》えて笑った。

「それよりもね、リコちゃん」

竜夫は言った。

「僕は、懐中電燈よりも、もっと強力な光線が利用された、と考えているんだ」

「そういえば、バスの中であなたが言った言葉ね、いやに興奮して、殺人の方法が分ったということ、それをまだ伺っていないわ」

「まだ、言えないね」

「そら、また始まった。悪い癖だわ。そんなにもったいぶることないわ」

典子は、すこし怒った。

「そういう意味じゃないよ。これを言うからには、もっと裏づけが必要なんだ。それを終ってから、君に話したい。何しろ、そのときの真実の構図が、決め手になるんだからね」

「ヒントだけでもだめ?」

「今はね。もう少し待ってくれ。そしたら、君にも協力を申しこむよ」

竜夫の言い方が妙に真剣だったので、典子は思わずうなずいた。どうも、竜夫の方が、今度のことでは、いつも一足先を歩いているようでならない。が、その遅れた感じは、かえって、彼女に満足感を味わわせていた。

「ところで、お代りというわけではないが、君の気を悪くさせた謝りに、一つ、僕の重要な推定をしゃべるよ」

竜夫は、にやにやして言った。

「いやだわ、何よ?」

「阿沙子女史の強度の神経衰弱さ」

そうだった。それをまだよく考えていなかった。典子は目を上げた。

「女史の症状は、抑鬱《よくうつ》、不安の反応が非常に強いと医者は言った。僕らは、それを、田倉の変死に絡《から》む亮吾氏の失踪《しっそう》に結びつけていたね。つまり、異常体験の衝撃《ショック》さ。ところが、それはどうも間違いだと気がついたよ」

「どういうこと?」

「女史の神経衰弱はね、あれは仮病さ」

「え!」

典子は、びっくりした。

「仮病?」

「そうさ。金を出して入院を頼みこんだのだよ。個人病院だからね。もっとも、女史も、このところ、くたくたで、まんざら、徴候がないでもないから、病院も理由が立つ。しかし、面会謝絶するほどのことはない。あの印象は、まるで女史が発狂したみたいじゃないか」

竜夫は、すこし語気に力を入れた。

「この、発狂の印象が大事なんだ。彼女が、作家としての活動に終止符を打たねばならぬとき、もっとも芸術家らしき虚栄として、発狂に近い強度の神経衰弱をえらんだのだ。あたかも、天才作家の印象のようにね。彼女の持つ、この強い虚栄心が、今度の事件の鍵《かぎ》の一つだな」

編集長の意見

1

「仮病か、ふうむ」

白井編集長は、目を細め、長い顎《あご》を掌《て》で撫《な》でた。

病院から編集部にかえってきた崎野竜夫と典子の話を聞いたあとだった。

「これは僕の推定ですから誤っているかもしれません。とにかく、面会謝絶で会えないので、医者の話を聞くほかはなかったのです。聞いているうちに、ふと、そんな気がしたのです」

竜夫は編集長の前に椅子を引いて言った。

「むろん、個人経営の精神病院だろうな？」

「そうなんです。それも、一流とはいえません。ですから、金を出せば、それほどの必要がなくても、入院させそうなところです」

編集長は、村谷阿沙子の偽《にせ》神経衰弱説の推定理由も竜夫から聞いたばかりのところだった。

「そうか。なるほど」

「強度の神経衰弱乃至《ないし》発狂が、創作活動の光栄ある終焉《しゅうえん》になったのは、東西古今、例が多い。阿沙子女史が、そのテを考えて、自己の作家放棄を偽装したとすれば、うまい詐《さ》術《じゅつ》を思いついたものだ。そうなると、悲惨な作家生活の終りをさらけださなくともすむからね」

白井は、どこかを見つめるような目で言った。

「編集長も、そう思いますか?」

竜夫は上体を前に出した。

「はっきりとは断定できないが、なんだか、そんな気もするね。あの女史も相当、虚栄心は強かったようだからね。それに、あの肥《ふと》った女史と強度の神経衰弱とは、どうも、ピンとこないね」

編集長が、ピンとこない、と言ったものだから、典子は笑いが出そうになった。

「そうすると……」

竜夫が言った。

「例の代作の問題になりますが、女史が創作活動が不能になったというのは、本当の実作者が草稿を書かなくなったためでしょうか?」

「それは考えていい。いや、それ以外にはないだろう。まさか、女史が自責に駆られてそれを中止したわけではあるまい。相当にアクの強い女だからね」

「実作者が書かなくなった原因は?」

竜夫が意見をたたいた。

「三つの場合があるね。一つは、書かなくなったこと、これを細分すると、何かの理由で自発的に書かない。次は、女史と、感情か利害関係で、たとえば報酬が安い、というようなことで書かない。次は、書かないのではなく、書けなくなったこと、つまり、実作者の才能が枯渇《こかつ》した場合だ。次は、実作者がいなくなった場合、たとえば、死亡したとか、どこかに去った、というようなケースだよ」

典子は、横で編集長の話を聞いていて、思わず、田倉と亮吾のことを考えた。

田倉義三は死亡した。村谷亮吾は失踪した。どちらも、編集長の言ったケースに当てはまるではないか。……この二人がもし阿沙子女史の作品の代作者だったら、女史はまったく筆を折らねばならなくなるのだ。

竜夫も、それをやはり考えたらしい。

「編集長は、亮吾氏が代作したのではない、と言いましたね?」

「うん、それは、僕のカンだ」

白井はうなずいた。

「それじゃ、田倉ですか? 田倉は死亡しましたから、編集長の言った例にぴったりですが」

白井編集長は、すぐには答えなかった。マッチをすって煙草に火をつけ、眉《まゆ》を煙たげに寄せていた。

「それは少々、都合のよすぎる推定だがね」

と、間《ま》をおいて言った。

「田倉に、まだ、そんな才能があったのだろうか?」

質問の言葉だが、別に竜夫や典子に回答をもとめているわけではなかった。自分にきいているような言葉だった。

「僕はね、若い時の田倉を知っているのだ。あいつは、若い時は確かに小説が書ける才能をもっていた。僕は、そう信じていた一時期がある。彼がまだ日本にいたころの話だ。あいつは太平洋戦争のはじまる少し前ごろふらっと外地へ行ってしまい、帰ってきたのは戦後しばらくしてからだった。若い時とは人がちがったようにずるがしこいイヤな人間になってしまっていた。雑誌社に勤めて編集の仕事をしていたが、一つところに尻《しり》が落ちつかず、あちこちを転々としてまわり、とうとう今のような特ダネ屋になってしまったのだよ」

編集長は、妙にしんみりと言った。

「そういえば、以前から探訪の記事はうまかったね。まじめにつとめていれば、今ごろは相当な雑誌の編集長の椅子《いす》にいるはずの男さ。筆も立つよ。しかし、だからといって、田倉が村谷女史の小説の代作ができるとは、すぐには思えんな」

白井は首を傾《かし》げ、指先で机を軽く、こつこつとたたいた。

「それとも、若い時の才能が復活したのだろうか……」

白井は、そう言ってから首を振った。

「いやいや、村谷女史の小説は、田倉の作風じゃない！」

もし、村谷女史の発表した作品が、他人の書いたものなら、実作者はいったい誰だろう。白井編集長は、亮吾氏も田倉も否定した。典子は、その他の人間を心の中で当ってみたが、見当がつかなかった。彼女の知らない第三者だとしたら、これは分るはずがない。

典子は、ふと、黙っている竜夫をつついた。

「ねえ、崎野さん。田倉さんが、どんな方法で殺されたか発見したという話、編集長にお話ししたら？」

竜夫は迷惑そうな顔を典子に向けた。

「よせよ。困るよ」

白井は、それを聞くと、にわかに興味深そうな顔つきに変って、

「へえ、崎野君、そんなことを発見したのか？　そいじゃ、話せよ」

と目を輝かして竜夫を見た。

「いや、それほどのことじゃないんです。それにまだ、よく分んないんです」

竜夫は頭を掻《か》いた。

なんだ、そんなことか。バスの中では、ひどく興奮してもったいぶっていたくせに、
と典子は失望した。

しかし、編集長の前では、何とか恰好《かっこう》をつけねばならないので、

「崎野さんは、田倉さんの頭蓋底《ずがいてい》骨折が断崖《だんがい》から墜落のときの傷じゃなくて、誰かが鈍器で殴ったという推定をしたんです」

と白井に説明した。

「ほう、そりゃ、どういうことだね？」

編集長は、ちらりと竜夫に目をくれて、典子から話をきく身構えをした。

典子は、竜夫と浜離宮で海を見ながら、議論《ディスカッション》をしたしだいを話した。もっとも、

そこでアブラを売ったことは、はぶいた。

白井は、ふむ、ふむ、と例によって鼻にかかった相槌《あいづち》を打ち、興味深そうに手を組んで聞き入った。目が細くなるのは、話をおもしろがっている証拠である。

「なるほど、頭上の真ん中を強打するには、その位置が恰好だな」

白井は、とくに、田倉がしゃがみ、犯人がその前に突っ立っている想定を興がった。

「ね、君、リコちゃんの考え方が、おもしろいじゃないか」

と、黙っている竜夫をのぞいた。

「田倉が何か読んでいて、頭をたれているところを上から一撃する。これは、まともだから、避けようがあるまい。それに、その、何か読んでいるというのが、代作の草稿だったりしたら、ますます関連がありそうだね」

「しかし」

と竜夫は初めて言った。

「その着想は非常におもしろいんですが、田倉が何を読んでいたのか、の推定ができないと困るんです。代作の草稿を田倉が読んでいた、というのは考えられません。そんな暗いところで、懐中電燈をたよりに読む必要はなさそうだし、それだったら、犯人が代作原稿を田倉に渡したことになるのですが、何のために田倉に渡すのですか、また、なぜ、殺さねばならぬのか、推測に苦しみます」

「そうだな」

白井は、考えて言った。

「どうも、少々面倒くさいことになったな。ところで、君にきくが、田倉の変死は、他殺だということ、これは確信があるね？」

「あります」

竜夫は、きっぱり言った。

「村谷女史の小説が代作だった、ということは？」

「それも、確信があります」

「よろしい。この二つが事実という確信があれば、あとは、分っているいろいろな小さなことを、タテやヨコにならべてみればいいんじゃないかな。たとえば、田倉を死の現場の道に誘いだしたのは誰か、小説の代作をやった人間は誰か、このキーも、その些細《ささい》なデータの置き方、組みあわせ方から帰納してみるんだよ」

編集長の言い方は正当で、立派だった。しかし、それが簡単にゆけば苦労することはないのだ、と典子は、白井の顔を眺《なが》めた。

白井編集長は、上体を後ろに引き、小さなあくびを一つした。

「ところで、みんな、揃《そろ》っているかな？」

と編集部を見まわした。

「だいたい、いるね。じゃ、揃っているところで、今から編集会議をやろう」

編集長は宣言した。

編集会議は、日の暮れるまでかかった。

『新生文学』というと、いかにも文学青年相手の純文学雑誌のように聞えるが、実は、若い世代の読者を目標にした中間小説や読物の雑誌だった。部数は大雑誌ほど多く出ていないから、編集部も六名くらいの部員で構成されている。

編集会議は、いつものことながら、白井編集長の意見にひきずられた。経験も深いし、プランも悪くないので、部員であまり不平を言う者もいない。いったい、雑誌の編集長というものは、ある程度、ワンマンでないと雑誌の個性が出ないようだ、と典子はかねて考えている。衆知をあつめるといっても、結局、それからの割り出しは毒にも薬にもならない平凡な最大公約数的な結果になってしまう。精彩がないのである。

その日の会議でも、白井編集長は、ほとんど自分の独断的意見で計画を決め、各部員にそれぞれの仕事の分担を与えた。

白井の張りきるのは、いつものことで珍しくはなかったが、その日の会議ではことに盛りだくさんなプランを作成した。竜夫も典子も、その仕事で締切日まで当分、忙しくなりそうだった。

会議がすむと、編集長は竜夫と典子とだけを呼んだ。

「村谷さんの件だがね」

白井は言った。

「たいへんおもしろいからつづけてやってくれたまえ。しかし、人手が少ないから、それにかかりきりというのも困るんでね、君たちの仕事の分量は少なくしておいたから、並行してやってくれたまえ。調査の費用は、編集費からできるだけ出すよ」

竜夫も典子も、それは承知した。

部員の数が少ないから、編集長の言うのは無理もなかった。ただ、今までのように、野放しで自由にとびまわれないのが厄介《やっかい》だった。しかし、他の部員の手前、多少の不自由は我慢しなければならなかった。

その翌日、典子は出社したが、崎野竜夫はひるをすぎても社に顔を見せなかった。

どこか、仕事先をまわっているのか、と典子ははじめ考えていたが、気になるので、庶務係の人にきくと、腹をこわしたから一両日、欠勤するという届けが電話であったことが分った。

崎野竜夫が病気で欠勤するとは珍しい、と典子は思った。日ごろはあまり病気をしない男である。

この間から、いろいろ飛びまわったので疲れが出たのであろうか。それとも、食べものには健啖家《けんたんか》だから、変なものを食べて腹をこわしたのかも分らない。一日でも、竜夫の姿の見えないのが、典子には何となくものたりない。

典子は、社の帰りに、思いきって竜夫のアパートに寄ってみることにした。彼は大久《おおく》保《ぼ》の近くの独身アパートに暮していた。

今日休んだばかりなのに、すぐ見舞いに出かけるのは少々、気がひけたが、この間からのことをもう一度、検討してみたい、という理由を無理に考えて、国電の大久保駅で降りた。

典子は、まだ竜夫のアパートを知らなかった。番地を頼りに来てみると、三階建てのこぎれいな建物だった。

会社の同僚とはいえ、たったひとりで訪ねることは、やはり典子には勇気を要した。よほど、このまま引き返そうかと思ったが、それも決断しかねたまま、何となく建物を見あげてぐずぐずしていると、アパートの住人らしい青年が典子をじろじろと見て通った。

典子は思いきって、玄関をはいり、廊下の角にある管理人の部屋を叩《たた》いた。

受付口のような窓をあけて、頬骨《ほおぼね》の張った中年の男が顔を出した。

「崎野さんは旅行でお留守ですよ」

と管理人は言った。典子は、あっと思った。病気ではないのだ。旅行というのも、二重にびっくりした。

管理人は立ちすくんでいる典子を見ていたが、

「もしかすると、あなたは椎原さんとおっしゃいませんか?」

ときいた。

「ええ、椎原ですが」

「そんなら、崎野さんから、お手紙をことづかっていますよ」

管理人は机の引出しから封筒を出した。

「すみません」

典子は、礼を言ってから外に出た。あまり人のいない場所で、封を切った。指先がすこしふるえていた。

——病気は口実です。三四日、旅行をします。編集長には、あなたからしかるべくとりつくろっておいてください。詳細は帰京の上、お話しします。

竜夫

椎原典子様

2

崎野竜夫は、三四日旅行するといって、突然、どこへ行ったのだろう。それが、田倉の事件に関係ありそうなことは、典子にも想像がついた。このあいだから、ひどく熱心になってきていたし、ときどき、何だか謎《なぞ》めいた言葉を吐いていたから、ひとりで相応に推察をすすめているようだった。彼の内密の旅行は、その関係の調査かもしれない。

それなら編集長に、そうだと明かせばよいのに、仮病をつかって休むところをみると、あまり自信のある調査ではなさそうだった。彼は、たぶん、収穫のなかった時のてれくささを考えたのであろう。竜夫は、妙にずうずうしいところがあるが、ほんとうは気の弱い男だと典子は思っている。

それにしても、一言《ひとこと》でも自分に打ちあけてくれたらよさそうなものだと、典子は竜夫の勝手な行動がすこしうらめしかった。もともと、この事件は、典子自身が箱根の村谷女史のところへ行って持ち帰ったようなものであり、それからは竜夫といっしょにふたたび箱根におもむいて踏査などをした。

いわば、最初は典子が主体であったのを、いつのまにか竜夫と逆の位置になった。のみならず、協力者の彼女に一言の断わりもなく、ふいと旅行に出てしまったのだ。

典子は、腹を立てながらも、竜夫はいったいどこに行ったのかといろいろと想像をめぐらせた。三四日といえば、相当遠距離に飛ぶことができる。いずれにしても帰ってくるまでが、それがいったいどこなのか見当がつかなかった。

待たねばならない。

（やあ、すまなかったね）

と例の乱れた頭髪《あたま》を掻きながら、にやにや苦笑している竜夫の顔を思いうかべると、典子も、そこに彼がいるように口辺に笑いが出てくるのだった。

あの人のことだから、旅行先でも身なりをかまわないに違いない。スーツケースの中は、雑多なものが、くしゃくしゃにはいっているだろうし、旅館に泊っても、女中さんに、ズボンのプレスを頼むということもあるまい。ワイシャツの衿《えり》は垢《あか》じみたままのを着ているだろうし、やはりあの黒いハンカチで平気で顔を拭《ぬぐ》っているに相違なかった。

典子は、どこか知らない町を、そんな恰好で歩いている竜夫の姿を空想した。

その翌朝、出社したが、竜夫の姿がないのは、やはりものたりなかった。今日が二日目だから、あと二三日もいないと思うと、よけいにその感じがした。

お早う、お早う、と言いあいながら部員が出てくる。編集部の長い机の周囲にはしだいに活気が出てきた。竜夫のところだけが、ぽつんと空地のようにとり残されている。

白井編集長は黒鞄《くろかばん》をさげて、まもなく出てきた。今朝は、いつもより、ややおそい。真ん中の机の上に鞄をどたりと置くと、上着を脱ぎながら、目を竜夫の机に投げた。

「崎野君は、まだ来ないかね？」

と誰にともなくきいた。

「まだです」

と隣の部員が答えた。

「ふうん、欠勤届は昨日だけでしたか、榎本《えのもと》君？」

と庶務の仕事をしている榎本の方に、長い顔をしゃくった。

「いや、今日までです」

榎本が答えた。

「どうしたんだろう、めったに休まない男だが」

白井編集長は、机の上の来信の束に目を落しながらつぶやいた。それから、ふと顔を上げると典子の方を見た。

「リコちゃん、君、知らないか、崎野君の病気の具合を？」

典子は、どきりとした。昨日、帰りに竜夫のアパートに寄ったのを、見破られたような気がした。しかし、彼女は勇気を出した。

「昨日、帰りにちょっとお寄りしたんです。仕事の連絡があったものですから」

典子は、部員の顔が、みんなこっちを向いているような気がして、顔をあからめた。

「何だか、お腹《なか》をこわしたとかで、ひどく弱っていましたわ。あのようすでは、もう、一《ち》ん日か二日、出てくるのが延びるかも分りません」

嘘《うそ》を言うのは困難である。典子は胸の動悸《どうき》が速くなった。

編集長は典子の言うのを聞きながら、彼女の顔を見ていた。典子は、目を伏せたくなったが、ここでも勇気を出した。

「そうか、少し疲れたのだろう」

白井は、そう言いながら、手紙の一つをとり、封を破る動作に移った。典子は、ほっとした。心の中で溜息《ためいき》が出た。

すると、白井編集長が手紙に目をむけたまま、

「リコちゃん、ちょっと」

と呼んだのには、またどきっとした。

「君、今日は、西村さんと小松さんをまわってくれないか?」

白井は手紙をよみながら、机の前に立っている典子にいった。

「はい」

典子は安心した。仕事の用事である。今日は、どんな無理を押しつけられても、せいいっぱいに働こうと思った。

「西村さんには、次号原稿を頼んであるから、進行状態をききに行くのだ」

「はい」

典子はうなずいた。西村氏は小説家だった。

「小松さんには、くだけた時局的な解説をお願いに行ってくれ。だいたい、二十枚ぐら

い。最近の若い世代の思想傾向といったようなものに焦点を合わせてもらって」

「はい、分りました」

典子は手帳にメモした。

西村氏は中央線の荻窪《おぎくぼ》に住み、小松氏は田園調布に住んでいる。典子は、まず西村氏から訪ねて行こうと思った。

典子が早く引きさがろうとすると、白井編集長は彼女の顔に、手紙から目を移した。

「どうだな、田倉の例の問題は。少しはいい考えが出たかね？」

編集長は、目もとをすこし笑わせながら言った。やはり、いつもの編集長の顔だった。

「いいえ、あれきりなんですが」

典子は小さく答えた。竜夫の欠勤の言いわけが気になって仕方がなかった。

「そうか、僕は僕なりに考えてみているんだがね」

白井は言った。

「が、まあ、そればかりにかかっているわけにはゆかない。雑誌の仕事も進めなければね。そのうち、崎野君が出てきたら、相談して、その方も手をつけるとしよう。けっして投げたわけじゃないよ」

「はい、分りました」

典子は頭を下げた。白井は自分の気持を考えて言ってくれているのだと思うと、彼女は編集長にすまない気がして、ちょっと正面から見られなかった。

竜夫をかばったばかりに、編集長にこんな辛《つら》い思いをしなければならない。そんな気持にはまったく無関心に旅行している竜夫に、典子は、やはり腹が立ち、いったい、どこを歩いているのだろうと思った。

電車に乗り、流れる景色を見ながら、典子は、どこかの汽車の窓にもたれている竜夫の姿を考えていた。

西村氏の家は荻窪駅から十分くらい歩いた閑静な一画にあった。青い杉垣《すぎがき》に囲まれた門内にはいると、玄関には来客の靴《くつ》が三足揃《そろ》えてあった。西村氏はいわゆる流行作家だった。

女中さんが出てきて、しばらく待っていてくれ、ということだったので、応接間にはいると、クッションの上に若い男が腰をおろして雑誌を読んでいた。やはり西村氏を待っている編集者だった。

「今日《こんにち》は」

典子は先客に挨拶《あいさつ》した。よく寄稿先で行きあう顔で、別な雑誌社の知った者だった。

「やあ」

その若い編集者は典子に笑った。

自然と、そこでは退屈まぎれに話がはずんだ。話題は共通な点で、作家の噂《うわさ》などになった。

「村谷さんが、入院だそうですね?」

他社の編集者は、それにふれた。

「ええ」

典子は、村谷女史のことはあまり言いたくなかった。

「神経衰弱だそうですね」

「そうなんです。お気の毒ですわ」

典子は、当りさわりのないことを答えた。

「面会も、できないくらい、ひどいそうじゃないですか?」

「そういう話ですね。早く、おなおりになるといいですが」

「なおっても、当分は書けないでしょう。それに、そんな徴候のあったせいか、最近はあまりおもしろい作品がありませんでしたな。そう言っちゃ悪いけれど」

若い編集者は、ずけずけと言った。典子は黙っていたが、心の中では同感だった。女史の作品には以前ほどのおもしろさが、たしかに失われていた。典子は、竜夫の言った代作のことを考えていたが、もちろん、口に出すことではなかった。

「しかし、村谷さんの初めの頃《ころ》の作品は、どこか、きらりと光ったものがありましたよ。

僕は、あのひとの将来を期待していましたがね」

編集者は批評した。

「やはり血は争えないと思ったくらいです。女史のお父さんの宍戸《ししど》寛爾《かんじ》博士は有名な法学者でしたが、同時に大正期の文学についても一見識を持っていました。その方《ほう》のお弟子さんもあったくらいですからね」

編集者がここまで話したとき、彼は呼ばれて立ちあがった。典子は、知っていることだが、いまの話が耳にあらためて残った。

西村氏のところから、田園調布の小松氏のところにまわったのは、それから三時間後だった。

小松氏のところも来客があったが、かまわぬから上がれ、と言って書斎に通された。

小松氏は大きな身体を紫檀《したん》の机の前にすえ、客と愉快そうに話しているところだった。

「お邪魔いたします」

典子はその前におずおずとすわった。

「やあ」

白い長髪をふり立て、小松氏は肥えたあから顔をこちらに見せた。容貌《ようぼう》は魁偉《かいい》だが、声はやさしかった。

「今日はどういう注文だね？」

煙草の脂《やに》のついた黒い歯を出して笑った。

典子は、客に会釈《えしやく》した。その人は四十三四で、きちんとした紳士風で、ジャーナリストらしくもなく、ちょっと職業の見当がつかなかった。机の上にはウイスキー瓶《びん》とグラスが二つのっていた。

「どうぞ」

かまわずに話してくれ、という身ぶりを、愛想《あいそ》よくした。

「先生、お忙しいところをお願いにあがりましたのは、実は次号に原稿を頂戴《ちようだい》したいと思いまして……」

典子は用件にはいった。その話をしている間、客は、にこにこと聞いていた。

「ああ、いいよ」

小松氏は気軽にうなずいて引きうけてくれた。

「そうでございますか。ありがとうございます」

典子は礼を言った。

「おい、おい」

と小松氏は奥に向って急にどなった。

「グラスをもう一つ持っておいで」

典子はあわてた。

「先生、わたくしなら頂戴できませんわ」

「まあ、少しはいいだろう」

小松氏はすこし酔っていた。簡単に原稿を引きうけたのも、そのせいとみえた。

「君」

と客が小松氏をとめた。

「無理を言っちゃいかん」

小松氏は典子の困った顔を見て、

「そうか」

と大声で笑った。

「この人はね」

と小松氏は客をさして典子に紹介した。

「古い友人です。これでも、もとは、文学をやった男だが、今は落ちぶれて、日本橋にあるビルの社長になっている。雑多な商売人に部屋を貸してやって食ってる家主です。堕落の見本《サンプル》みたいな男ですよ」

客は目を細め、声立てて笑った。

典子は、名刺を出した。

「や、どうも」

客は受けとって名刺を眺《なが》めていたが、ふと、典子の顔を見あげて、

「たしか、白井良介《りょうすけ》はあなたんとこでしたね？」

ときいた。編集長の名前だった。

「それは、わたくしどもの編集長でございます」

典子は答えた。

「そうでしたね。風のたよりに聞いていました」

客は二三度、うなずいた。

「なんだ、君、知ってるのか？」

小松氏が意外なことを聞いたというふうに質問した。

「ずっと昔だよ。まだ京都の大学にいるころだ。文学熱にうかされたころだ。白井とは同期だったんだ」

と、これは小松氏に言い、典子には、

「白井は当時、なかなかの美青年でしたよ」

と話して微笑した。

典子はその客がくれた名刺をあらためて見た。

3

それから二日後の朝、崎野竜夫がひょっこり社に姿を現わした。

「どうだね、身体の具合は？」

「少し、やせたね？」

などと居あわせた同僚が竜夫に言っていた。

「ありがとう、もういいんだ」

竜夫は頭を下げている。

典子は、自席から竜夫を見て、おや、と思った。実際に彼は元気なさそうに、しょんぼりしていた。顔色も、あまり冴《さ》えないし、人が言うように、頬《ほお》が落ちてみえるくらいだった。

演技だろうか。それにしてはうまいと思った。どう見ても病みあがりにしか見えない。

竜夫は、歩いてきて、典子と目が合うと、

「どうも」

と軽くおじぎをするような恰好《かっこう》をした。彼女が偽《にせ》病気見舞いに来てくれたことへの、仮装の礼のようだった。

「もう、すっかり、快《よ》くなったの？」

典子は、半分は部員の手前をつくろったのだが、半分は皮肉を利《き》かせたつもりだった。無断で旅行に出た勝手さを思うと、まだ腹がおさまらない。

「すみません。心配かけちゃって」

竜夫は、笑いもせずに言った。

「編集長は、まだかな」

彼は真ん中の机を見てつぶやいた。その言い方もやはり、どこか力がなかった。顎《あご》にうすい無精髭《ぶしようひげ》が生えているせいか、よけいにやつれた感じだった。典子は、変だな、と内心、首を傾《かし》げた。

典子が何かきいてみたくなったとき、白井編集長が、ばさばさの髪をふり立てて姿を現わした。

「やあ」

編集長は、竜夫の背中に声をかけて、自分の机の前に腰かけた。

竜夫が立って、白井の傍《そば》に行き、神妙に頭を下げた。

「どうも、勝手させていただき、すみませんでした」

編集長は椅子《いす》により、竜夫の顔を眺めた。

「すこし、顔色がよくないね。もう、いいかね？」

「はい、大丈夫です。忙しいときにすみませんでした」

竜夫は、もう一度、軽い礼をして自分の席に帰った。白井はまだ竜夫から視線をはなさなかったが、典子が、はっとしたのは、編集長の目が、何か光をおびているように、わきから見えたからである。典子は、編集長が竜夫の仮病を看破したのではないか、と思ったくらいだった。

が、次に白井が竜夫を呼んだ声はやさしかった。

「崎野君、君、さっそく、用事を言いつけて、すまないが、斎藤さんところへ行って、談話筆記をとってきてくれないか?」

「はあ、承知しました」

竜夫はふりむいた。

「このあいだ、申しこんだら、いつでもいい、ということだった。身体《からだ》の調子が悪くなかったら、行ってきてくれ」

編集長の目には、典子が瞬間に見た、あの光はなく、いつもの細いまなざしだった。それはむしろいたわるような表情に見えたくらいだった。

「分りました」

竜夫は、メモと鉛筆を、ポケットにしまいこみはじめた。

白井は、指先で、こつこつと机のかどをたたいていたが、

「リコちゃん」

と典子の方をむいた。

「次号にのせるフォト・ストーリーの説明文を吉田さんに頼んである。グラビアは早く印刷所にまわさなければ間に合わないから、すぐに原稿を貰《もら》ってきてほしいな」

「はい」

典子は、うなずいた。

編集長は、それで、ひとまず用事がすんだというように、

「すこし涼しくなったかな」

と言いながら椅子を立って、窓の方へ歩いて行った。もう扇風機はまわさなかった。

典子は竜夫を見た。誘われたように彼も典子を見た。典子は、目である合図をして、お茶を飲むふりをして、お湯呑《ゆの》み場に行った。

そこで待っていると、上着を着た竜夫が、これも水をのむような恰好ではいってきた。その狭い場所には、ほかの者は誰もいなかった。

「すまん」

と竜夫は、ただ一言《ひとこと》、典子の顔を見て言った。さすがにすこし間《ま》が悪そうだった。しかし、近くで見ると、竜夫の頬には、もっと疲労のようなものが出ていた。

「置手紙、見たそうだね、管理人から聞いた」

竜夫は忙しく言った。

「見たわ、それでね……」

典子はそこで竜夫にある約束をさせた。誰かがはいってきてはまずいので、それは性急な短い言葉になった。

典子が作家の吉田氏の家に行き、原稿をもらって、地下鉄の銀座駅へおりたのが午後二時だった。竜夫と会う約束まで十五分あった。

電車通りから銀座裏に典子は足を向けた。真昼はまだ陽《ひ》ざしが暑いのに、人が舗道を流れている。車が行列をつくって、とまったり、のろのろと動いたりしているので、いよいよ道は狭い。典子は反対側に渡ろうとして、脚をすくめているとき、

「やあ、今日は」

と声をかけられた。

典子が目をむけると、眩《まぶ》しい光線を顔いっぱいにうけて、瘠《や》せた紳士がにこにこと笑っていた。典子は、とっさに迷ったが、すぐに思いだした。二日前、田園調布の小松氏宅で会った客だった。名刺も貰っている。日本橋にあるビルの社長だった。

「先日は、失礼しました」

典子は微笑して、おじぎをした。

「お仕事ですか？」

そのときの客は、やはり笑いながらきいた。

「ええ」

典子は曖昧《あいまい》な返事をした。これから、打ちあわせてある喫茶店で、竜夫と会う予定だった。

「おいそぎでなかったら、その辺でお茶でもいかがですか？」

ビルの社長は愛想がよかった。

「ありがとうございます。でも、今はちょっと……」

「そう。忙しいんですね。小松君が言うとおり、家賃を取りたてればいいんですからな。では、また」

ビルの社長は笑いながら、片手を上げて、背中を見せた。

約束した喫茶店に行くと、竜夫はもう来ていて暗い場所にすわっていた。卓上のアイスクリームの皿が空《から》になっている。

「お待ちどおさま。珍しく早いのね」

典子は向いあわせに腰かけた。

竜夫は、ああ、と言ったが、その姿はやはり元気がなかった。いつもの竜夫とは、たしかに違っている。

「いやに、しょげてるのね、どうしたの？」

何の予告もなく、旅行に出たことをまず責めようと考えていた典子は、その恰好を見て言葉が変った。

「うん、すこし疲れた」

竜夫は頭を手でこすりつけるように掻《か》いた。

「急に、黙って旅行に出るなんて、いやだわ。わたし、編集長に言うのに苦労したわ。何だか、崎野さんの仮病の共謀者みたいで、編集長の顔が見られなかったわよ」

典子は、非難というよりも、うらみごとを言った。

「すまない。すまない。これにはいろいろわけがあるんだ」

竜夫は頭をすこし下げてあやまった。

「そんなに疲れて帰って、いったい、どこまで旅行したのよ？ その理由というのを聞かせて」

「ううん」

竜夫は顔をしかめて唸《うな》った。

「ちょっと待ってくれ。そいつが、今はちょっと言えないんだ」

「まあ」

典子はあきれたように見つめた。

「いつもの癖ね。変な人。こんなにひとが心配しているのに」

思わず言って、はっと気づいた。これはある感情を表現した言葉だ。自分で、すこしうろたえた。

「言えなきゃいいわ」

典子はいそいで口調を変えた。

「でも、どこに旅行したかぐらいは言えるでしょ？」

「うん」

竜夫は仕方なさそうにうなずいて、

「京都だ」

と、ぽつりと答えた。

「京都？」

典子は目をみはった。そんなところに、どのような用事で、という疑問がすぐに走った。

「ある調査で行ったんだがね。それが全然、徒労みたいなものなんだ」

竜夫は、典子の気持を察したように言った。

「京都ばかりじゃない、その近県も歩いたけれど、まったく無駄骨《むだぼね》で帰ってきた。がっかりしてるんだ」

ああ、それで竜夫のたいそうな疲労が分った。頰が瘠せ、顔色が病人といっても通るほど悪くなったのだから、相当な苦労と失望を味わったらしい。しかし、その調査が何であるか、竜夫はそれ以上は話さなかった。

「編集長はねえ」

典子は、竜夫がすこし気の毒になって話題を変えた。

「崎野さんが出社したら、例の田倉事件をぼつぼつ手がけてくれ、と言ったわ。けっして、あのまま、放《ほう》っているわけじゃないんですって」

「そんな話をしたか」

竜夫は、視点をどこかに向けて、凝視するような目つきをした。

「なにしろ、原稿集めに忙しくなったでしょ。それにかかるのも、仕方がないわ。わたし、崎野さんの休んだ間に、寄稿家の間をきりきり舞いしたわ」

「それは気の毒だったね」

竜夫の返事は、どこか上《うわ》の空《そら》のようだった。

「そうそう、そう言えば……」

典子の方がはしゃいでいた。

「小松先生のところで編集長の噂《うわさ》を聞いたわ」

「ふうん」

「小松先生じゃなくて、先生のところに来ていらしたお客さまよ。日本橋のビルの社長で、お名刺もいただいたけれど、そのかたは、わたしが名刺をさしあげたものだから、たしか、あなたのところに白井良介がいますね、とおききになるの」

竜夫は、目をふいと典子の顔に戻した。

「そしたら、白井編集長と若いとき、京都で学校が同じだったんですって。当時の白井は、美青年で、そして、文学青年だったと笑いながら言ってらしたわ。わたし、そんなこと、初めてなものだから、とても珍しく聞いたわ」

竜夫の目つきが強くなった。

「その人の名前は？」

典子は、ハンドバッグをあけ、名刺入れの中をさがした。それは、すぐに出てきた。

「このかたよ。いまも、ここへ来る途中、そこで会ったわ」

竜夫は名刺を奪い取るようにして、目をその上に据《す》えた。

――Tビル株式会社社長　新田《にった》嘉一郎《かいちろう》
「おい」

竜夫は不意に大きな声を出した。

「リコちゃん、この人に君は会ったのか？」

彼は、目を大きく開いて、典子を睨《ね》めつけるようにした。身体の半分が椅子から浮きあがっていた。

「ええ、そりゃ……」

もちろん、会ったのだから、この名刺を交換したのだと言いたかったが、竜夫の剣幕に呆気《あっけ》に取られて、あとの言葉をのんだ。

「えい、何という話だ」

竜夫は歯ぎしりした。

「僕が、京都から近県をさがして、歩きまわっているのに、本人は、東京にいたのか。しかも、近い君が会っているなんて!」

「え!」

今度は典子がびっくりした。

「崎野さんは、この新田さんをさがしに京都まで行ったの?」

「いや、初めから見当をつけていたわけじゃないんだ。京都に行って、はじめてその新田嘉一郎という人の存在を知ったんだ。それが、どうさがしても所在が分らない。身体がくたくたになるまで、あちこちを歩きまわって、とうとう諦《あきら》めて東京に帰ったのだ。それが、君、それが、ちゃんと君に会っているんだから、こりゃ皮肉だよ」

「いったい、どういうわけで新田さんをさがしたの?」

「それは、あとで話す。とにかく、ひどい目には会ったが、新田さんが見つかったのはありがたい。文句なしにありがたい」

竜夫はひとりで興奮していた。典子は、その竜夫だけの旋風を傍観するような恰好だった。

「おい、リコちゃん、僕は、すぐに、その新田さんに会いたいんだ。理由は、あとでゆっくりと説明するよ。とにかく電話して、都合をきいてくれ」

竜夫は上体を典子の方へのりだすようにした。

あおられたように典子は立ち、何ということなしに店の勘定台の近くにある電話の方へ歩いて行った。竜夫に背中から追い立てられたような感じだった。

典子は片手にビルの社長の名刺を持ち、その小さな活字の数字どおりにダイヤルをまわした。

同人雑誌

1

電話が通じると、新田嘉一郎の声がすぐに典子の耳にひびいた。

「もしもし、新田さまですか。『新生文学』の椎原ですが、先刻は失礼しました」

「やあ、どうも」

先方は明るくこたえた。しかし、なぜ電話をかけたのだろう、という不審が声にこもっていた。

「実は、突然でございますが、わたくしの方の社に崎野竜夫という者がおりますが、ご都合がよろしければ、新田さまにお目にかからせていただきたいと申しておりますけれど」

「ははあ、それは、どういうご用件でしょうか？」

新田氏は問うた。

「ちょっとお待ちくださいませ。只今《ただいま》、当人とかわります」

典子は送受器を、椅子《いす》から立ってくる竜夫に与えた。

「私、『新生文学』の崎野と申します」

竜夫はていねいに言った。

「ただいま、椎原から申しあげましたように、ぜひ、あなたさまにお目にかからせていただきたいのですが。はあ？　実は畑中善一《はたなかぜんいち》さんのことについてお話を伺いたいのです」

典子は横で聞いていて、びっくりした。畑中善一などという名前は耳にしたこともなかった。

「はあ、そうです。古い話なんだそうですが……はあ、はあ……それは京都に行って、神代《こうしろ》さん、赤星《あかぼし》さん、吉田さん、上田さんなどから承りました。新田さんが畑中さんを一番よくごぞんじだそうでございますね……はあ、京都はたったこの間、行って参りました。……はあ、そうですか、ありがとうございます。それでは、今夜、六時までにご自宅に伺います。お所は、阿佐《あさ》ヶ谷《や》の、はい、×丁目××番地、分りました。それでは、失礼します」

竜夫は送受器をおいた。典子は、呆然《ぼうぜん》としたような顔になった。

「何よ、いったい？」

ボックスにかえると、典子は竜夫を責めるようにきいた。

「京都に行って、赤星さんだの、吉田さんなどと会ったというわけは？　それから、畑中善一という人は何？」

「ここまでくれば白状するよ」

竜夫は、にやにやと笑いながら言った。それも、うれしそうな微笑であった。

「君が、たった今、言ったじゃないか。白井編集長は、新田さんと京都の学校が同じだったって、そして文学青年だったということを……」

「そりゃ、言ったけれど」

典子には、まだよく分らなかった。

「つまり、白井さんも、新田さんも、赤星さんも、上田さんも、吉田さんも、それから畑中善一という人も、みんな京都時代の宍戸寛爾氏のお弟子さんなんだよ」

「え」

典子は目をみはった。宍戸寛爾氏は大正から昭和初期の法学者だが、同時に文学者でもあった。ある時期、京都の大学で講義をしていたこともある。忘れてならないのは、同氏が村谷阿沙子の実父だという事実だ。

それでは、白井編集長は、宍戸寛爾氏、つまり村谷阿沙子女史の父のお弟子さんだったのか。典子はじっと壁の方を眺めた。それにしても、竜夫はどうしてそれに気づき、いかなることを調べに京都に行ったのか。

「僕はね、白井編集長が、村谷女史の代作は田倉義三ではない、と言ったね。それは、編集長の長い間の経験によるカンだと思ったのだ。実際、そういうことはあり得る。が、編集長のそういう根底になる文学知識は、どういうものかと知りたくなった。履歴は京都の大学になっている。昭和十三年卒業だ。この時の文学部の教授は誰だろうと思って名簿をくっているうち、文学部ではないが、法学部に宍戸寛爾氏の名前が出た。はっとしたね。宍戸博士は村谷さんの父であり、文学者でも一家を成していたからね。何か糸があるんじゃないか、と思ったのだ。これは白井編集長にきくわけにはゆかなかった」

「編集長にきくわけにはゆかない……」

典子は、おうむ返しに言い、竜夫を見つめた。はっとした顔だった。

「ああ、あなたは白井編集長が、村谷先生の代作をしていると思ったのね？」

「初めは、そうじゃないかと思った。もっとも、ぼんやりだがね。だから君には言わずに京都に行った。君は白井編集長を尊敬しているからね」

典子は強い目でうなずいた。

「そうよ。それに、あなたもでしょう？」

竜夫は複雑な目つきをして、うん、と言った。

竜夫と典子は、六時かっきりに、阿佐ヶ谷の新田嘉一郎氏の家を訪問した。それは静かな通りに面した家だった。

「よくいらっしゃいましたね」

ビルの社長は、にこにこして応接間に現われた。顔が湯上がりのようにあかく、つやがあった。

「京都に行《い》らしたんですって？」

挨拶《あいさつ》のあと、竜夫の方を向いて微笑を投げながらきいた。

「はい。京都の大学の、昔のことに詳しいかたに聞きまして、宍戸寛爾博士の文学方面の門下生といいますか、そういうグループのかたがたのお名前を知りました」

竜夫は手帳を出して答えた。

「白井良介も、僕の名前も、その中にあがっていたのですね」

「はあ、そうです。それから神代《こうしろ》さんも、吉田さんも、赤星さんも、上田さんもです。亡《な》くなられたかたがありましたが、この四人のかたを私は訪ねました」

「そりゃ大変だった」

新田嘉一郎は声の調子をあげた。

「みんな、住所がばらばらでしょう？」

「はあ、神代さんは伏見《ふしみ》でしたが、吉田さんは奈良、上田さんは桑名《くわな》、赤星さんは大津でした」

「みんな元気でしたか？」

新田嘉一郎はなつかしそうにきいた。

「はい。それぞれ、ご職業は違いますが、盛大にやっておられました。そのとき、畑中善一さんのお名前を伺ったのです」

「あの男は、優秀でした。小説の才能は一番ありましたね。惜しいことに若くして死んだが……あの時は、みんな若かった」

ビルの社長は述懐するように言った。

「文科も法科もいましたが、宍戸先生の影響をうけて、文学のグループをつくっていたんです。ガリ版だが、同人雑誌を出したりしてね。今は、わたしもこんな商売をしているが、つまらないものを書いたりしたものです。白井良介も何か書いていましたよ。その頃《ころ》の仲間といえば、そう、一年ぐらい前に、田倉義三という男に、東京駅でぱったり出会ったことがありまして、白井良介の噂などしましたっけが」

新田は、これを淡々として言ったが、竜夫と典子の身体は電気がとおったようにピリッとふるえた。

「田倉も、そのグループの仲間だったのですか」

竜夫の問いに、新田は首をふり、

「いや、彼は宍戸先生の弟子ではありませんでしたが、やはり文学志望で、なかなかの野心家でした。われわれのグループには、彼の方から接近してきたように思いますね。たしか、一番親しかったのは畑中だったと記憶してます。そう、彼も畑中の才能をかなり高く買っていたひとりで、よく下宿にも遊びに行っていたようでしたよ」

新田は、田倉の死は知らないようであった。

「そのほかには、現在は職業が違うから、誰ともお互いに便りもしませんが。おそらく私のいまの職業も住所も知らないでしょう」

「そうでした」

竜夫はうなずいた。

「新田さんの居所をどなたもごぞんじなくて、おさがしすることができず、あきらめて帰京したところでした。そうすると、この、椎原君が、小松先生のところで新田さんにお会いしたと聞いたものですから、おどろきました。皮肉なもので、私は関西にいらっしゃるとばかり思いこんでいました」

「十年前から、こっちにいますよ」

新田はそう言って、怪訝《けげん》そうな顔をした。

「しかし、どうして私をおさがしになったんですか?」

「畑中善一さんと一番お親しかったとみなさんに伺ったからです。最も将来を嘱望されながら、途中で亡くなられた畑中さんとです。新田さんは、畑中さんの何か書かれたものをお持ちだと、ほかのかたから伺いましたが」

新田嘉一郎は、それにはすぐにこたえず、煙草《たばこ》を吹かしながら、竜夫の顔を見た。

「どういうわけで、あなたは、われわれの昔のグループのことや、畑中善一のことをお調べになるんですか。白井良介にきいた方が手っとり早いと思いますがね」

当然の質問だった。竜夫も困惑した表情になった。

「率直に申しまして、編集長には無断でこのことを調査しています。理由は、いまは、ちょっと困るんです。ですが、あとではっきりと申しあげます」

竜夫は、助けを求めるように典子を見た。典子は新田嘉一郎の顔に、懇願的な目をむけた。それは必死の願いをこめた表情だった。

その目をうけたビルの社長の顔が柔和に崩れた。

「あなたがたは若い人だから」

と彼は言った。

「私のような年寄りを欺《あざむ》くこともないでしょう。よろしい。理由はあとになって聞きます。白井良介にききにくいことを私にたずねてください。知っていることなら、何でも言いますよ」

「ありがとうございます」

竜夫は頭を下げた。

「私が拝見したいのは、畑中善一さんの書かれたものです。吉田さんも、神代さんも、赤星さんも、新田さんが親友だったから、それを持っているんじゃないかと、おっしゃいましたが」

「あなたから電話があったとき、それが必要じゃないかと思って、古い荷の中から探して出しておきましたよ。これです」

新田嘉一郎は横の引出しから、薄い雑誌を出した。粗悪な紙が古び、ガリ版の字がかすれて目に痛いくらいだった。表紙は『白川』としてあった。京都の地名にちなんでいるらしい。

「これ一冊です。実は、私の拙文がのっているんでね。それは見ないでください。冷汗が出ますから。畑中のはこれですよ」

ビルの社長は、そのページを、太い指であけた。竜夫は、それを手にとった。典子も、横から、それをのぞいた。

「早春」という題名は、いかにもその時代の好みであった。しかし、畑中善一の作者名のあるその小説をよみすすみ、二ページといかないうちに、竜夫もそうだが、典子の方がよけいに顔色が変った。これは村谷阿沙子のある小説の原型だった。

「新田さんは、最近の小説をお読みですか?」

読み終ったあとで、竜夫が質問した。

「いや、最近どころか、ここ十二三年さっぱり興味がなく、読んでいません。若いときの反動かもしれませんな」

「では、村谷阿沙子さんという宍戸先生のお嬢さんの小説は?」

「先生のお嬢さんが、小説を書いていらっしゃることは知っています。しかし、失礼で申しわけないけれど、まだ一度も拝見していないんですよ」

ビルの社長は、ここでひどくきまり悪そうに答えた。

竜夫の質問は、それからもつづいた。

翌朝、東京駅を九時三十分の下り急行で、典子は発《た》った。行先は岐阜だった。

「今度は、君が帰ってくるまでの二日間を僕がかわりに働くよ」

ホームに見送りにきた竜夫は、窓から手をさしのべて言った。それが、典子にとって彼との最初の手の触れ方であった。典子はその感触をしばらくおぼえていた。

2

午後四時すぎ、典子は岐阜に着いた。

東京から六時間あまりだったが、典子は久しぶりに旅に出た気持になった。浜名湖では、静かな湖面に投網《とあみ》する舟を見、名古屋では汽車が高架線を渡るとき、駅前のビル建築の美しさを眺《なが》めた。それは、東京に戻ったかと錯覚を起すくらいに立派な市街だった。

こういう感想を起しながら、旅をするのは、たのしい。典子の前の席には、東京から乗った客が、三人変った。学生だったり、商人だったり、老人夫婦だったりした。学生は騒ぎ、商人はしゃべり、老人夫婦はひっそりと家の話をたのしんだ。このような、他人とのひとときの会い方をするのも、たのしかった。

岐阜から犬山《いぬやま》行きのバスに乗った。

典子は小学生のとき、地理の教科書で、犬山の地形が、ドイツのラインの河畔に似ているので、日本ラインの別名のあるのを知ったが、まさか、その土地に、ある用事をもって、はるばる訪ねてくる日があろうとは思わなかった。

典子は手帳に書きつけた地名をバスの車掌にきき、ある停留所で降りた。そこは土産物店が多くならんだ細長い町だった。道路の正面には鉄橋が見えた。

典子がこれから行くところは、その停留所で別のバスに乗り換えるのだが、時間表のついた掲示板を見ると、まだ二十五分くらいは間があった。

その時間を利用するように、典子は鉄橋の方に歩いて行った。そこまで来ると、木曾《きそ》川《がわ》の流れが、目にいっぺんにひろがった。

川は、蒼《あお》く澄んだ水を流している。鉄橋の両岸は断崖《だんがい》になっていて、川下りの遊覧船が浮んでいた。

川下を眺めると、なるほど左手の小高い山にかわいいくらい小さな城が見えた。その山の影が木曾川に落ちていた。

典子が、絵はがきなどの写真で見るのと、そっくりの景色であった。川の水面には夏雲が映り、その涯《はて》はひろい平野がかすんでいた。

若い人が、しきりとこの景色をカメラに写していた。川辺につないだ遊覧船やボートにも、若い人が乗っていた。夏のたのしさが、もう終ろうとしている。それを惜しむように、若人《わこうど》は遊んでいた。

毎日、仕事に追われて、旅をしたことのない典子は、このような風景が心をふくらませた。竜夫といっしょだったら、もっとたのしいに違いないと思った。

するとと、竜夫と自分とが、かわりあうように旅に出たことを考えると、すこし、おかしくなった。田倉のことから、いろいろな経験がはじまったと思った。

時計を見ると、そろそろバスの来る時間であった。典子は、もとの停留所の方に引き返した。

バスが車体を揺るがしながらやってきた。旅先の知らないところで、バスに乗るのは、多少の憂愁があって、新鮮だった。

広い田の間をバスは走った。青い稲穂が風に揺れ、波打っていた。これが濃尾《のうび》平野というのであろう、山の影がほとんど見えなかった。

バスはところどころにとまった。とまるべきところには、かならず寂しい家の集落があった。典子が降りたのは、その、幾つ目かの停留所であった。

店さきに赤い旗を立てた、たばこ屋のおかみさんが、たったひとりバスから降りた典子を見つめていた。典子は、そのおかみさんのいる店さきに立った。

「ちょっと伺いますけれど」

おかみさんは、はあ、と典子を見あげた。

「畑中さんのお家《うち》はどの辺でしょうか?」

稲の伸びた田圃《たんぼ》の中の、防風林に囲まれた農家の一つが、「畑中善一」の生家であった。典子は、畔《あぜ》のようにせまい道を歩いて、その家の戸口に立った。

「ごめんください」

典子は、暗い奥に声をかけた。隣の小屋には牛が首をのぞかせていた。

何度か、声をかけると、奥から、四十歳くらいの農夫が出てきて、典子の姿を珍しそうに見た。

「畑中さんのお家は、こちらでしょうか？」

典子はおじぎをしてきいた。

「へえ、畑中は、この辺に多いですが、畑中なんという家ですかな？」

農夫は、首に巻いた手拭《てぬぐい》の端で、顔の汗をふいて反問した。

「亡《な》くなられたかたですが、畑中善一さんのお家です」

農夫は珍しいことを聞いたように、目をむいて典子を見た。

「へええ、善一さんをね、あの人はもう十五年も前に死にましたが、あんたさんは善一さんと、どういう知りあいのおかたかな？」

「直接には善一さんを存じあげているわけではございませんが、東京の新田さんのご紹介であがりました」

農夫はそれを聞くと少し当惑したような顔になって、

「わしは、この家に養子に来たもんでしてな、善一さんのことはよく知りませんので。……家内が善一さんの従妹《いとこ》ですが、善一さんのことなら、妹の邦子《くにこ》がいますから、呼んできましょうか」

「そうですか。それではすみませんけれど、お願いいたします」

「いま、家内といっしょに田圃の草をとりに行ってますから、ちょっと、ここで待っていてください」

養子の農夫が出ていったあと、家の裏からは、鶏の声が聞えた。牛が何度も啼《な》いた。

畑中善一の妹は、農夫と、その女房らしい三十代の女といっしょに急ぎ足でやってきた。手拭をとって、ていねいに腰をかがめた。顔を見ると、陽《ひ》にやけて、少しやつれた感じだったが、その従妹の農婦らしい動きの少ない表情にくらべ、どこか知的な、ととのった面《おも》ざしがあった。

「東京から、兄のことでお見えになりましたのですか。そりゃ、まあ、遠いところを、ご苦労さまでございました」

さあ、お上がりください、と彼女は、先に入口をくぐった。

典子はあとから従ってはいった。家は狭くて暗いが、整頓《せいとん》が行きとどき、清潔な感じだった。畑中邦子は、足を洗い、着物をきちんと着替えて、典子の前に、挨拶した。

「わたしが善一の妹でございますが、ようこそ、遠いところをお越しくださいました」

「いいえ、突然、お邪魔して、ご迷惑をおかけします。少し、善一さんのことでお伺いしたいと思いまして、新田さんのご紹介状を持ってまいりました」

典子は、竜夫が新田に書いてもらった封筒を出した。その新田の手紙の内容には、典子が訪問した、だいたいの用件が書いてあるはずであった。

「はあ、さようですか」

畑中善一の妹は、それを押しいただき、すぐに読むでもなく、仏壇の方にいざりよって、手紙を供えた。

彼女は鉦《かね》を鳴らし、しばらく拝んでいたが、典子の方に向きなおって、

「兄は惜しいときに死にました。これからという時に、胸をやられまして」

と話しながら、封筒を破り、中身の手紙を出して読みはじめた。

典子は、畑中善一の妹の、これからの話に期待した。

「新田さんとも、長《なご》う会いませんが、お元気ですか？」

彼女は手紙をたたみながら、典子を見た。

「はい、とてもお盛んでいらっしゃいます」

「兄と仲のよい、京都のころのお友だちでしたが、……ところで、このお手紙にある兄の書いたノートのことでおいでになったのですね？」

「はい。善一さんは、小説がお好きで、大型の大学ノートに書かれたものが、柳行李《やなぎごうり》にいっぱいあったそうですが」

そのノートのことは、竜夫が最初、京都に白井編集長のことを調べに行ったとき、当時の学校仲間の話に出たことである。畑中善一という死んだ仲間の一人が小説家を志望して、創作を大学ノートにこつこつと書きためていた。それが柳行李にいっぱいある。それがいまどうなっているか分らないが、新田嘉一郎なら畑中の親友だったから知っているだろう、という話を聞いた。

竜夫は、畑中善一の、そのノートを見たくて、新田嘉一郎を探したのだが、所在が知れず、空《むな》しく帰京したところ、新田に偶然、典子の手引きで会ったのである。

新田自身は、その創作ノートのあることは知っていたが、現在、どうなっているか、犬山の近くにある畑中善一の生家に妹がいるから訪ねてみるがよかろうと、紹介状を書いてくれたのであった。

畑中善一の妹は、新田のその紹介状にまた目を落していたが、典子を見て言った。

「せっかく、お見えになってお気の毒ですが、あのノートは兄の友だちという誰かに、そっくり貸したそうで、この家にはないのですよ」

「え、ないのですか」

典子は失望を見せた。

「それは、お兄さんのお友だちの、何というおかたにお貸しになったのですか？」

「それがね、よく、お名前が分らないのですよ」

「名前が分らない？」

典子は怪訝《けげん》な目をした。

「はい、六年前に死んだ母が、ある日、この家に来た兄の友だちだという人に、そっくり貸したのだそうです。ちょうど、わたしは亡くなった夫といっしょに外地にいて、母の死んだあとに帰国したものですから、とうとう分らずじまいです」

邦子は、そう説明した。

「何か、借りて行った人の書いたものも、残っていないのですか」

「それもありません。その人は預り証か何か書いていったかも分りませんが、ここに残っていないのですよ」

誰だろう、そのノートを借りて行った畑中善一の友人というのは？　典子は、それが分る方法がないものかと考えた。

このとき、邦子の従妹が、茶を持ってはいり、典子の前に置いて去った。

「お兄さんのお友だちで、あなたが名前をごぞんじのかたはありませんか？」

典子は、何とか手がかりを得ようと必死になった。

「さあ」

邦子は考えた。首をかたむけて思案しているのは、東京から、わざわざ来たという典子に好意を示したからである。

「あ、そうだ」

邦子は、何か思いついたように膝《ひざ》をたたいた。

「あれにあるかもしれません。ちょっと、お待ちくださいよ、いま、探してきますから」

典子に断わって、彼女は身体《からだ》を起した。

外はようやく暮れかかっていた。天井に暗い電燈がついた。外には、あいかわらず、鶏と牛の啼き声が聞えた。

邦子は、探しものに暇がかかるとみえて、容易に戻ってこなかった。

だが、すわって待っている典子は、彼女の持ってくる何かに期待をかけていた。

3

天井には、黒くすすけた太い梁《はり》が這《は》っている。暗い電燈がその下に橙色《だいだいいろ》に灯《とも》っていた。牛も啼かず、鶏の声も聞えなくなった。赤茶けた畳の上には、さっき、邦子の従妹が置いて行った茶碗《ちゃわん》がぽつんと残っている。典子は、見ず知らずの農家に、ひとり待たされる心細さを味わっていた。

足音が、奥から戻ってきた。

「えらく、お待たせしました」

畑中善一の妹は、典子に何度もおじぎをしながらはいってきた。手に薄い本を持っていた。

「やっと、見つけましたよ。兄の心あたりのものといったら、これくらいのものですが」

「どうも、お手間をかけました」

典子は、心おどる思いで、その本を手にとったが、すぐに失望した。

それは、東京で、ビルの社長新田嘉一郎氏から見せてもらったと同じ雑誌の『白川』であった。しかも、号まで同じであった。これだけ見せてもらうのならば、わざわざ美《み》濃《の》の田舎まで来ることはなかった。

「あの、これだけでしょうか?」

すこし、ぶしつけだったが、典子は思わず質問した。

「はい。兄のものは、散りぢりになりまして。……なにしろ、百姓家だもんですから、十七年も経《た》ちますと、整頓が届かずに、何もかも、どこかへ失《う》せてしまいます。それに、わたしでもこの家におればよかったのですが、さっき申しましたように、長い間、外地に行っておりましたから、あとは年寄りだけで、どうにもなりませんでした。前には、兄の、いろいろなものが残っていたんですが」

それさえ残っていたら、何か手がかりになりそうなのだが、一物もないとなると、手のつけようがなかった。

「せっかくお見えになったのに、お気の毒ですが……」

農婦は、実際に、気の毒そうに典子の顔を見て、

「何にもなくてすみません。ただ、こんなものが一枚だけ残っていました。兄の若い時の写真ですが、お役には立たないでしょうが、まあ、見てください」

と懐《ふところ》から一枚の古びた写真をとりだした。

典子は、手にとって見た。

人物が、三人で、お寺の楼門を背景にして、立っていた。男は二十二三くらいであろうか、白いワイシャツとズボン姿で笑っていた。その傍《そば》に七つくらいの男の子が、シャツを着て、片手を横にいる若い女性に握られている。その娘は十九か二十《はたち》くらいの年ごろで、白っぽい着物をきて、パラソルをさしていた。この写真が夏に撮られたことは、その服装や、明暗の強い光線の具合でも分った。

「これが、兄です。二十年前の写真ですよ」

妹は、写真の人物の若い男をさした。畑中善一は屈託なさそうに笑っていた。瘠《や》せているが、いかにも明るい青年のようだった。兄妹と思って見るまでもなく、この農婦の

顔とたしかに似かよっていた。

「このお嬢さんは、どなたなんですか？」

典子は、パラソルをかざしている若い娘のことをきいた。その写真の顔もきれいであった。

「それが、あなた」

畑中邦子は、唇《くちびる》に微《かす》かな笑いをうかべた。

「兄の恋人にあたる女《ひと》ですよ。その横にいるのが、そのひとの弟さんです」

「あら、そうですか」

だいたいの想像はついていたが、典子は畑中善一の恋人という女の顔を見つめた。どちらかというと、下《しも》ぶくれのかわいい感じの女性だった。

「きれいなお嬢さんですわ。それで、お兄さまとは、ご結婚なさらなかったのですか？」

「そこまで行かないうちに、兄が死んでしまったのですよ。兄もその女の方が好きだったし、先方も兄が好きのようでしたが、兄が胸をわずらって郷里《くに》に帰ってから、そのままになりました」

妹は、すこし、しんみりした口調になった。

「でも、文通なんかはあったのでしょう？」

「いいえ、そんな手紙の往復などはなかったのです」

「あら、どうしてでしょう?」

「兄が京都から郷里に帰る前に、その恋人を諦《あきら》めなければならない事情が起ったのですね。詳しいことはよく分りませんが。兄は両親には何も言わなかったし、わたしも妹ですから、何も聞かせてくれなかったのです。でも、兄は、この写真だけは大事に持っていました。わたしは、年が若かったのですが、この写真を兄の本箱から見つけて、病気で寝ている兄に、これ兄さんのいい人でしょう、ときいたとき、兄は、うん、まあ、そうだ、と苦笑していたのをおぼえております」

「そのお嬢さんは、いま、どうしてらっしゃるかしら?」

「どこにおられるやら、さっぱり分りません。もう三十八九くらいですから、子どもの二三人くらいある奥さんでしょう」

典子はもう一度、写真を見た。畑中善一は明るく笑い、恋人はたのしそうに微笑《ほほえ》んでいた。

「そのお嬢さんのお名前は分りませんの?」

典子は、ひとりの青年の人生を見たような思いがし、胸に淡い感傷がきた。

「それが、まったく分りません。兄は、そのことについて一言《ひとこと》も口外しなかったのです。ですから、どこのどういう人やら、まるきり分らないのです。この写真だけが残っているんですよ」

畑中善一の妹は、そう言ったが、このとき、何かを話したいという素振りを見せた。

「わたしは、そのときは知らなかったのですが、今になって想像することがあるんですよ」

彼女は、すこし声を落して言った。

「兄が、その好きな人と別れたのは、たいへんな痛手だったと思うのです。兄の死が早かったのも、その精神的な苦しみがよほどあったような気がします。といって、先方の女のひとが兄をきらったというわけでもない、何か、二人の間に、不仕合せな出来事が起ったのが因《もと》だという気がするんですよ。いえ、これは、はっきりしたことは何もない、想像だけなんですが」

畑中善一の妹は都会的な話し方をした。長い間、外地に住んでいたというせいか、田舎の人とは思えなかった。

兄の恋愛の破綻《はたん》を語っていても、彼女の想像は典子に素直に理解できた。恋愛が当事者の意志以外の事故で破綻する、それはきわめてありふれたことだったが、畑中善一の場合は、周囲が反対するところまでも来なかったようだったから、その二人を離した事故とは何だろう、と典子はなんとなく考える目つきになった。

彼女は、また写真に目を落した。ふと、七八歳の男の子の顔を見たのだが、これは近所にいるどこかの子に似ていた。どこの子だったか思いだせないが、このくらいの年齢の子は、似たような顔が多いのであろう。むろん、この子はパラソルの女性の弟で、姉弟で畑中善一と京都の寺に遊びに行ったときの記念写真らしかった。

だが、これは、いわゆる記念写真屋が撮影したようなものではなく、素人《しろうと》のうつした写真であることはすぐに分った。だから、この時は写真の撮影者がもう一人いたわけである。畑中善一、その恋人と弟、それにカメラを持った誰かが、この一行に加わっていたわけである。

典子は写真の裏を返した。そこにペンで書かれた文字があった。

「昭和十×年×月×日、京都南禅寺《なんぜんじ》にて。撮影……」

撮影者の名前は、墨で、黒々と塗られてあった。典子は、あっと思った。撮影者の名前を消したのは、畑中善一自身であろう。つまり、彼はいったん、日付、場所、撮影者の氏名を書いたが、のちに何かの理由で、その氏名を抹殺《まっさつ》したのであった。

なぜ、そんなことをしたのか。――

「わたしが初めて見たときから、そこは黒く消してありましたよ」

畑中善一の妹は言った。

「そのときにも、兄になぜ、それを墨で消したのかきいたものです。まだ子供みたいな年齢《とし》でしたから、深い気持からではなく、何となくふしぎに思ってきいたのですが、兄は、ただ笑って、名前を書き損じたからだ、と言っていました。それで、わたしは、書き損じだったら、消したあとであらためて書けばいいじゃないの、と言ったところ、もう、それは書きたくないのだ、と言っていました。その時は、兄さんはずいぶん、ものぐさな人だと思いましたが、近ごろは、それは、そうじゃなくてほかに原因があったように思います」

「ほかの原因ですって?」

「ええ」

畑中善一の妹は、何か寂しい顔をしてうなずいた。

「でも、それはわたしからは言いたくないのです。お嬢さんは……」

と典子の顔を見て、

「東京のかただし、出版社にお勤めになって、普通の人より、ものをよくお考えになると思いますから、その先は、ご想像していただきたいのです」

と、目を伏せて言った。

典子にも一つの想像がうかんでいた。だが、それを口に出すわけにはゆかなかった。しかし、彼女の想像が、畑中善一の妹の考えとおそらく一致しているであろうことは信じていた。

典子は、この写真をできたら借りて東京に持って行きたかった。畑中善一の妹が、兄の唯一《ゆいいつ》の記念のように保存している品だから、それを言いだすのは辛《つら》かったが、彼女は勇気を出した。

「ええ、それはいいんですよ。あとで送っていただければ結構です」

畑中善一の妹は、典子の申し出を快く承知して、微笑しながら典子の顔を見た。

「失礼ですが、たった一度だけお会いしたお嬢さんが、なんだか好きになりましたから」


その晩、典子は犬山まで戻って、木曾川べりの旅館に泊った。

彼女は竜夫にあてて手紙を書いた。

手紙が竜夫の手もとに着くより、彼女の帰京が早いかもしれないが、今の気持は、彼に向って言葉で話すよりも、便箋《びんせん》の上に文字で書いた方が適切のように思われた。それは、ただ乾いた事実の報告だけではなく、今、彼女が感じている雰囲気《ふんいき》のようなものを竜夫に伝達してみたかったからである。

彼女がペンを走らせている部屋の外から、川の音が雨のように聞えていた。

——予定のとおり着きました。

畑中善一さんの生家を訪ねましたが、濃尾平野の中に、ぽつんとある農家でした。善一さんの妹さんというかたにお会いしましたが、長い間、外地生活をされたせいか、とてもはきはきした感じのする立派なかたでした。私は尊敬しました。

さて、お訪ねして畑中善一さんの交遊関係のものが何か残っていないかとおききしたのですが、残念ながら一つもないとのことでした。がっかりしました。せっかく、ここまで来たのに、と少々しょげていますと、そのようすが分ったのでしょう。妹さんは、気の毒そうに、やっと二つの品だけを探して持ってきてくれました。一つは、新田さんに見せていただいた、例の同人雑誌ですから、役に立ちませんが、もう一つの写真が、たいへんな魅力でした。同封の写真は、妹さんの好意で拝借したものです。よく、ご覧ください。

人物の三人を説明すると、立っている青年が二十年前の畑中善一さん、パラソルをさしている娘さんが畑中善一さんの恋人、その横の七八歳くらいの坊やは娘さんの弟です。善一さんが京都の大学を卒業した年だそうで、場所は、写真の裏にも書いてあるとおり、南禅寺です。私も、以前に一度行ったことがありますが静かで、とてもいいところです。ところで、肝心の畑中善一さんの恋人のことですが、どこの人やら名前も住所も分りません。家の人は、全然知らないのだそうです。というのは、畑中さんのこの恋愛は実らずに終って、畑中さんは恋人のことを家の人に何も言わないうちに亡《な》くなってしまったらしいのです。この写真一枚だけが残っていたというわけです。

だが、この恋愛の破綻の原因は何か妹さんには具体的には分らないそうですが、ある想像を持っているようです。それは、当人同士の意志以外の事故でその恋が実らなかったこと、その打撃が畑中善一さんの死を早めたこと、それから、その事故というのが、どうやらある人物に関係しているように思われることです。もっとも、最後のことは妹さんは、はっきり言わないが、口吻《くちぶり》にそんなようすがあります。

私の想像では、畑中善一さんと恋人の間に、別な男性が登場して、そのトラブルが畑中さんを失意に落したと思われます。写真の裏を返して、よく見てください。撮影者の名前が、墨で黒々と消されているでしょう。畑中さんが抹消したのですが、その消した名前こそ、その恋愛を破綻に導いた男性の姓名だと考えられます。つまり、この写真のときは、畑中さんの恋愛は無事に進行中であって、畑中さんは恋人、その弟、それに、のちのライバルとなった友人といっしょに、たのしく南禅寺に遊んだのです。そのときは写真をとってくれた友人の名を書いたけれど、後になってそれを真黒に消す理由が起ったのだと思います。妹さんが、子供心に不審がってきいたとき、もうその名を書きたくないと畑中さんは答えたそうです。彼にしたら、永久に忘れてしまいたい、憎むべき名前だったのかもしれません。美濃の田舎まで来て、収穫があったのは、この写真一枚だけです。でも、ずいぶん、豊富な暗示をもった資料だと思います。

畑中善一さんの創作ノートを借りて行った男の名前は分らなかったけれど、二十年前のその恋愛の破綻が、今度の事件に一筋の糸をひいているような気がしてなりません。

いまは、ただ、予感だけの、もやもやした想像ですが、帰京の汽車の中でゆっくり考えをまとめるつもりです。崎野さんも、考えてください。

畑中善一さんの妹さんは、いいかたでした。この人に会っただけでも、こちらに来た甲斐《かい》があったと思います。帰りには日が暮れたので、バスの来る通りまで、提灯《ちようちん》を持って私を送ってくださいました。真暗な濃尾平野にひろがった畑の匂《にお》いの中を、ほおずきのような提灯の火が先を歩いて行く印象は、これからも、忘れられないでしょう。

いま、木曾川の河畔の宿でこれを書いています。犬山のかわいいお城が夜の底に沈んでいます。

典子

崎野竜夫様

旅の哀歓

1

典子が目をさましたときは、障子に明るい陽《ひ》が射していた。時計を見ると八時すぎだった。昨日の疲れのせいか、思わず、寝すごしてしまった。

障子をあけると、木曾川が朝の強い陽をうけて真下に流れていた。今朝は、犬山の城がくっきりとみえる。

「お早うございます」

女中がはいってきた。

「あら、そう早くもないわ」

「さようでございますか」

女中は、微笑しながら、部屋の取りかたづけにかかった。

「あの、昨夜のお手紙、たしかに出しておきました」

「ありがとう。昨夜、速達で出していただいたのね?」

「はい」

それなら今晩あたり、竜夫のアパートに届くかもしれないが、やはり、典子の帰京の方が早いわけであった。

典子が洗面をすまし、部屋に帰ってくると、朝の食事が出ていた。鮎《あゆ》の塩焼とうるかとが皿にのっている。朝からこんなものが食べられるのも木曾川べりの土地のお陰であった。

東京で食べる鮎とは、まるで味が違うのである。母は鮎が好きなのだが、こんな新鮮なものを食べさせたら、どんなに喜ぶだろうと典子は思った。

するといと、急に家に電話したくなった。やはり、ひとりで旅先にいると、母がなつかしくなった。


「東京に電話したいんですけど、すぐに出るかしら？」

お給仕してくれる女中にきくと、

「ちょっと問いあわせてみましょう」

と帳場を通じてききあわせてくれた。

「あまり混んでいないそうでございます」

「そう。では、申しこんでくださいな」

「はい」

女中は、典子の言う電話番号を局に言った。

「これから、お嬢さまはどちらかへおまわりでございますか？」

茶を湯呑《ゆの》みに注《つ》ぎながら女中はきいた。

「いいえ、東京に帰ります。あ、そうそう、昼まえの急行だと何時がありますか？」

「十時三十九分の岐阜発がございます」

女中は暗記している時刻を言った。

「でも、せっかく、いらしたのですから、木曾川下りでもなさったらいかがですか？」

「ええ、ありがとう。おもしろいでしょうね？」

「はい、ここにお遊びに見えるかたはたいていなさいますよ。この先に、鬼《おに》ガ島《しま》という
ような名所もありましてね。岩と水の風情《ふぜい》がおもしろうございます」

女中が、名所案内をはじめているとき、電話が鳴った。

「あら、早いのね」

女中が送受器をはずしたが、やっぱり東京が出たのだった。

「もしもし」

はいはい、とこたえる声は母だった。少し声が遠いけれど、都内とあまり変らなかった。

「お母さま？」

「あ、典子かい？　わたしよ」

母は、すこし驚いたような声をあげた。

「今、犬山なのよ」

「え、どこだって？」

「イ・ヌ・ヤ・マ。ほら、日本ラインですよ。昨夜《ゆうべ》、ここへ泊ったの。鮎がとてもおい
しいわ。宿の下ですぐ獲《と》れるので、昨夜も、今朝もいただいたの。お母さまに食べさせ
たいわ」

「あの、典子」

母の声は急いでいた。

「ちょうど、いいところに電話かけてくれたわね、あなたがどこに泊っているか分んなくて困っていたの」

「あら、何かあったの？」

典子は胸がどきりとした。

「崎野さんがね」

と母は言った。

「崎野さんが、昨夜、おそく見えてね……」

「え、なに、崎野さんが、どうしたの？」

母の声が小さかったので、典子は大きな声できき返した。

「崎野さんは、あなたから、もしかすると電話で連絡があるかもしれないから、かかってきたら、すぐに自分のアパートに電話してくれ、とおっしゃったの。何か、とても急ぐ用事らしいのよ」

「そう？」

何の用事だろう。急用というのは、やはりあの事件に関係したことに違いないが、竜夫がそんなことを言うのは、よほど、あわてているに違いなかった。

典子は、母の言う、竜夫のアパートの電話番号を書き取った。

「よかった。あなたから電話がかかって」

母は安心したように言った。典子も、母に電話したくなったのは、虫が知らせたのかと思った。

「じゃ、すぐ電話してみます」

典子が答えると、

「そうなさい。崎野さん十一時ごろまではアパートで待ってらっしゃるそうだから、あ、それからね、用事がすんだら、早くお帰んなさいよ」

と母の声は言った。

典子は、あらためてメモした東京の番号を至急報で申しこんだ。

それが出るのは三十分くらいかかったが、典子は苛々《いらいら》した気持で待った。女中は面倒な用事らしいと察して部屋を出て行っていた。

ベルが鳴るといっしょに、典子は、送受器にとりついた。

先方から太い女の声が応答した。

「もしもし、こちら椎原と申しますが、崎野さんは……」

終りまで言わないうちに、女の声は、崎野さアん、と外へ向って叫んでいた。お、と遠くから男の声が聞えた。

「やあ、リコちゃんか」

と竜夫の声がするまで十秒とはかからなかった。竜夫は電話機の傍《そば》で待機していたらしかった。

「よく連絡がとれたね？」

竜夫の声は、はずんでいた。

「どうしたの、いったい？」

典子は、気持と違って、思わずとがめるような声になっていた。

「うむ、それよりも、いや、それは後まわしにして、どうだった、そっちの方は？」

竜夫は、やはり忙しそうな調子できいた。

「え、それがね、畑中善一さんの妹さんの家《うち》に行ったんですが、例のノートもなければ、それを借りて行った人も分らないの」

「なに、分らない？」

「え、妹さんが外地にいた時のことで、お母さんが貸したらしいんだけど、そのかたも亡くなって、誰が借りて行ったものやら、今では分らないそうよ」

「そうか」

竜夫の声の調子が、がっかりしたように落ちたのを、送受器は伝えた。

「無駄骨《むだぼね》だったか」

「いいえ、無駄骨ということはないわ」

「え、なに？」

「まるきり絶望ではないのよ。ノートの方はだめだったけれど、すこし興味のある材料が出たわ」

「へえ、何だい、そりゃあ？」

「写真よ。畑中善一さんの古い写真よ」

「ふうん、畑中善一の写真が何か役に立ちそうかね。僕が見たいのは、彼の遺《のこ》した創作ノートや、それを借りて行った人の名前だが」

「電話では詳しくは言えないわ。その写真と手紙とを昨夜、速達で崎野さんに送ったから、それを見てくださると分るわ」

「そう」

竜夫の声には、あまり期待をもたない響きがあった。

「もしもし、それで、崎野さんの急用っていうのはなによ？」

典子は自分の番にまわってきいた。

「ああ、それはね、実は、村谷阿沙子女史が、病院を出て、行方不明になったんだよ」

「えっ、何ですって、村谷先生が？」

典子はびっくりした。

「うむ、こっちの手抜かりだった。女史は、あの病院にいつまでも腰をすえているとばかり思っていたのが、間違いだった。昨日の朝、思いついて、ちょっと訪ねてみたら、二日前に退院だと病院では言うんだ」

「へえ、ご病気快《よ》くなったのかしら？」

「快くなるもならないも、あれは仮病だよ。金を出して病院にはいっていたまでだ。それはうすうす分っていたけれど、出て行ったきり、行方が知れないのはまいったよ」

典子は、胸が、どきどきした。何となく悪い予感がする。亮吾氏の行方も分らないうちに、今度は阿沙子女史が消息を絶った。——

「お家《うち》には帰っていらっしゃらないの？」

「むろん、世田谷の家には、すっとんで行ったさ。帰った形跡は全然ないね。女史は身のまわりのものを詰めたトランクだけを提げて出て行ったそうで、布団《ふとん》のようなものは、あとで取りにくるといって、病院に預けたままだそうだ」

「たしか身元引受人になってらっしゃる鳥取のお兄さまの方じゃないかしら？」

「いちおう、僕もそれは考えた。だから、昨日、さっそく、鳥取の方へ照会電報を打ったんだ。あの引取人となっている実兄の住所は、手帳に控えておいたからね。返電はすぐに来たよ。来ていないというんだ。これは、そのとおり信用してもいいと思う。僕も、そんな気がするからね」

「まあ、先生はいったい、どこへ行《い》らしたんでしょうね？」

典子の目には、肥《ふと》った女史が大きなトランクを提げて、よちよち歩くさまがうつった。それは寂しそうな姿だった。

「村谷女史のことは、こちらの油断だった」

竜夫の声はつづいた。交換手が三通話を過ぎる知らせをした。

「しかし、それは、もう仕方がないが……」

「ねえ、先生は、ご主人のところへ行ってらっしゃるのじゃないかしら？」

典子は、ふと、そんな気がして、言葉に出してみた。

「なるほどね、リコちゃんらしい考え方だが、にわかに賛成できないね」

「あら、どうして？」

「亮吾氏の居所が分っていたら、女史があんなに血まなこになって探すはずはないさ。まさか、あれが偽装とは思えないからね。そうそう、もう時間がないから、君に頼む用事を早く言うよ」

「ええ」

「君、今日、東京に帰るんだろう？」

「十時三十九分の急行で帰るつもりです」

「それじゃね、帰りに、豊橋《とよはし》にちょっと降りてほしいんだが」

「豊橋に？」

典子は、きき返した。

「豊橋なんかに、何の用事なの？」

「村谷女史の女中の実家なんだ」

あっと思った。そうだ、それは、うっかり彼女も気がつかなかった。

「調べたんだ。米屋に米穀通帳の登録がしてあったからね。じゃ、言うよ。いいね？」

「はいはい」

典子は急いで手帳を取ってメモした。

——豊橋市××町××番地　川村寅治《とらじ》方　川村広子。

あの広子という女中が川村という姓であることを典子は初めて知った。

「川村寅治さんというのは、親父《おやじ》さんか、兄さんか分らないがね。とにかく、そこに寄ってきてもらいたいんだけど」

「ああ、そこに、村谷先生がいらしているかも分らないというわけね？」

「いや、それならいいが」

竜夫の声がすこし笑った。

「たぶん、そんなことはあるまい。僕が知りたいのは、あの広子さんという女中が、実家に帰っているか、どうか、ということなんだ。それを確かめてきてほしい」

それでは、あの女中まで、どこかへ行ったと竜夫は想像しているのだろうか。典子は、だんだん、わけが分らなくなった。

交換手が、お時間です、では、と警告した。

「ええ、分りました。では、豊橋に降りますわ」

「悪いな。じゃ、頼みます」

電話は、その語尾が終らぬうちに切れた。典子は、しばらく、その場所にすわったまま動かなかった。

――いったい、村谷女史は、どこに行ったのか。竜夫は、頭から彼女の病気を仮病ときめつけているが、ひどい衝撃をうけている女史が、平静な精神状態でいるとは思えなかった。

「あの、汽車の時間が、あまりございませんが」

女中が知らせてきた。

典子は、急いで身支度をし、自動車を頼んだ。

車の窓から、木曾川をくだってくる舟が見えたが、鉄橋を渡ると、すぐに、川も、犬山城も、視界を去った。まる一日と一夜をすごした濃尾の野が、彼女には、やはり心に残った。

岐阜の駅についたとき、ほとんど同時に急行がはいってきた。車内はあまり混んでいない。乗客は誰もが、暑そうに座席に伸びていた。

典子は、時刻表をとりだして調べた。豊橋駅着は、十二時二十三分だった。この時間なら、豊橋ですこしぐらい時間がかかっても、今日じゅうには、東京に帰れるはずだった。

座席に身をもたせ、典子は、いろいろなことを考えていた。

2

列車が豊橋駅についたのは、十二時二十三分の定時であった。

典子は改札口を出た。初めての街の風景がまたもや目の前に広がっていた。小さな旅のよろこびである。通行人が、みんな未知の新鮮さにあふれ、親しみが感じられた。

典子は駅前の土産物屋で、川村寅治の住所をきいた。背の低い老婆《ろうば》が、詳しくその行先を教えた。こんな行きずりの行為も、たのしさがある。

歩くと、かなり時間がかかるらしい。典子はタクシーに乗った。

見知らぬ街の景色が窓から流れてゆく。

「お客さんは遠方からですか?」

運転手がハンドルを動かしながらきいた。典子が、あんまり珍しそうに外ばかり眺《なが》めるものだから、声をかけたくなったらしい。

「そう、東京よ」

典子が答えると、

「そうだろうと思いましたよ。どうです。豊橋は田舎でしょう?」

と運転手は前向きのまま大きな声を出した。

「そうでもありませんわ。とても賑《にぎ》やかですわ」

「いやいや、田舎ですよ。賑やかな繁華街はちょっとしかありませんからな。ほら、もう寂しい町の通りになってるでしょう」

外の景色は、なるほど、そのとおりであった。

「東京か。なつかしいな」

と運転手は溜息《ためいき》をついて言った。

「あら、あなたも東京のかた?」

「いえ、生れは違うんですが、五年ばかり東京にいたことがありますよ。品川の方にね。だから、東京と聞いたら、なつかしいんです」

運転手は半分は東京にいたことを自慢したいような口吻《くちぶり》であった。

「そのとき、私は長距離輸送のトラックの運転手をしていましてね。東京から、この豊橋通いの定期便に乗っていましたよ」

運転手は興に乗ってしゃべった。東京と違い、自動車が少なく、赤青の信号機も、たまにしかない。そのかわり、自転車に乗って走る人間がばかに多い。

「深夜の東海道を突っ走ったもんです。そのうち、この豊橋に縁ができて、女房を貰《もら》いましてね。とうとう、こんな所で沈没でさ」

運転手は笑ったが、それは自嘲《じちよう》ではなかった。

「結構だわ」

と典子はこたえた。

「さあ、結構かどうか。とにかく、女房がね、東京通いのような危なくて激しい労働の仕事はやめて、こっちの方に勤めてくれって言うんで、あたしもその気になり、今じゃ、構内タクシーの運転手ですよ。もう、この仕事に移って五年になりますからな」

「いい奥さまですわ」

典子は、世辞でなく、これは心から言った。

「へえ……」

運転手は、ちょっと頭を下げて笑った。この運転手も善良な人間のようだった。

「あ、ここです」

彼はブレーキをかけた。

「何というお宅か、お名前が分っているなら、きいてあげましょうか」

運転手は言ってくれたが、典子は断わった。あんまり正面からの大げさな訪問にしたくなかった。

「では、お気をつけてください。ありがとうございました」

運転手は帽子を脱いで礼を言った。

「さよなら」

典子は車の方向をまわしている運転手に軽く手を振った。

「奥さまによろしくね」

これも旅先のちょっとした感傷だった。運転手は窓ガラスの中から、もう一度、おじぎをし、走り去った。

典子は、あたりを見まわした。この辺は、豊橋の市中でも、ほんとの場末らしく、低い屋根の家が両側に寂しそうに延び、それも間が空いて畑になっているところが多かった。家はどれも古く、埃《ほこり》をかぶったように見えた。

角に小さな雑貨屋があった。さっきから、もの珍しそうに見ている主人らしい男に、典子は川村寅治の家をきいた。

「川村の家なら、その先の自転車屋ですよ」

その主人は指をあげた。

自転車屋といっても、それは名ばかりで、小さな間口の、狭い土間に修繕の古自転車がごたごたとならんでいた。新車は一台も陳列してなかった。

油で真黒によごれたシャツを着た五十すぎぐらいの、半分は白髪の男が、自転車をさかさまに立て、しゃがみながらタイヤのパンクの修理をしていた。

典子は、この人が川村寅治であろうと思った。やはり、広子の父にちがいない。どこか、面影《おもかげ》があるように思える。

「ごめんください。川村寅治さんでいらっしゃいましょうか?」

「へえ」

タイヤにゴム糊《のり》を塗っていた男は、よごれた顔を上げた。

「川村は、わたしですが……」

「広子ですか、さあ、広子はこっちに帰っていませんが……」

川村寅治は、典子の話を聞くと、ぼそりと答えた。彼の表情にはそれほどの変化はなく、目つきも、唇《くちびる》も、言葉も弛緩《しかん》していた。

広子が村谷阿沙子の家から暇をとったと聞いても、この父親は少しも関心を示さないふうだった。

「広子さんから、そのことで、何かお便りはなかったでしょうか?」

典子は、さしのぞくようにしてきいた。

「いいや、何にもありません」

広子の父はあいかわらずの調子で答えた。

「広子さんからの手紙は、最近、いつごろ来ましたか？」

「さあ、一年くらい前かな、いや、もっと前かな。そんなもんです」

この父娘《おやこ》は、そんなに文通しないのであろうか。典子には、ちょっと分らなかった。広子が村谷家を出たといってもそれほど驚きもしないし、現在どこに行っているのか心配するようすでもなかった。彼の目は、修繕途中のタイヤに落ちていた。娘のことよりも、やりかけの仕事の方が気にかかると言いたげであった。

「ご親戚《しんせき》の方にでも、広子さんは行かれたのではないでしょうか？」

典子は、少しじれったくなって質問した。

「さあ、そういう親類も、べつにありませんでなあ」

川村寅治はやはりとぼけたような表情で答えた。

「そうですか」

典子は所在なくそこに佇《たたず》んだ。要するに、川村広子は実家に帰っていないのである。彼女は村谷阿沙子の傍《そば》を離れて、どこに行ったのか、いっさいの消息が不明だった。

折から、奥の暗いところからエプロンがけの、四十ばかりの頭の髪の縮れた女が出てきて、そこに立っている典子をじろじろと見た。

広子の母かもしれないと思って、典子は会釈《えしやく》をしたが、その女はうさんげに頭をちょっと下げただけで、川村寅治に話しかけた。

「あんた、横尾さんの仕事はもうすんだかいな?」

うむ、と川村寅治は口の中で返事をした。

「これがすんだら、行こうと思ってるとこだ」

「早くしなさいや。遅れると、また小言を食うぞな」

「うむ」

川村寅治は生返事をしていた。

典子は、この女がやはり広子の母だったかと思い、あらためて腰をかがめた。

「お忙しいところをすみません。広子さんのお母さまでしょうか?」

縮れ毛の女は、じろりと典子を見た。

「はあ、わたしは広子さんの母親ということになってますが、後添いでな。広子さんとは生《な》さぬ仲ですよ」

典子は声をのんだ。とっさの挨拶《あいさつ》に困った。彼女のその顔を、縮れ毛の女は多少心地よさそうに見ていたが、

「あんたさんは、広子さんのお友だちですかいな?」

と詰問《きつもん》するようにきいた。

「ええ、ちょっと知りあいなんですが」

「へえ、広子さんがどうかしましたか？」

その女の声はさぐるような調子があった。

「広子がなあ」

突然、横から川村寅治がぼそぼそと言った。

「村谷さんとこを出たそうだ。そいで、こっちに帰っていないかと東京から尋ねてきなさったのだ」

「へええ」

縮れ毛の女は、どこか意地悪い目つきで、夫と典子の顔を等分に見た。

「そりゃ、どうしたんじゃろうな、あんた……」

「さあ」

川村寅治は困ったような顔をした。

「奉公先を出るなら、出るで、ハガキ一本くらいくれてもよさそうなもんじゃが。まあ、どうせ、わたしが気に入らんで東京へ出て行ったんじゃから、黙っとるのもええけど、行先ぐらいは知らせても、悪うなかろうにな。あんたは、ほんとの父親じゃからな。昔からいこじな娘《こ》じゃで、やっぱり、わたしに面当《つらあ》てに、そんなことをするんじゃろ」

縮れ毛の女の声は、しだいに、とがりはじめた。

川村寅治は、何も言わず、肩を落してかがみ、ふたたびタイヤに糊を塗りはじめた。

典子は逃げだした。

典子は豊橋駅から次の急行に乗った。

車窓はあいかわらず明るい、右側におだやかな海が見えていた。陽《ひ》が少し落ちかけて、海の色が沖から変化していた。気分は重かった。今までの旅のたのしさがどこかに押しやられ、暗いものが心にひろがっていた。

川村広子は不幸な家庭に育ったらしい。実際の母に早く死に別れ、そのあとに、継母が来た。縮れ毛の、瘠《や》せた、勝気な女である。広子は憎まれた。実父は、人がよく、一《ひと》言《こと》も娘の肩を持ってやれなかった。少しでも、口出ししたら、たちまち、あの女房に鋭くたたかれたに違いない。

広子は耐えられなくなって、家を出て東京へ行った。どのような伝手《つて》があって村谷家に女中に住みこんだかしれないが、それが彼女のみずから築いた安息の場所であった。典子の記憶では、うすい皮膚をもった、顔の細い娘であった。主人の村谷阿沙子に使われ、しじゅう、おどおどしたところがあった。若い女としての喜びを少しも知らないといった萎縮《いしゅく》したものを、彼女の身体《からだ》全体が持っていた。いま、彼女の実家を訪ねて、はじめてそれがはっきりと典子には分った気がした。

ちょっとした旅だったが、いろいろな人生の断片を典子は覗《のぞ》いたような思いがした。犬山の畑中善一の妹、木曾川べりで遊んでいた若い人たち、豊橋のタクシーの運転手、広子の父親と継母、みんなそれぞれの生活と人生があった。――

静岡をすぎたころには富士山がようやくくろずんだシルエットになって見え、熱海では、暮れたばかりの夜の入口に、きれいな湯の街の灯《ひ》をちりばめて輝いていた。東京が近づくにつれ、一つ一つの停車駅に乗客が降りてゆく。車内が心細く疎《まば》らになっていった。

東京駅に着いたのは、七時すぎだった。

小さな旅行だったが、ずいぶん、久しぶりに東京に帰ったような気がした。

ホームに降りたとたんに、人混みの中から、

「やあ、お帰り」

と大きな声が聞えた。竜夫だとすぐに分った。

「あら」

まさか、竜夫が迎えにきてくれているとは思わなかったので、典子は正直にうれしかった。竜夫はしろい歯を出して笑っていたが、あたりの混雑の興奮した雰囲気《ふんいき》に感染しているのか、彼の顔色は紅潮していた。

「迎えにきてくださったの？　よく、この汽車だと分ったわね」

「何となく、そんな臭《にお》いがしたからさ。なに、社の仕事がいま、すんだのでね。帰りがてらに、ぶらぶらとここまでやってきたんだ。そう恐縮することはないよ」

竜夫は言ったが、それが何となく、てれ隠しのようだった。

「どれ、そのケースを持ってあげよう」

竜夫は手をさしのべた。

「親切なのね、あんがい」

「いや、遠路の労をねぎらってるのさ」

二人は肩をならべて、ホームの階段をおりた。忙しげな群衆が流れて渦巻《うずま》いている。東京の気ぜわな空気も典子には久しぶりのような気がし、典子は車中での暗い気持がふき飛び、心がはずんだ。

「君の速達の手紙、さっき読んだよ」

竜夫が歩きながら言った。

「そうお?」

「とてもおもしろい。感動したな」

典子は、竜夫が冗談を言っているのかと思い、その横顔を見たが、彼は笑いもせず、目を輝かしていた。典子は、胸が鳴った。

「そんなに素敵だったかしら?」

典子の方が軽口めかした。

「よかった。何だか、目を洗われたような気がしたな」

竜夫は、実際に興奮した口調で言った。

「それ、どういうことなの?」

典子は、あの手紙の報告で、竜夫が何を考えたか早く聞きたかった。

「ゆっくり言うよ。どこかで、お茶でも飲もうか?」

「そうね」

二人は八重洲《やえす》口《ぐち》側の改札口を出ると、人の流れについて名店街の方へ歩いた。

「そうそう、村谷さんところの女中さんと、豊橋で会えたかね?」

竜夫が気づいたように、性急な調子できいた。

「それも、お茶を飲みながら、ゆっくり話すわ」

「なるほどな」

二人は顔を見あわせて笑った。典子の心は抑えても浮きたっていた。

3

名店街の途中まで来ると、竜夫は通路の左側にある小さな階段をのぼりはじめた。

「あら、どこに行くの?」

典子は下に立ちどまって声をかけた。

「お茶をのむんだろう?」

竜夫が上から答えた。

典子が後ろから従うと、そこはコーヒーを飲ませるような喫茶店ではなく、純日本風の茶室の構えになっていた。鎧《よろい》が飾ってあったり、床の間に茶掛けがあったり、焼物がならんでいたりした。迎えたサービスの女も、風炉《ふろ》の前にすわった若い女も、振袖《ふりそで》のように長い袂《たもと》の着物をきていた。

「あら、あんがい、渋いところを知っているのね」

典子は、珍しかったので、あたりを見まわした。

「旅から帰ったら、こういう所も、落ちついていいだろう。第一、客が混まなくていい」

なるほど、喫茶店よりはずっと落ちつきがあったし、埃をかぶってきたような旅の心持が、ここで落されるような気がした。客は、向うの席に、年輩の男が三人ほど、静かに話しあっているにすぎなかった。

「ここ、ときどき、利用するの?」

「ああ、ときどきね」

「へええ、あんがい、おじいさんみたいな趣味があるのね」

悪口を言ったが、着物の女の子が運んできた楽焼《らくやき》を両手で抱え、緑色の泡立《あわだ》ちを眺《なが》めていると、気がしずまってきた。

竜夫は茶碗《ちゃわん》を仰向けに音たてて啜《すす》ると、

「どうだね、趣味が気に入らなかったかもしれないが、この辺でリコちゃんの話を聞こうか?」

と残りの羊羹《ようかん》を頰張《ほおば》って口を動かした。

「まあ、無作法ね」

典子は眺めた。

「なに、上品に食べちゃ味がない。いちどきに食べるに越したことはないさ。そんなことよりも、どうだった? 村谷家の女中さんと豊橋の実家で会えたかね?」

竜夫は目だけを輝かしていた。

「ううん」

典子は首を振った。

「留守だったのかい?」

「広子さんは、東京から実家には帰っていなかったわ」

「なに、帰っていないんだって?」

竜夫は羊羹をのみこんだ。

「ええ、戻らないんですって。お父さんという人に会ったんですが、家庭的に、かなり複雑な事情があるらしいわ」

典子は簡単にその見聞の事情を話した。話しているうちに、狭い店の中で、自転車をさかさまにして、チューブに糊を塗っている川村寅治の恰好《かっこう》や、傍で目を吊《つ》り上げている彼の後妻の姿などが目にうかんだ。そのときに当っていた陽の明るさまで見えるのである。

「そうか」

竜夫は頬杖《ほおづえ》をついて聞いていたが、話が終ると煙草《たばこ》をとりだした。が、典子が思ったほどに失望はしなかった。

「ねえ、かわいそうに、広子さんはどこにいるんでしょうね?」

典子は、すこし張りあいがなかったが、竜夫に興味を押しつけるようにきいた。

「さあ」

竜夫はすこし斜めになって、煙を吐き、目を細めている。それは彼が考えているときの癖だが、あんがい、それほど深刻そうでもなかった。典子は、彼がそれに、ある想像を立てているのではないかと思った。

「君の留守中に分ったことではね」

と、やや沈黙がつづいたあとで竜夫は言った。

「亮吾氏の失踪《しっそう》ね、あの線の追求は失敗に終ったよ。いつか訪ねた小田原駅の友人から、今日、電話があってね、あの時の『出雲《いずも》』が止った各駅を出札の枚数に合わせて調べてみたが、結局、見当がつかないそうだ」

竜夫は声の調子といっしょに、身体の向きも典子の正面に変えた。

「まあ、それはそれとして、リコちゃんの、あの手紙ね、とても興味が湧《わ》いたよ。ご苦労をかけたが、やっぱり、君がはるばると、現地に行っただけのことはあったね」

「そうお？」

典子は、竜夫の目を覗いた。

「よかったわ。それで、どんなところが、おもしろかったの！」

「畑中善一の創作ノートを誰かが借り出して行ったことが明確になったのは収穫だったがね。誰が借りて行ったのか分らないのは、すこし残念だね。しかし、考え方によっては、それもおもしろいな」

竜夫の言うそのおもしろさは、典子に理解ができた。謎《なぞ》を解く興味であろうが、そんなことをたのしまれては困ると思った。

「ただ、それだけなの？」

典子が不満な口吻《くちぶり》になると、竜夫はあわてて首を振った。

「いやいや、そうじゃない。むろん、君が送ってくれたあの写真だよ」

やっぱり、彼も写真に興味を持っていた。

「ゆっくり、ご意見を伺いたいわ」

典子は両肘《りょうひじ》をついて指を組みあわせ、その上に顎《あご》を据《す》えた。

「そうか。じゃ話そう」

竜夫は、ちょっと目をすえた。

「まず、畑中善一さんの妹さんの写真についての話がおもしろい。待て待て。ここに現物を持ってきたから、これを見ながら話すよ」

竜夫は、上着の内ポケットから封筒をとりだした。それは典子が犬山の宿から出したもので、その中から彼は写真をひきだした。

二人の若い男女と、幼い男の子とが、古い寺の楼門を背景に立っている。若い男と女とはなにか仕合せそうに笑っていた。すでにセピア色に退色した写真だが、典子は、これをはじめて見せられたときの、濃尾平野の古い百姓家がまたも目にうかびあがった。

「この楼門はね」

竜夫が指でさした。

「石川五右衛門が、いちじ、アジトにしていたところだよ。ほら、歌舞伎でするだろう、五右衛門が大きな煙管《きせる》を持って目をむき、絶景かな、絶景かな、といばってみせるやつさ」

「そんなくだらないことはどっちでもいいわ。早く、肝心なことを言ってよ」

「失敬失敬。しかし、この写真もある意味で絶景だね。畑中善一と、その恋人とが幸福そうに写っている。この男の子は、恋人の弟だそうだが、こういうのもいいな。おそらく、畑中善一にとっては、短い生涯《しょうがい》の一番仕合せな時期だったんだね」

典子は、うなずいた。

「ところが、幸福の下から、悪いやつがのぞいていたのだ」

竜夫は裏を返した。「昭和十×年×月×日、京都南禅寺にて。撮影……」と古いペンの文字と、その下を消した真黒い墨とが異様な感じで現われた。典子には二度目であった。

「リコちゃんが手紙で想像したとおり、この消された撮影者の名前は、畑中善一とこの娘さんの恋愛を破綻《はたん》に導いた人物の名に違いない。それでなければ彼が、わざわざ墨で塗りつぶすはずがない。ふたたび、文字の上でも見たくない姓名だろう。畑中善一がこの恋愛に破れて、死期を早めたかどうかは別として、ひどい衝撃《ショック》だったことは想像がつく。小説家を志したような青年だから多感だったに違いない。死ぬまで写真を持って、かつての恋人を懐《なつ》かしがったけれど、この撮影者の名前は永久に憎んだ。つまり、君も手紙で推察を書いていたように、この抹消《まっしょう》された名前の主は、畑中善一の友人で、あとで彼の恋人を奪った男なんだな」

「そうね」

「ひどい友人だが、世の中にはよくあるケースだ。はじめは、この写真のようにいっしょに遊んでいて、途中から、その恋人を略奪したなんていうのはね。そこで、この写真について、ここで少し分析してみようじゃないかね」

「いいわ」

典子は、すぐに賛成した。

「まず最初にだね、この畑中善一の恋人に、君は心当りはないかね？」

典子は、あらためて、写真の娘さんの顔に見入った。が、その二昔《ふたむかし》も前に流行したであろうパラソルをかざした十九か二十《はたち》くらいの女性には、もちろん、おぼえはなかった。下ぶくれのかわいい丸顔だが、夏の強い光線が片頰に白く当っている。

「心当りなんか、ないわ」

典子は否定した。

「じゃ、この弟という男の子はどうだね？」

竜夫は次をさした。

そうだ、この男の子のことだが、最初、見せられたときもそうだったが、今でも、近所かどこかで見たような顔だった。それも、非常にまれに、そして、ずっと以前に。

――

典子がそれをありのままに言うと、竜夫は妙な顔をして典子を見た。

「リコちゃん、君もそう思うかね？」

「え、君も、ですって？」

竜夫はうなずいた。

「そうなんだ。僕もそう思うんだ。どこかで見かけた子供の顔だね。感じは少々違うがね。なんといったらいいか、こういう正面を向いたときの顔ではなく、横向きだとか、うつむいているところとか、何かそういうときに見た顔だね。近所の子のようでもあるし、よその町で見た子のような気もする。妙だな、君も同じことを思っているとは」

彼は典子をじっと見ていたが、

「もっとも、子供の顔は同じようなのが多いからな」

とつぶやいた。

着物のサービス嬢が来て、熱い番茶を運んでくれた。別の客席では新しい客がはいってきて、骨董《こっとう》の話などを大声でしていた。

「そこで、この女性にも、小さな弟にも、われわれは無縁だとすると」

竜夫が話しだした。興が乗りはじめたことは、その顔つきでも分った。

「いったい、この女性は、現在、どうなっていると、リコちゃんは想像するかい？」

その質問の意味で、竜夫も同じ想像をしていると典子は感じた。

「そうね、きっと、この写真を撮った人と結婚していると思うわ」

「そうだ」

竜夫は、はたして言った。

「僕も、そんな気がするな。どんな手段で、いや、手段と言っちゃ悪いが、どんな結ばれ方で、畑中善一の恋人をこの男は自分にひきつけたか知らないが、現在も結婚はつづいているような気がするな。が、これは、まあ、あくまでも想像だから、これに拘泥《こうでい》していては危険だがね」

「危険?」

典子は、その言葉にちょっと驚いた。

「そうだ、危険だ。僕は、この消された撮影者の名前から、この事件の一方のいとぐちを見つけようというのだからね。そら、君も手紙に書いていたじゃないか。二十年前のその恋愛の破綻が、今度の事件に一筋の糸をひいているような気がしてならないって……」

「それは、わたしの漠然《ばくぜん》とした空想よ」

「いや、それは当ってると思うな。僕もそんな気がするから」

「あら、いやに今夜は、調子を合わせてくれるのね」

典子は思わず笑った。

「正論には反対しないさ。そんなケチな根性は持ってない。それに、あるいはその人物こそ、この事件のすべてのカギをにぎる人物——つまり田倉殺しの犯人かもしれない」

「わたしもそんな気がするな。でも、撮影者の名前をどうして探しあてるの？」

「推測するんだね。そりゃ困難じゃない。畑中善一の友人に限界をおけばいい」

竜夫は両手で枠《わく》のようなかたちを作った。

「畑中善一のそのころの友人といえば、大学で彼がいっしょだった連中だろうね。それも、宍戸寛爾博士の文学関係の門下生だな。つまり、いっしょのグループさ」

「ああ、それだと、すぐに分るわね。名簿が残ってるんですもの」

典子は声をあげた。

「分るはずだ。しかし、そのうち、六人は該当者でないね」

「六人ですって？」

典子は目をみはった。

「うん、さっそく、僕の記憶の中で調査した。神代《こうしろ》修一、赤星仙太、吉田万平、上田吾郎、この四人には、僕が前に京都を中心に調査に歩いたとき、それぞれの家庭を訪問して、奥さんに会っている。この写真の女性とは似ても似つかぬ顔だった」

「それから？」

「新田嘉一郎さ」

竜夫は日本橋のビルの社長の名をあげた。

「彼については、君も僕といっしょに阿佐ヶ谷の自宅を訪問したとき、お茶を持って奥さんがちょっと顔を出しただろう。あれはこんな感じではなかったね?」

典子は、そのとおりだと思った。自分の瞬間の記憶だが、まったく違っている。

「そうね。それで、あとの一人は?」

典子はうながした。

「あとの一人か」

このとき、竜夫は変な表情をした。

「そう、六人だったら、もう一人残ってるわ」

「それは、ね」

竜夫は、妙にゆっくりと言った。

「白井良介さ」

「あ」

典子は、竜夫の顔をまじまじと見た。

「そうさ。われらの編集長さ。彼だって畑中善一のグループだったからね。当然、枠の中にはいってくるよ」

竜夫は典子のかたくなった顔を見返した。

「だが、安心したまえ。リコちゃんの尊敬する白井編集長は、独身だよ」

「あ、そうか」

「おいおい、すっかり安堵《あんど》するのはまだ早いよ。僕が、さっき、危険だと言ったのは、ここだ。畑中善一の恋人は、現在も結婚していると僕らは一致して考えたが、これは何となしにそう思っている想像だからね。事実は、かならずしもそうでないかもしれない。いったんは結婚したが、離婚して、現在は違う人の奥さんという想定も成り立つ。だから、僕が会った五人も、奥さんの顔が違ったからといって消すわけにはゆかないよ。結婚の前歴を調べるまではね。たとえばだね、白井編集長だって、今は独身だが、過去には結婚していたかもしれない」

竜夫は、そう言ったきり、急に沈黙した。

その姉弟

1

その茶室めいた店を典子と竜夫が出たのは九時に近かった。今晩は土曜日なので、名店街を歩いている人が多い。改札口も、ホームも人の群れでいっぱいであった。電車の中も満員だった。

竜夫も典子も、帰る方向が同じ中央線なのでいっしょに乗った。わずか一晩、家を空けたのだが、典子は窓の外を流れる東京の灯《ひ》が珍しいくらいだった。

――あの古写真の撮影者は、畑中善一の恋人と、現在結婚している。

この想像は、竜夫も同じことを考えているように、間違いなさそうだった。それを京都の大学生当時の畑中善一の周囲、宍戸寛爾博士の門下生グループにしぼるのも適切だろう、と典子は、考えつづけていた。

だが、竜夫の言うように、彼らの現在の妻が、その当人だったとは言いきれない。それは死んだ妻かもしれないし、別れた先妻かもしれないのだ。その結婚歴を一人一人調査することは、とても、できる話ではない。すると、竜夫が、撮影者を割り出す、と言っても、不可能なことである。

(白井編集長も、現在は独身だが……)

と竜夫は言った。これが妙に、典子の心にかかって仕方がない。白井良介も、たしかに宍戸寛爾の門下だったから、畑中善一を含めたグループにいたのだ。

竜夫の口吻《こうふん》には、いつも白井編集長が何となく出てくる。典子は、それが気に染まなかった。いったい、竜夫のそんな意識に白井編集長がのぼったのは、いつからであろう。

そうだ、あれは、村谷阿沙子の代作者が彼女の夫だと竜夫が言ったとき、絶対にそうではない、と断固として否定したのが白井だった。理由は彼のカンだと言った。

竜夫は、はじめのころ、それを経験二十数年のベテラン編集長の経験からくるものだと、ひどく感心していたが、しだいに、それが別な考えに移動してきたのではないか。つまり、それを明言したのは白井良介のカンではなく、白井は、代作者が阿沙子女史の夫でないことを知っている。その事実が分っているから、そう断言したのではないか、と竜夫は考えだしたような気がする。

要するに、竜夫は、白井が何か知っているらしいと思っているのだ。知っていて、知らぬ顔をしながら、いろいろと自分たちに取材活動を命じている。そんな猜疑心《さいぎしん》を起しているように思える。

これが、典子にとって、竜夫に対する唯一《ゆいいつ》の不満だった。典子は、白井編集長を尊敬していた。そんな疑い深い目で見たくない。代作者が阿沙子女史の夫でないと断言しても、それはあくまでも編集長の経験からのカンにしておきたかった。——

いつのまにか、新宿駅に着き、電車がとまると、乗客の半分くらいがぞろぞろと降りて行った。空席が急に目立ったかと思うと、どっと新しい乗客がなだれこんできた。

典子と竜夫が掛けた席の前にも、若い男が突進してきて、争うように空席に身体を投げた。汚れたシャツと、カーキ色のズボンをはき、労働者のような風采《ふうさい》をしていた。まだ二十二くらいの若者で、おさな顔が残っており、きょろきょろと車内の吊《つ》りポスターなどを見あげていたが、やがて、尻《しり》のポケットから皺《しわ》にしてたたんだスポーツ紙をとりだして読みはじめた。

典子は、何気なくその若者のうつむいた顔を眺《なが》めていたが、急に、あっと叫んで、とびあがりそうになった。竜夫の腕を思わず摑《つか》んだ。

「あ、分ったわ、崎野さん」

かなり大きな声だったが、折から電車が轟々《ごうごう》と鉄の陸橋を渡るところで、ほかの乗客には聞えなかった。

竜夫は典子の方に顔を向けたが、それは典子の言葉でふりむいたというよりも、彼自身が何か用があって彼女の方を向いたといった方がよかった。彼の表情にも奇妙な興奮があった。

「ああ、分った、分った」

竜夫は変なことを口走った。

「あら、あなたも分ったの?」

典子は目をみはった。

「分ったよ。たった今。君も同じことを思いだしたんだろう?」

竜夫は典子の目をのぞきこんだ。

「じゃ、何だか、言ってごらんなさい」

「あの写真の男の子のことだろう?」

「そうよ!」

典子の声がうわずった。

「じゃ、誰のことを思いだしたの?」

「みなまで言うことはないだろう。僕たちが共同で以前に会った人だ。君は、前にすわった青年を見てたね。僕も見ていた。あの新聞をよんでいるうつむいた顔で思いだしたんだろう? 僕もそうだよ」

「じゃ、わたしが言うわ。写真の男の子は、田倉の奥さんの弟だわ。その小さいときの写真ね」

竜夫の目が笑いだした。

翌日は日曜日だった。

典子が外出の支度をしていると、母が来て、

「あら、お出かけ?」

と意外そうな顔をした。

「今日はお休みじゃなかったの?」

「そうよ。でも、少し用事があるの」

「そう。でも、昨夜《ゆうべ》旅行から帰ったんだから、今日はゆっくりお休みしたらいいのに」

母は引きとめたそうな目つきをしていた。

今日は十一時に竜夫と東京駅で待ちあわせる約束だから、せっかくながらその意に従えなかった。典子は、腕時計を見ながら門を出た。

竜夫は、きちんと十二番線のホームの売店のところに先に来て待っていた。今日はうすい鼠色《ねずみいろ》の服を着て立っていたが、いつもとちがって、さすがにズボンにはクリーニングのプレスがよく利《き》いていた。

電車に乗ると、すぐに発車した。天気がいいので、遠出の家族づれの客が多かった。

「田倉さんの奥さんが、二十年前の畑中善一さんの恋人だったとは驚いたわ」

典子は、そのことをすぐに話題にした。実は、昨夜床にはいってからも、それが、頭から離れなかったのだった。あの男の子が、いつか藤沢の喪中の田倉宅で会った青年と顔が同じだと分った以上、その横にならんでパラソルをかざしている畑中善一の恋人は、当然、田倉義三の妻でなければならぬ。

「考えてみると、僕たちは、田倉の奥さんに会っていないから、見たことがない」

竜夫は言った。

「そうね」

典子はうなずき、そのまだ見ない田倉の妻の風貌《ふうぼう》を、写真から想像した。

「おそらく会っても同じことだろう。今日はその確認よりも、奥さんから話を聞くのがたのしみだな」

「でも、奥さんは話してくれるでしょうか？」

典子は、藤沢にこれから訪ねて行く田倉の妻の態度が気にかかった。

「ある程度はね。全部は、むろん、話さないだろう。しかし、こっちのきき方によっては、データは取れるよ」

竜夫は楽観していた。

「でも、妙なことになったわね。組み立てた仮説と違ってきたわ」

「何のことだい？」

「だって、わたしたちは、写真の撮影者が、畑中さんの恋人と現在結婚していると想像したでしょう。すると、田倉さんがあの写真を撮ったということになるわね。すると、写真の撮影者が田倉さんを変死させた人間という推測は、いったい、どうなるのかしら？」

うむ、と竜夫はうなったような声を出した。その顔は当惑した表情でしかめ面《つら》になっていた。

「そりゃもっともだ。僕も、その矛盾は昨夜から考えたがね。しかし、推理は実際とはちがうから、いろいろな齟齬《そご》は出てくるよ。しかし、実際に当りながら、こっちの考えていた矛盾を新しい発見の線に結びつけて調整してゆくうちに、真実の線がしだいにうかびあがってくるよ。まあ、これからのことは、藤沢に行って、田倉の奥さんの話を聞いてからのことだな」

竜夫は、苦しそうな言い方をした。それから正面の窓の外をぼんやり見ていた。

しかし、藤沢駅に降りて、前に来た道を歩き、見覚えの田倉の家に行くと、まったく見ず知らずの人間がはいっていた。

「田倉さんは越しましたよ」

赤ン坊を背中に負った中年女が出てきて言った。

「わたしらは三日前にここに移りましたんでな。さあ、どこに移られたかね」

「秋田の郷里の方じゃないでしょうか?」

ときいても、

「知りませんね」

と首を傾《かし》げた。

「あの、奥さんは一度、ここに、帰られたのでしょうか?」

典子が問うと、

「よく分りません。何でしたら、家主さんにおたずねになったら?」

と背中を揺すりながら言った。

その家主というのも、

「いや、知りませんね。あの若い人が、ひとりでさっさと道具をまとめて、どこかへ積みだして、家をあけて行きましたから。行先のことは、何にも言わないから分りませんなあ」

と無愛想《ぶあいそ》に答えた。

「若い人は、運転手をしていたように聞きましたが、どこかに勤めていましたか?」

竜夫がきいた。

「ああ、そりゃあ、品川駅前の矢口《やぐち》定期便運輸会社というんですが、そこは辞めたらしいですよ」

家主は、それだけを教えた。

藤沢の運送店に行って、調べてもらうと、たしかに五日前に、田倉よし子名義で、「秋田県南秋田郡五城目町《ごじょうのめまち》××田倉よし子」あてに梱包《こんぽう》五個が送りだされていることが分った。竜夫は、それを手帳に控えた。

「さあ、困ったことになったな」

藤沢駅から東京行きの電車に乗って帰りながら、竜夫は言った。

「せっかく、勢いこんで藤沢くんだりまで来たが、肩すかしをくったな」

「田倉さんの奥さんは、どうして郷里に引きあげる気になったのかしら?」

典子もふしぎに思った。

「ごく、単純に考えると、主人が死んだから、こっちにいても意味ないから、引きあげたとも思えるがね。しかし弟まで、どうして引っこんだのだろう? こっちに、ちゃんと職業を持っていたのになあ。それとも、田舎で百姓をしている方がいいのかな」

竜夫は腕を組んで目を閉じた。

「あの奥さんは、田倉さんの死に、自殺説だったわね」

典子はつぶやいた。

「そうだよ。徹底してそう言ってたな。小田原署の調書では」

竜夫は、目をふさいだまま答えた。

田倉の妻が、夫の自殺説を主張するのは、何か別な奥行きがあるのではなかろうか。

典子は、竜夫もそう考えているのだと思った。典子は、車窓を何となく眺めていた。線路に沿って、国道が走っていて、その上を絶えず自動車が疾駆していた。今も、一台のトラックが汽車と競走するように、窓の枠《わく》の中で先に出たり後に退《さが》ったりしていた。

典子は、ふと、豊橋の市内で、村谷阿沙子の女中の実家を訪ねて行ったときに乗ったタクシーの運転手を思いだした。あの男も、トラックの運転手だったと言った。

(そのとき、私は長距離輸送のトラックの運転手をしていましてね。東京から、この豊橋通いの定期便に乗っていましたよ。深夜の東海道を突っ走ったもんです)

彼が愉快そうに話した声が耳によみがえってくる。

(深夜の東海道)

典子は、はっとした。

「崎野さん」

と竜夫の肘《ひじ》をつついた。

「トラックが東海道を走るとき、小田原からどっちを通るの？ 海岸沿いに、真鶴《まなづる》から熱海、沼津に行くのか、それとも箱根を越えるのかしら？」

「さあ、どっちかな」

竜夫は気のない返事をしていた。

「崎野さん、それ、重大よ」

典子は口をとがらせた。

「何がだい？」

竜夫は、うすく目を開いた。

「だって、あの弟さんは、定期便トラックの運転手でしょ。東京を出て夜の東海道を走るんだけど、箱根を越えると宮ノ下を通るのよ」

竜夫は、不意に目を大きくあけて、典子の顔を見つめた。いままでの、もの憂《う》げな目はどこかに消え失《う》せ、光が出ていた。

「田倉さんが、坊ヶ島の崖《がけ》から墜落したのは午後十一時前後だわ。トラックが通る宮ノ下の道路は、すぐ傍《そば》にあるじゃないの」

「なに！」

「リコちゃん」

竜夫が、にわかに、腰を浮かして、あたりを見まわした。

「いま、ここはどこだい？」

「横浜を出たばかりよ」

「おい、次で降りよう。品川で降りるんだ。矢口定期便運輸会社に行って、田倉の弟のことをきいてみるんだ。七月十二日の晩、彼は勤務していたかどうかを調べるんだ」

竜夫の声はうわずっていた。

「リコちゃん、君は素敵なことを思いついたね」

「そうかしら」

典子は、竜夫が今までにない興奮の面持で賞賛するので、てれた。

「そうだ、すばらしいよ。これが、ひょっとすると、事件の解決の急速な進展の暗示になるかもしれないよ」

竜夫は、そわそわしていた。

2

品川駅前の矢口定期便運輸会社というのは、かなり大きかった。空のトラックが四五台ならんでいて、横には委託の荷が地面に積みあげられていた。

会社名のほかに、「東京⟷名古屋直通」とか「東京・名古屋間の特急」などと書いた大きな看板が出ていた。

竜夫と典子が、営業部の文字のある営業台《カウンター》の前に立つと、若い事務員が机の前から顔をねじむけた。

「どちらさんでしょうか?」

荷物運送の依頼客と思って、頭を下げた。

「いや、荷物を送るんじゃないんです。すこし、おたずねしたいことがあって来たんですが」

竜夫がていねいに言った。

「はあ、どういうことでしょうか?」

「おたくのトラックの運転手で、このあいだ辞めた人のことをおたずねしたいのです」

「名前は?」

事務員は、何か面倒なことで来たと、取ったようだった。

「あ、名前は……」

名前は分らなかった。田倉の妻の弟というだけの知識しかなかった。

「名前は分りませんが……」

竜夫が言うと、事務員は、きょとんとした顔をした。

「しかし、藤沢に住んでいる人です。まだ年齢《とし》の若い、そうですな、二十六七の、やせた青年です」

事務員は、面倒くさいと思ったか、奥の方へ指を向けて、

「あの人にきいてください。人事課の者ですから」

と言って、帳簿に顔を戻した。そのとき、典子の顔を一瞥《いちべつ》することを忘れなかった。

人事課員は、四十すぎの中年男だったが、村役場の吏員のような感じで、その感じのとおり親切でもあった。

「ああ、そりゃ、坂本でしょうな」

と彼は、話を聞いて言った。

「坂本というのですか？」

こっちの方が逆に教えられた。

「そうです。坂本浩三というのです」

それでは、田倉の妻のよし子は、旧姓坂本よし子であったわけである。つまり、畑中善一の恋人は坂本よし子であった。

「その坂本浩三について、あなたがたはどういう御用で見えたのですか？」

人事課員は、竜夫と典子とを等分に見くらべて質問した。

「はあ、実は……」

ここで、なまじっか嘘《うそ》を言っても始まらないし、とっさの口実も出なかったので、社名入りの名刺を出した。

「こういう者です」

中年の課員は眼鏡を額にずりあげて、活字をよんだ。

「なるほど、雑誌の記事にでもされるのですか？」

彼は好意的であった。出版社の名刺は、嫌《きら》われることもあり、好かれることもある。人事課員は興味を持ったような表情をしたので、竜夫も、くみしやすしと思ったらしい。急に明るい顔をした。

「記事にするかどうか分りませんが、まあ、そんなことに関連して参考に教えていただきたいのですが」

竜夫は、曖昧《あいまい》なことを言って、

「ええと、その坂本浩三君は、七月十二日は勤務していたかどうかを教えていただけませんか?」

「ちょっと待ってください」

課員は、戸棚《とだな》から一冊の帳簿をとり出して繰っていたが、

「ああ、勤務していますね」

と、その記載の個所を指で軽くたたいた。

「そうですか」

竜夫は何となく典子の方を見返った。その目が輝いていた。

「出勤は何時ですか?」

「午後七時です」

「そんなにおそいのですか?」

「わたしの方は、深夜作業でして」

人事課員は、すこし笑った。

「東京から名古屋へ、夕方から数回、トラックを出すんですがね。第一便が十七時、つまり五時ですな。第二便が十八時、第三便が十九時、というように、以下、一時間置きにトラック便が出るのです。十二日の坂本の勤務表を見ると、第四便、つまり二十時ですが、運転手は、出発より一時間前に、職場に出勤することになっています。だから、彼は十九時に出たのです」

「なるほど、よく分りました。ところで、その名古屋行きは、小田原から、どっちへ行くんです？　箱根ですか、海岸沿いに熱海方面にコースをとるんですか？」

「もちろん、箱根を越えるんです」

人事課員は言下に言った。

「箱根の宮ノ下から、元箱根を通り、三島にくだって沼津、静岡と通過するのですよ」

典子は、竜夫の後ろで聞いていてうなずいた。やはり宮ノ下を通るのである。

「ははあ」

竜夫は如才なく、感心したように、合点合点《がてんがてん》していた。

「ところで、その第四便、つまり、この品川を出発したトラックは、何時ごろに箱根の宮ノ下を通過するのですか？」

「そうですな。ええと、名古屋まで、とにかく十九時間かかりますからな。宮ノ下が何時かな。ちょっと待ってくださいよ、わしにはよく分らんから、正確なところをきいてきます」

村役場の吏員のような彼は、そこを離れて、とことこと、誰かのところへ行った。

「親切なかたね」

典子が竜夫にささやいた。

「助かる」

竜夫は同感して、

「あんな人がいないと困るね。木で鼻をくったような挨拶《あいさつ》をされては、とりつく島がないからね」

「やっぱりトラックは宮ノ下を通るのね。崎野さん、そこんとこ重大だから、よくきいて頂戴《ちょうだい》」

「分ってる」

竜夫は、もちろんだ、といった顔をした。

人事課員が、皺《しわ》の多い顔に微笑をうかべて、帰ってきた。

「分りましたよ」

と彼は二人に言った。

「それは、どうも」

「第四便の宮ノ下通過は、だいたい、二十二時半から二十三時くらいの間だそうですよ」

二十二時半から二十三時の間――七月十二日の午後十時半から十一時の間というと、ちょうど、田倉の墜落死亡時刻ではないか。

あまり符節が合うので、竜夫も典子も、ちょっと声をのんだ。

「そのほか、おたずねになることは？」

先方が催促した。

「そうそう、失礼しました」

竜夫が声をあらためた。

「ところで、肝心なことですが、坂本君は、あなたの会社をどうして辞めたのでしょうか?」

人事課員は、すこし複雑な顔をした。

「それを、お話ししなければならないでしょうか?」

「ぜひ」

竜夫は頭を低く下げた。

「絶対にご迷惑になるようなことは書きませんし、また仕事の上で知った秘密めいたことは、誰にも口外しません」

「あなたを信用しましょう」

と人事課員は言ってくれた。

「実は、坂本君は、自分から辞《よ》したのではなく、会社で辞めてもらったのです」

「え、じゃ、馘《くび》きられたのですか?」

「まあ、そうです。これは他人《ひと》に言ってもらっちゃ、困ります。本人たちは、まだ若いし、前途がありますからな」

「もちろんですとも。その本人たちとおっしゃると?」

竜夫はききとがめた。

「一台のトラックには、二人の運転手が乗るのです。十九時間を交替で運転しますからね」

「なるほどね。それで、二人とも馘きられたという理由は何ですか」

「事故があったのです」

「事故？　どういう事故ですか？」

人事課員は、やや迷惑そうな顔をしたが、ここまで釣《つ》りこまれてしゃべったので、諦《あきら》めたように言い出した。

「今も言ったように、名古屋まで十九時間かかりますから、第四便は翌日の十五時、つまり午後三時ごろに着くはずですが、坂本たちの乗ったトラックは、十三日の午後四時半ごろに名古屋に着いたのですよ。一時間半の延着です」

「はあ、事故があったわけですな」

「それが妙なんですね。まあ、三四十分くらいの延着は仕方がないが、一時間半も遅れたんじゃしようがないというんで、名古屋の事務所の方で坂本と木下に……木下というのが、そのときの相棒の運転手です」

「そうだ。それを聞いておきましょう。木下何というんです」

「木下一夫といいます。年齢《とし》も坂本と同じです」

「その木下君は現在、どこにいるか分りませんか?」

「分りませんよ。ちょっと不良がかった奴《やつ》で風来坊ですからな。履歴書も綴《と》じこんでいたのですが、退社したので破いて捨てました」

人事課員は、自分の仕事を説明した。

「それで、延着した原因ですが……」

竜夫は話を元に戻した。

「どういう事故があったのですか」

「それが、実際は、事故はなかったのですよ。当人たちは、延着の理由を申し立てたんですがね」

「どんなことですか」

「仕方がないから話しましょう」

人事課員は説明した。

「延着したのは、エンジンの燃料気化機《キャブレーター》が故障を起したというんですね。ちょうど、三島を過ぎたころで、その修理に手間取ったと言いわけしたのです。ところで、わたしは自動車のことはよく分らないが、なんでも、そいつは四五十分もすれば、修理ができるんだそうです。名古屋の自動車部の主任が、念のために、キャブレーターを点検してみると、修理したあとが、まったく見られなかったそうです。だから、それは、いいかげんな嘘だろう。途中、どこかで油を売るか、車をとめて一寝入りしたので、それをごまかすためだろう、とやかましく叱《しか》ったそうです。すると、坂本と木下が抗弁して、何を言うか、故障があったのを故障と言ったのが、どこが悪いか、そんなに信用できないなら勝手にしろ、と言う。一方は、生意気を吐《ぬ》かすな、そんな奴は使えない、とどなる。それに対して、若い二人は言い返す、まあ口喧嘩《くちげんか》から、殴りあいにならんばかりの騒動になって、とうとう馘を言いわたされたのです」

彼は話を一気に終った。

「ははあ、では、要するに、けんか別れしたわけですな?」

「まあ、そういうことです」

どんな悪事を働いたのかと思うと、そんな単純なことであった。人事課員も、そのことは気がさしたとみえ、

「トラック乗りの若い運ちゃんは、気が荒いですからな。それに、会社も、運転手の予備はいくらもいますから、向う意気が強いですよ」

と弁解するように言った。

こちらできくことは、それ以上になかった。七月十二日事件の当夜、田倉の妻の弟は、トラックを運転して、十時半から十一時ごろの間、事件現場近くの宮ノ下を通過した。名古屋に着いたのは、定時より一時間半も遅れていた。エンジンの故障というが、その

確証がなかったこと、これだけで十分であった。

「どうも、いろいろありがとうございました」

竜夫は礼を述べた。典子も、親切な、中年の人事課員にていねいに頭を下げた。

「いやいや。だが、これは内緒にしてくださいな。あなたがたの取材にどんなに関係があるか知らないが」

人のよさそうな彼は、にこにこしながらも、そう念を押すのを忘れなかった。

二人は、矢口定期便運輸会社の事務所を出た。遊んでいる若い運転手たちが、いっせいに典子の顔に視線を当てて見送った。

「さあ、重要な鍵《かぎ》の一つを摑《つか》んだね」

品川駅の方へ歩いて行きながら、竜夫は言った。

「その辺にちょっと腰をおろしてみようか」

竜夫の顔は、興奮がさめていないようだった。駅の構内の待合室に先に立ってはいり、ベンチに無造作に掛けた。

「あら、そこ、汚れてるわ」

典子は、ハンドバッグからハンカチを出したが、

「いいよ、それよりも、そこに掛けてくれ」

と横の場所を示した。典子には竜夫のこんな無神経が、ときどき、やりきれない。

「やっぱり、ここに降りてきいて、よかったわね」

「だから、リコちゃんがそれに気づいたことはほめたはずだ」

竜夫が、はずんだ声で言った。

「いまの運送会社の話、ずいぶん、ためになったわね」

「僕は鍵の一環だと思うな。トラックのコースといい、通過時刻といい、それから、一時間半の延着時間だ」

「ほんとに、故障だったのかしら?」

「おそらく嘘だろう。運送会社の自動車部主任の看破したのがほんとうだろう。技術方面のことは、そんな人は明るいからな。それに、三島の近くでエンコしたというのも、宮ノ下あたりで何かあったことの隠蔽《いんぺい》じゃないかな」

「何かあったこと?」

「僕たちが見たのは、宮ノ下から分れたあの村道に、深々とついている自動車のタイヤの跡だったよ」

典子の目にも、その轍《わだち》のあとが、くっきりとうかんだ。

3

待合室には、絶えず旅客のざわめきがあり、構内にはいってくる汽車や電車の轟音《ごうおん》が伝わり、そのたびに駅の拡声機が放送する。

そんな雑音も耳にはいらぬように、竜夫と典子とは、田倉変死の夜、宮ノ下を通過した定期便トラックのことで話しあった。

トラックの一時間半の故障は、おそらく運転手の嘘であろう。そのことで竜夫はこう言った。

「燃料気化機《キャブレーター》の故障のときはね、一度、その部品を分解して組み直すから、ほかの部分は埃《ほこり》だらけに汚れているけれど、そこだけは、きれいになっているんだね。だから、あとで点検して修理したかどうかは分るんだ。トラック会社の自動車部主任が、二人の運転手に、その申し立てが嘘だときめつけたのは、おそらくそれを看破したために違いない」

「では、何のために嘘をついて、時間を遅らせたのでしょう?」

典子はきいた。

「二つの考え方があるね」

竜夫は背をまげて言った。

「一つは、予期しない事故で遅れたこと、一つは、ある行為のために時間をとられて遅延したことだ。しかし、彼らが嘘を言って申しわけしたところをみると、初めから意識的な行動をしたためだろうな」

意識的な行動——田倉が墜死した現場の村道に刻まれているタイヤのあとが当然に典子の脳裡《のうり》にあがった。

トラックと村道のタイヤ。

「もしかすると、トラックは宮ノ下の国道から村道にはいったんじゃないかしら？」

「やっぱり君もそこに考えが落ちるんだね」

竜夫は言ったが、何か図解でもしたいと思ったのか、旅客が捨てている弁当の箸《はし》を二本拾いかけた。

「あら、およしなさい、汚ないわ」

典子は、眉《まゆ》をひそめてあわててとめた。竜夫の無頓着《むとんじゃく》さは子供みたいだった。

「はい」

ハンドバッグから手帳と万年筆とをとりだして、与えた。竜夫はそれを面倒くさそうにとって、宮ノ下付近の道路の略図を書いた。

「これが小田原から強羅《ごうら》に行く幹道だ。これから右に小枝のように分れている道が村道だ」

と説明して、村道の、ある地点に×印をつけた。

「×印は田倉の墜落したと思われる場所だよ。トラックは宮ノ下のこの場所を二十二時半から二十三時の間に通過したと推定される。田倉の死亡時間が十時から十二時までの間とすると、トラックがこの村道にはいった仮定と、田倉のこの現場での死とは、まるきり無関係ではなさそうだね」

「そうよ」

典子はすぐに同意した。

「ただしだ」

竜夫はじらすようにさえぎった。

「村道のタイヤのあとは無数についている。僕らが目で見たとおりだ。村道の突き当りは製材所で、そこに通うトラックもあるから、いちがいには、田倉の義弟、つまり坂本浩三の乗っていたトラックがその村道を通ったとは決められない」

「でも、可能性はあるわ」

「うん、可能性はある。しかし、絶対ではない」

「けれど、可能性のところから追いつめて行くのが順序だわ」

「いい意見だね」

竜夫は、にやにやした。

「では、よろしい。言ってみてくれ」

「トラックがこの国道から村道にはいって行ったとき」

と典子は自分の考えを話しだした。

「田倉さんは、×印の地点に立っていたのね。あの村道はトラックがやっと一台通れるくらいの狭さだから、田倉さんは道路の片側によけて立っていたんだわ。そこをトラックの荷物の上に乗っていた人が、真上から田倉さんの頭上に一撃を加えた、という想像はどう？　そら、いつか、あなたがバスの中で言ったことだわ。田倉さんの頭上の傷は断崖《だんがい》を墜落した時の傷とは違うって推定よ」

「うむ、なるほどおもしろいね」

竜夫は、煙草《たばこ》に火をつけて、大きな煙を吐いたが、

「それには一つの説明がほしいね」

「何かしら？」

「君の想定だと、田倉の義弟の坂本浩三と、同僚の運転手の木下一夫が犯人かもしくは共犯者ということになる。その動機の説明がない」

「それは、あとで考えるわ」

「うん、その説明が考えつくとたいしたもんだが……」

竜夫は、額に手を当てた。

「どうも、それは僕にはピンと来ないな。トラックの荷の上に乗って、暗いところで、狙《ねら》いたがわず一撃で田倉が倒れるかなあ」

彼は腰かけたまま、うつむいて考えていた。

典子と竜夫とは電車に乗った。今日は日曜日で、あわてて社に帰る必要もないので、気持は、ゆったりしていた。

「トラックの一時間半の延着の理由が分れば、この謎《なぞ》は解けるんだがなあ」

しかし、竜夫は残念そうに頭の髪を手でもんでいた。

「運転手二人は虚偽の理由を言った。真実の理由が言えなかったからだ。言えないのはなぜか。何か悪いことをしたからだ。何だろう、その悪いこととは？」

彼はひとりでつぶやいた。

「あの二人が共謀で田倉を殺したんじゃない。それは不自然だ。が、彼らが単純なことで上役と喧嘩してトラック会社を辞めたのは、後ろぐらいことをしたからだ。しかも、二人ともいなくなったじゃないか」

「義弟の坂本浩三さんは、秋田県の五城目《ごじょうのめ》に行ったんじゃないの」

典子は竜夫の呟《つぶや》きにこたえた。

「さあ、どうかな？」

竜夫は首を傾《かし》げていた。

「どうかなって、坂本さんは秋田県に荷物を送ってるじゃないの？」

「荷物を送ったことは、本人が秋田県の宛先《あてさき》に帰ったことにはならんからな」

あ、そうか、と典子は思った。

「それどころか、僕は、田倉の奥さんが五城目にいるかどうかさえ疑問になってきたよ」

「何ですって?」

典子は、横にすわっている竜夫に目をむけた。

「それ、どういうことなの?」

「いや、考えてみたまえ。この事件に関連した人物は誰も所在が分らなくなったじゃないか。僕らは、田倉さんの奥さんが秋田の故郷にいるものと信じているが、その実際を知っているわけじゃない。こうなると彼女もそこにはいないという気がするな」

それは、そのとおりであった。村谷阿沙子も、その夫の亮吾氏も、女中の広子も、みんな所在不明の霧の中である。田倉義三の妻のよし子も、弟の坂本浩三も、その白い闇《やみ》の中に消えているのではないか、という竜夫の不安は、典子にも実感がきた。

「そうなると、秋田まで行ってみないと、分らないわね」

典子が言うと、

「まさか」

と竜夫は苦笑した。

「こういう時は、やはり警察だね。電話一本で所轄《しよかつ》署に確かめられるからね。僕らだと向うに知人もないし、問い合せのしようがない。君の言うとおり、汽車に乗って出かけるよりほかないね。やっぱり、素人探偵《しろうとたんてい》の限界だね」

彼は溜息《ためいき》をついた。

「そうね」

「早い話が、運転台にいっしょに乗っていた木下一夫だってそうさ。この男をつかまえてきけば、トラックの謎は早分りだがね。ところが、奴《やっこ》さんは不良がかった運転手で、どこに行ったか分りゃしない。警察だと、こんな場合、わけなく捜査して、つかまえるんだがね。僕らでは、どうにも手が出ない。おまけに明日から出社して、仕事をしなけりゃならんからね」

彼は嗟嘆《さたん》した。

「警察に持ちこむわけにはゆかないし、困るわね」

田倉の事故死が、はっきりと他殺と決定していれば、それも可能だが、これは、推定の域を出ないのだ。

典子は、せっかく、ここまで追ってきた事件が、指の間から空気のように消えて行くのを見た。すべてが茫漠《ぼうばく》として手がかりがないのだ。

「あ、いい方法があるわ」

典子は、ふと、思いついて言った。

「何だい?」

「電報を打つのよ。返信料つきで」

「電報を? 誰に?」

竜夫は怪訝《けげん》な顔をした。

「五城目の田倉よし子さんあてよ。内容は、坂本浩三さんがそちらに行ってるかどうか、ってききあわせる程度でいいわ。もし、田倉の奥さんがいれば、発信人のあなたを弟の友人だと思うだろうし、奥さんがそこにいなければ受取人不明で返ってくるわ」

「ああ、そうか。なるほどね」

竜夫はうなずいた。

「まあ、そういう次善の方法しかないだろうな」

「いやに気が乗らないのね」

典子は不服な顔をした。

「いやいや、そうじゃない。たしかに一つの案だと賛成なんだよ。ただ、これが、せめて新聞社の機構だったらなあ、と、ふと思っただけさ。何といっても、僕らのやり方は原始的だね」

電車が東京駅に着いて座席から立ちあがった竜夫は、妙に気弱そうな顔をしていた。

東京駅につくと、竜夫は駅の電報扱所で、電文を認《したた》めた。

「アキタケンゴジョウノメマチ××　タクラヨシコ」

と、藤沢駅前の運送店で書き写した宛先をそのまま書いた。本文の内容は典子が言ったとおりにした。

「いつごろ、先方に届くんでしょうか?」

窓口で竜夫はたずねた。

「二時間もすれば、着くでしょう」

電報係は答えた。

「すると、返信がこっちに届くのは?」

「返信料がついているから、たいていその場で返信を出されますから、そうですね。今から四五時間くらいで返ってくるでしょうな」

「受取人が移転していたら?」

「移転先が分っていれば、転送するし、分らなければ不明扱いにして戻ります」

竜夫は、そこを離れて、典子と中央線のホームに向った。

「それじゃあ、これから、僕は家で、電報が来るのを待ってるよ」

竜夫は歩きながら言った。

「わたしも、何だか早く知りたいわ」

典子も同じ気持であった。

「電報が来たら、その結果を君の家に電話するよ」

竜夫は言ってから、

「何だか、居所不明で返ってきそうな気がするがなあ」

と、ひとりごとするようにつぶやいた。

「そしたら、みんないなくなっちゃうわ。あ、外国の推理小説の題名にあったわね。〝そして誰もいなくなった〟って」

「うん。われわれの場合は、最初が、村谷阿沙子女史の亭主の亮吾氏だった」

「そうね。あのかた、どこにいらっしゃるのかしら」

典子も、亮吾の瘠《や》せて、背の高い姿を目にうかべた。いつか坊ヶ島の旅館の廊下ですれ違った彼の寂しげな恰好《かっこう》が、まだ見えるようである。

今ごろは、どこに彼はいるのか。何ゆえにみずから失踪《しっそう》したのだろうか。その失踪が、田倉の墜死に関係があるのかどうか。

ホームで竜夫は、何気なさそうに上を向いた。そこには発車時刻表の掲示がかかっている。電車を待つ間、それを無聊《ぶりょう》げに眺《なが》めていた竜夫が、何を思ったのか、凄《すご》い目つきに変って凝視していた。

典子が、どうしたのかと思っていると、

「おい、リコちゃん」

と急にふり向いた。目が異様に光っていた。

「何ですの、そんな顔をして？」

「おい、電車に乗るのはやめだ」

竜夫は、低いが、叱《しか》るような調子だった。

「変ね」

典子は言ったが、このとき竜夫が、何か考えついたのだな、と直感した。

「ちょっと、もう少し、この辺をつきあってくれ」

と先に立って、ホームの階段をおりはじめた。典子は、それを追って肩をならべた。

「僕らは、誤算していたかも分らないよ」

人の流れの間にはさまりながら、竜夫は調子の高い声で言った。

「何のこと？」

「トラックの遅刻さ。あれは亮吾氏の失踪に関係がある、という別な想定もあると気づいたんだ」

竜夫は、しゃべりだした。

「僕らは、トラックの遅延を、田倉の墜死にだけ結びつけて考えていたろう？　亮吾氏の方に目が届かなかったのだ。亮吾氏が小田原から乗った汽車と、トラックの一時間半の遅延の関係さ……」

典子は、あたりの雑踏の騒音が消えたように、竜夫の声だけが耳についた。

予感

1

竜夫は乗車口の方へ歩いて行き、駅の構内を出た。八重洲口《やえすぐち》側と違い、ただされ寂しい夜の丸ノ内側は、今日は日曜日だから、いよいよ人通りがなかった。

話をする場所としては、喫茶店もあるが、今の場合、それも気に染まなかった。できるだけ人影のない通りを歩きたい。多少、興奮しているだけに、二人とも、ほてった頰《ほお》に冷たい風を当てたいような、そんな空気を望んでいたのかもしれなかった。

ビルが両側に建っているが、これは、死んだビルだ。灯《ひ》一つ、窓から洩《も》れていないで、真黒な塊《かたまり》としてならんでいる。昼間見ても、赤煉瓦《あかれんが》造りの異国風な造りだが、高い屋根だけを星空にくぎらせている黒い建物と建物の間の、谷間のようなところを歩くと、外国の古い街に身を置いているような錯覚を覚える。人の姿はないが、猫でも通りを急いで横切りそうなのである。

「亮吾氏が小田原から乗った汽車と、トラックの一時間半の遅延の関係というと……」

典子は、さっき竜夫が言ったとおりの言葉を引用するようにして話題をつないだ。

「具体的に、どういうことなの？」

竜夫は典子の横で足をゆっくりと運んでいた。両手を上着のポケットに突っこみ、顔をうつむきかげんにしている。知らない人が見たら、完全に暗い場所を択《よ》って歩いている恋人同士に見えるのだ。竜夫の靴音《くつおと》と、典子のそれとが乱れずに合っている。音は、背中からついてきているように高かった。

「それかね」

竜夫は静かに言った。

「トラックが、亮吾氏の下車を、待っていたのじゃないか、という考え方だよ」

「下車？　亮吾氏はどこで汽車を降りたの？」

「トラックの進行速度から逆算しての推定だよ」

竜夫は話しだした。

「いいかい、坂本浩三の乗った名古屋行きの深夜便トラックが、宮ノ下にかかったときは、十時半から十一時ごろだ。これから沼津に出るまでの所要時間は、どれくらいかかるだろう？」

「さあね、箱根の上りがあるから、一時間くらいかしらね」

典子は、およその見当を答えた。

「うまい。そうなんだ。普通、約一時間くらいらしい。すると沼津を十一時半から十二時ごろに通過する勘定だね。一方、亮吾氏の乗った汽車は、小田原発下りが二十三時四十分（姫路行）、二十三時四十八分（急行出雲《いずも》）、二十三時五十九分（沼津止《どまり》）、〇時〇五分（急行大和《やまと》）のどれかということになっている」

竜夫は時刻のところだけは、手帳をとりだして外燈に照らしてよんだ。

「小田原から、沼津まで、汽車で約五十分、とみればいい。こんな近距離なら、急行でも普通でもそう違わないさ。すると、今の汽車の発車する順序からいうと、沼津着、二十四時三十分、つまり、〇時三十分、〇時三十八分、〇時五十分、〇時五十五分となるわけだな」

竜夫は自分自身でも考えるように言った。

「トラックの方は十一時半か、〇時ごろに沼津に着くはずだから、どの汽車よりも早い。四十分から一時間くらい汽車よりも早く着くわけだ」

「ああ」

典子は、竜夫の言うことが分った。

「じゃ、トラックが、あとから来る亮吾氏の乗った汽車を沼津で待って、氏が降りるのを待ちうけていた、それが遅延の原因だというのね？」

「まあそうだ」

竜夫はうなずいた。

「でも、それは、一時間半の遅延時間にたりないわ」

「迂遠《うえん》なことを言うわね」

竜夫は注意するように言った。

「トラックは、ただ、亮吾氏を待っていただけじゃないんだ。何かの行動が、それからあったのだ。だから一時間半という遅延時間が必要だった」

正面に賑《にぎ》やかな有楽町あたりの灯が近づいてきた。話はすまない。二人は、暗い街角へ、また曲った。ときどき、車のヘッドライトが二人の歩いている姿を浮きあがらせて走り去った。

「じゃ、何のために、坂本浩三君は亮吾氏を待っていたのでしょう?」

「トラックに乗せるためさ」

「どこに行く目的で?」

「それは、分らない」

「亮吾氏と、坂本君とは前に打ちあわせていたのね?」

「そういうことになる」

「では、亮吾氏は坊ヶ島の宿からハイヤーで小田原駅に行き、汽車で遠方に行くとみせかけて、沼津で途中下車をしたというわけね?」

「そうだ」

「何の理由で、そんな面倒なことをしたの？」

「それは、まだ、分らない」

「亮吾氏が待っていたトラックに乗る。そしてどこかに行く。それからどうなったというの？　亮吾氏とトラックの運転手二人との組みあわせで、何がはじまったと想像するのよ？」

「分らないな」

「まあ」

典子は、立ちどまって、竜夫の黒い影を見つめた。

「分らない、分らないって、結局、分らないことばかりじゃないの？」

彼女は、すこし腹を立てたような声をだした。

「いや、リコちゃん、そう怒っちゃいけない」

竜夫は、かすかに笑いを含んだ声で言った。

「僕たちは、あらゆる可能の場合を想定しなけりゃいけないのだ。トラックの遅延と、亮吾氏が小田原駅から消えた時刻とを考えたら、偶然に、こんな思いつきが生れたのだ」

竜夫は、今度は明るい灯の集まっている方へ歩きだした。

「そう、これは、現在のところ、ほんの思いつきだ。僕もよく考えていないから、君に話しながらも思案していたくらいだ。だがね、思いつきからはいってゆくのも一つの方法だ。事実からの帰納ではなく、そのアイデアから事実を演繹《えんえき》してゆくんだな」

竜夫は腕時計を灯にすかしてみた。

「おそくなったから帰ろう。明日は編集長に、また仕事で追いまわされそうだからな」


それから数日たった朝、典子が出社したとき、白井編集長はまだ来ていなかった。部員のほとんどがそろっても編集長の姿はまだ見えなかった。いつもは、皆より早いくらいに出社する男だったのに。

典子が机の上を整理していると、竜夫がやってきて、

「話があるんだ」

と小さな声で言った。それから普通の声で、

「編集長、今朝はおそいな」

と言った。

「そうなの、私もそう思ってたところだわ」

典子が答えると、竜夫がまた低い声で、

「君、ちょっと」

と言って目顔で合図した。

二人は、別々に何気ない振りをして、社の前のコーヒー店にはいった。

「まだ、朝が早いから、なんにも支度ができていませんよ」

店の女の子が顔をしかめて竜夫に言った。

「いいよ、いいよ。ちょいと、ここを貸してくれ」

竜夫は、まだテーブルかけも張ってない卓についた。女の子は掃除をつづけている。

「迷惑だわ」

典子は、はらはらしたが、

「いいよ。すぐ出るから。君もそこへ掛けたまえ」

と前の埃《ほこり》のかぶった椅子《いす》をさした。竜夫の無神経には、典子もときどきついてゆけなかった。

「ずいぶん待たされたが、五城目から返事が来た」

竜夫はポケットからたたんだ紙をとりだした。

「あ、田倉さんの奥さんから？」

典子は、椅子の端に遠慮して腰をおろしていたが、それを聞くと、目を輝かした。

「ところが直感どおりだ。受取人不明で電報は返ってきたよ。だいぶ、あちこち回ったらしい」

竜夫は紙をひらいて見せた。なるほど、そのとおりの電報局の付箋《ふせん》がついている。

「いらっしゃらないのかしら、変ね」

典子は首を傾《かし》げた。

「別に変じゃないさ。半分は予感していたことだがね」

「どこかに移転なすったの？」

「そうだろうね。ついに、田倉の細君までいなくなったんだな」

竜夫は遠いところを見るようなまなざしをした。

「どういう事情でしょう？　ご親戚《しんせき》もないのかしら？」

典子も唇《くちびる》に指を当てた。

「うらむらくは遠すぎる。まさか五城目くんだりまで調べに行くわけにはいかない。が、万一出かけて行ってもだめだろうね。彼女の行方は、誰も知ってはいないだろう」

竜夫の臆測《おくそく》のとおりを、典子も感じた。

「それで、奥さんのところへ藤沢から行ったという、弟さんの坂本浩三君も、いっしょにいなくなったのかしら？」

「さあ、この方は、初めから、五城目に行ったかどうかな。あんがい、別行動という気もするけれど」

竜夫は、疑問だという顔をした。

それにしても、田倉の妻であり、畑中善一のかつての恋人であった坂本よし子はなぜ秋田から姿を消したのであろう。彼女は、夫の田倉義三の墜死を徹頭徹尾、自殺と言っていた。——

喫茶店の女の子の箒《ほうき》が、こっちの卓に近づいてきたので、二人は立ちあがった。

「ま、田倉の細君のことは、また考えようね。いま、考えるには厄介《やっかい》すぎる。編集長が、もう来ているだろうから、二人で朝から油を売ってると小言を食いそうだ」

竜夫は社の玄関に向って歩きながら言った。

しかし、編集部にはいってみると、正面の編集長の机の前には誰もいなかった。全員はほとんど揃《そろ》っていて、勝手に仕事をしていた。典子は、竜夫とはばらばらに、そっと自分の席についていた。

しばらくすると、

「編集長、おそいなあ」

という竜夫の声が聞えた。

「あれ、君、知らないのか。編集長は今日は休みだよ」

と隣の部員が言っていた。

「なに、休み？」

「あ、そうだ、君いま、いなかったから聞かなかったのだろうけど」

次長《デスク》の芦田が、机越しに竜夫に言った。

「昨日の夕方、僕の家へ連絡があってね、白井さんは私用で二日ばかり休むというんだ。いま、みんなにはそれを披露《ひろう》したがね」

典子は、何となく、はっとして、顔を机から上げた。それは竜夫の顔と合ったが、彼も息をのんだような表情をしていた。

「そうですか」

だが、竜夫は、さりげなく言い、何やら綴《つづ》りこみをとりだして、調べるような恰好をしていた。典子も小さな囲み記事を書いていたが、まるきり思考がまとまらず、文章にならなかった。彼女は二三枚をつづけて揉《も》んで破り捨てた。

典子は頭の中が靄《もや》のかかったようになった。白井が私用で休暇をとったことが単純には考えられなかった。事件に関連していそうでならない。何だか顔までが上気して熱くなった。

冷たい水がほしくなったので、お湯呑《ゆの》み場に行き、コップを水道の蛇口《じやぐち》の下にうけていると、竜夫が、のっそりとはいってきた。

「リコちゃん、聞いたかい?」

竜夫は、典子とならんで、もう一つの蛇口から水を出した。

「え。編集長の休んだことでしょう?」

「めったに私用で休まない人が休んだ。このさい、変だね」

竜夫は、湯呑み場の外をはばかるような声で言ったが、その語気には真剣なものがあった。

「わたしも、なんだか変な気がするわ」

典子は唇が白くなりそうだった。竜夫を見ると、彼もすこし硬《こわ》ばった表情をしていた。

「ね、リコちゃん」

竜夫は、コップの水を一口のんで、目をつぶっていたが、

「君が、村谷阿沙子女史の原稿を、箱根に取りに行った日、編集長に連絡したかい？」

ときいた。

「ええ。したわ」

典子は記憶を確かめて返事した。

「村谷先生の原稿ができないものだから、宿から東京の社に連絡したら、編集長が出て、すぐ隣の旅館に移って居催促しろと命令されたわ」

「それは何時ごろ？」

「そうね。七月十二日のおひる少し前だったわ」

「つまり、田倉が変死した日のひるだね。連絡はそれきりかい？」

「そうね。あ、そうそう、そのあとで、村谷先生の隣の宿からまた電話したら、先生は、白井さんからさっき、電話でハッパをかけられたとおっしゃってたわ」

「うむ。それじゃ、編集長は十二日のひるには東京にいたんだな。夜は連絡がなかったんだね」

竜夫は確かめるようにきいた。

「ええ」

「そうか」

竜夫は、その、そうか、を強い語気で洩《も》らしたが、何を思ったか急に湯呑み場を大股《おおまた》で出て行って、次長《デスク》の芦田の隣の椅子にすわり、しきりと何かをききはじめていた。

芦田が、机の上に拳《こぶし》を組んで、ぼそぼそとそれに答えている。

典子は、離れた距離から、それを眺《なが》めていたが、いまに、なにか悪いことが起きるような不安が、胸をかすめた。

2

竜夫は、次長の芦田の机の傍《そば》から立ちあがったが、その顔に精彩があった。それとなしに、距離を置いて眺めている典子と目が合ったが、ほかの連中の手前があるから、すぐに話ができない。彼は自分の席にすわって、机の引出しをあけ、ごそごそしていた。

芦田は、留守の白井編集長の机の上から、巻物をもってきてひろげていた。「巻物」というのは社内用語で、次号雑誌の内容を書きこんだ予定表だ。長い紙に書かれ、用のないときは、くるくる巻かれているので、この名称がある。

「リコちゃん」

と芦田が呼んだ。典子は、立っていった。

「君、今日は、執筆者の間をまわって、原稿の進行状態をみてきてくれ」

芦田は、三人の作家や随筆家の名前をあげた。住所がばらばらに離れていた。

「もう、四五日で追いこみだからね。今のうちから尻《しり》を叩《たた》いてくるんだよ」

「はい」

典子は手帳に名前をメモしながら、苦笑した。芦田はいつも粗野な言葉をつかう。竜夫が向い側の机から、ばたんと音たてて引出しを閉めた。それが典子の注意をひくしぐさであることは彼女にも分った。はたして、竜夫は目顔で合図した。

典子が外出の支度をして、玄関を出て待っていると、竜夫が追ってきた。

「今日、こっちへ帰る途中で、どこかで会わないか。ぜひ、話したいんだ。だいたい、何時ごろになる見込みだい？」

竜夫はいそいできいた。

「そうね。三時ごろかしら。行先が離れているから暇がかかるわ」

「それじゃ、三時。この前の、東京駅のお茶を出すところで会おう」

「いいわ。でも、ずいぶん、あのおじいさんみたいな雰囲気《ふんいき》がお気に入りね」

「考えるときは、あすこがいいよ。じゃあ」

竜夫は背を返して、大股で玄関の内に消えた。

考えるとき——竜夫は次長の芦田から白井編集長のことをきいていたが、それで何か考える材料を引き出したのであろうか。三軒の執筆家をまわっている間、典子もそれが気になった。

幸い、最後の訪問先のI氏の家が大森で、そこを出たのが二時半だったので、国電で東京駅に直行することができた。名店街の小さな階段を上がると、店の中では竜夫がもう来ていて煙草《たばこ》を吹かしながら待っていた。彼の前には黒の楽焼茶碗《ちゃわん》が据《す》えられてある。

「お待たせしました」

典子はその卓の前にすわった。

「あんがい、早く来られたね」

竜夫は、ばさばさと髪の毛を指で掻《か》いて、口から煙草をはなした。

「芦田さんから白井編集長のことで何をききだしたの？　そのことでしょ、わたしに相談したいのは？」

典子は、すこしいたずらっぽい目つきをしたが、竜夫はとりあわずに、まじめな顔をして言った。

「うん、そうなんだ。芦田さんにきいたところがね、白井さんは十二日には夕方の六時ごろ、用事があると言って、あとを任せて帰っていったそうだ」

「あとを任せて？」

「そうだ、十二日は出張校正の出る間際《まぎわ》だろう。てんやわんやの時だ。そら、君だって箱根に阿沙子女史の遅れた原稿をとりに行って泣いているときだ。僕もほかをまわっていたよ。そんな瀬戸際に、いつも人一倍、熱心にがんばっている大将が、さっさと夕方から芦田さんにあとを任せたのは、どういうわけだろう？」

白井編集長から、村谷阿沙子女史の原稿を心配して箱根の宿に電話がかかったのは、昼間のことで夜にはかかってこなかった。典子も、編集長が、いつものとおり、夜も社内にがんばっているものと思いこんでいたのだ。

「君、白井さんは、夕方からどこへ行ったと思う？」

典子の返事を聞かないうちに、竜夫はまた新しい問いを出した。

「さあ」

典子も、編集長が用事があると言って社を出たくらいだから、家には帰らずに、別な所へ行ったに違いないと想像はついたが、それがどこか見当がつかなかった。

「東京から箱根まで、小田急だと一時間半で行けるからな」

竜夫が、ぼそりと言った。

「え?」

典子は聞きとがめた。

「箱根ですって?」

彼女は目をみはった。

「うん。白井さんは、十二日夕方から箱根に行ったんじゃないか。僕はそう思うんだ」

竜夫は確信するように言った。

白井編集長が、田倉の変死した晩に箱根に来ていた。——典子の頭は混乱した。が、その混乱の中には真実らしい予感があった。村谷阿沙子も、その夫も、田倉義三も、その妻も、さらにその弟も、みんなの足が当夜の箱根に集まっていた。だから、田倉の妻の恋人だった畑中善一の友人の白井良介も、一枚そこに加えた方が、遥《はる》かに絵画らしくなるというのであろうか。真実らしい、という漠然《ばくぜん》たる予感はその辺からくるのではないか。

「だめよ」

典子は、襲ってくる予感を押しのけるように言った。

「なぜだ?」

「実証がないわ」

「実証か」

竜夫は、かすかに笑った。

「実証はあとで探せばいい」

「乱暴だわ」

典子は抗議した。

「乱暴なもんか。よし、それなら、一つの暗示《ヒント》を提出しよう。いいかい。僕たちは、箱根の旅館に調査に行ったね。あのとき、田倉が駿麗閣に移る前にいた宿、強羅の春日旅館に行って、係の女中にものをきいたことがあったね？」

竜夫の話しだすのに、典子はうなずいた。

「覚えているかい、あのとき女中の言った言葉を？」

典子は、竜夫がどのことをさしているのか分らなかった。

「それは、こうだった」

竜夫は説明した。

「田倉はあの宿に七月十一日夕方に着いて、十二日の朝、発《た》っている。それで、宿についてから田倉は散歩に出たか、と僕がきいたら、八時ごろ、浴衣《ゆかた》がけでぶらりと出て、十一時ごろにお帰りになったと、女中は言ったね」

そうだった。それは、典子も印象に残って記憶している。なぜ、印象に残っているかといえば、浴衣がけでぶらりと出た田倉とは、彼女が木賀の方へ宿をとりに行く途中、渓流《けいりゅう》沿いの道で出会っているのだ。田倉とはそのとき、あまり気のすすまない会話をかわしている。彼は典子に、宿は決っているかと問い、彼女がそれに答えると、ああ、木賀ですね、木賀なら静かでいいでしょう、と言ったものだ。

思えば、それが、彼女の聞いた田倉義三の最後の声であった。

「帰りが十一時とは少しおそいな、と僕が女中に言ったら、女中は、田倉が散歩の途中、誰かに会ったと告げた、ことを答えた」

そうだった。典子も記憶がよみがえった。

「おぼえているだろう。女中が教えた田倉の言葉を。彼は言ったそうだ。やっぱり箱根だな、おもしろいアベックに会ったよ、とね」

そうだった。春日旅館の女中は、たしかに田倉の言葉をそう伝えた。おもしろいアベック。――

「おもしろいアベック。田倉は、そういう言葉をつかった」

竜夫は典子の顔を見ながら言った。

「ああ、そいじゃ、そのアベックの男の方を、白井編集長に想定するわけね?」

典子は口の中で叫んだ。

「まさに、そうだ。この時、田倉が言ったおもしろいという言葉の意味には、意外、という内容があったのさ。思いがけない場所で、思いもよらぬ人物に会う。そのとき、われわれもおもしろいところで、おもしろい人物に会ったと言うじゃないか」

「でも、それは十一日の晩よ。編集長が夕方から社をいなくなったのは十二日の夜だわ」

典子がふたたび抗議すると、竜夫は自信たっぷりな表情をした。

「言うにゃおよぶ、と言いたいね。十一日の夕方も、白井編集長は、忙しがっている部員を残して先に帰っている。君は箱根に行ったから知らないが、これは現に、僕がその場に居合せたから知っている」

典子は次の声が出なかった。すると、白井編集長は、校了近い戦場のような忙しい職場を、二日もつづけて早帰りしているのだ。

もっとも、あくる日は、両日とも、ちゃんと出社しているから、竜夫の想定だと、編集長はその晩のうちに箱根を往復したか、翌朝早く帰京したことになる。

「ね、僕の暗示《ヒント》というのは、この田倉の言葉だ。彼が夜の箱根で、偶然、出会ったのは、白井編集長でなかったとは、だれも言い得ないね」

典子は黙った。竜夫の言葉には、決め手はないが、彼女も賛成したくなるような実感があった。

「でも」

と典子はしばらくして言った。

「アベック、と言ったんだから、傍に女のひとがいたはずだわ。編集長は、どなたとごいっしょだったのでしょう?」

竜夫は、煙草をとりだして火をつけた。彼は煙をゆっくりと吐いて答えた。

「それは、分らない。まさか君の尊敬する白井編集長が、隠し女をつれて箱根に遊んだとは思えないからね。田倉がおもしろいアベックと言った、その女の想定がつくと興味があるんだがね」

この店の客は静かであった。あまり大きな声もせず、笑い声も立てずに、しずかに茶を啜《すす》って出て行く。典子の組が、一番長く粘っていた。窓から射《さ》しこむ陽《ひ》が、いつか斜めに長くなっていた。

それにしても、白井編集長は、いまどこに行ったというのだろう。田倉の変死の晩も、その前夜も、編集長が箱根にいたという竜夫の想像が実際なら、彼の突然の休みは、やはり田倉の変死事件に何らかの連係をもっていなければならなかった。

典子は、その疑問を竜夫に言った。

「そのことは、僕も考えている」

と彼は言った。

「僕の想像を言ってみるとね。白井さんは、誰かに連絡をつけに行ったんじゃないかと思うんだ」

「連絡？」

典子は、また目をむいた。

「誰に？」

「この事件の関係者だ。村谷阿沙子女史、そのご亭主、田倉の妻、その弟。みんないなくなっているじゃないか、白井さんは、その中の誰かに連絡をとりに行ったと思うな。この想像は、どうだね？」

「何のために？」

典子は反問した。

「それは、分らん。それが分ると、この事件の謎《なぞ》は解けるよ。いまはただ、白井編集長が、事件の関係者の誰かに、連絡をつけに行ったんじゃないか、という疑問を持つだけだ」

「それじゃ、編集長は、ますます、この事件の内容を知っていて、知らぬ顔で、わたしたちを探訪に駆り立てたようなものだわ」

「君が、田倉の変死の現場近くにいて、偶然に社に帰ってそれを話したからいけなかったのだ」

竜夫は言った。

「編集部が、それで沸いた。新聞記事だけだったら、そうは騒がなかったろう。幸か不幸か、君が新聞よりも先に、なまなましい事実を伝えたから、みんなが興奮したのだ。編集長に、これを特集記事にしようと進言したのは次長の芦田さんだった。白井さんは即座に承知して、僕らを動かすのに熱心になった。白井さんは、自分が関係している弱味があるだけに、逆に、熱心さを示したのだ」

彼は煙草の吸殻《すいがら》を揉《も》み消してつづけた。

「ところが、僕らの調査が予想以上に進むものだから、白井さんも、ちょっとあわてたに違いない。リコちゃんが、これほど異常な努力をしようとは思わなかったのだろうな。おぼえているだろう、白井さんは、僕らに、この事件の調査はあとまわしにして、編集の仕事に帰ってくれと、途中から言ったことがあるね。あれは、その狼狽《ろうばい》の現われだと思うな」

典子は、編集長に何か大変すまないようなことをした気持になってきた。竜夫の言うことが、真実かどうかわからないが、聞いていると寂しくなった。

折《しお》から、五六人の客がはいってきたのを機会に、

「長くなったから、出ましょう」

と、そっと竜夫の肘《ひじ》をついた。彼も誘われたように立ちあがった。

「あるいは」

と歩きながら、竜夫は、まだ続きを言っていた。

「白井さんは、君が、犬山在の畑中善一の実家を訪ねたり、僕が京都に行ってうろうろしていたのを、知っていたかもしれないな」

典子は、それに相槌《あいづち》を打つ気になれなかった。

気を変えるつもりで、ちょうど近くの立売りで夕刊を買い、都電に乗ってから広げると、彼女の目を奪う記事が出ていた。

「蜜柑畑《みかんばたけ》で他殺死体。もとトラックの運転手」という三段抜きの見出しで、

「今朝、八月六日午前八時ごろ、神奈川県足柄下《あしがらしも》郡真鶴町《まなづるまち》近くの蜜柑畑の中で、若い男の他殺死体があるのを、手入れの見まわりにきた農業××さんが発見、所轄《しよかつ》署に届け出た。検屍《けんし》の結果、所持品中の運転免許証により、本籍静岡県××郡××村、木下一夫(二四)と判明、同人は最近まで都内品川駅前の矢口定期便運輸会社のトラック運転手をしていた。死体は鈍器様のもので頭頂部を滅多《めった》打《う》ちにされ、死後十二三時間を経ているので、前夜の八九時ごろの凶行と見られている。所轄署では直ちに被害者が蜜柑畑に立ち入ったままでの足どりと、犯人の捜査を開始した」

3

今日も晴れている。八月の太陽は、頭上に眩《まぶ》しくかがやいていた。

蜜柑畑の葉が、濃緑をたたえている。陽の当るところは色が輝き、陰のところは、黒いくらいに緑が深い。畑の向うには、陽に光っている蒼《あお》い海が、すぐに見えた。突き出た細長い半島には靄《もや》がかかっている。

道路は、蜜柑畑の上にあった。だから、そういう景色が見えるのだ。道路は白くて、埃《ほこり》っぽい。その道路の上も斜面の畑になっていた。

典子と竜夫は、道路に立って、下の斜面を見ていた。蜜柑の葉が、重なりあい、茂りあっている。真鶴駅で降りて、歩いて十五分くらいの場所だった。

蜜柑林の中に、縄《なわ》の切れが散っていた。おそらく、昨日、警察署が来て、立入禁止のために張った縄の残りであろう。道路から、六メートルくらい下の方だった。

「おりてみよう」

竜夫が誘うように言った。

「そうね」

典子は、答えたものの、すこし尻《しり》ごみした。昨夜の夕刊を見て、今朝、さっそく、東京から駆けつけたものの、殺人の現場のあとを間近にみるのは、ちょっとこわい。

竜夫が、草を踏んで、蜜柑林の下をくぐりながらおりて行ったので、典子も仕方なしにあとについておりた。毛虫が降ってきそうなので、まず、そっちが気にかかった。

現場は歴然と分った。たくさんの靴《くつ》が踏み荒したあとがあるのに、真ん中だけ、それがなかった。そして、そこだけ、新しい土が掘り返されてあった。

「血を消したのだ」

竜夫が説明した。

「まあ」

典子は、前に田倉義三の墜死の現場を見た。死体はなかったが、岩石に血痕《けっこん》がどす黒くついていて目をそむけたものだった。いまも、この掘り返された土の下の血を想像して、鳥肌《とりはだ》が立った。

「とうとう犠牲者が出たわねえ」

典子は、そっと土に手を合わせて言った。

「うむ。出た」

竜夫も深刻な顔をしていた。

彼は、あたりを見まわし、その辺の草や土の上を背をまげて歩いていたが、自分たちが、いま降りてきた道路の高いところを見あげた。

「おい、リコちゃん。あれを見ろよ」

典子は竜夫のいう方を見た。

「何があるの?」

「何があるのじゃないよ。地形を見ないか。ほら、高いところが道路で、死体の位置が、斜面の下だ」

「あ、そうだわ」

田倉の怪死の現場と同じであった。断崖《だんがい》と斜面、それに高さが違うだけで、道路が高く、死体がその下方にあった。

「田倉のときと似てるだろう。ほら、あの道路は自動車も通れば、バスや、トラックも通る」

竜夫は指さした。おりから一台のトラックが埃の煙をあげ、地響きして通過したところだった。

「でも、偶然じゃないかしら」

典子は、いちおう、疑った。

「偶然じゃないさ。ま、上に登ろう」

竜夫は、斜面を上がりはじめた。

もとの位置に立って、いま見た現場を眺《なが》めると、ほとんど、蜜柑の葉にさまたげられて目にはいらなかった。

「偶然じゃない、というのはね」

竜夫は言った。

「新聞の記事だが、被害者は頭頂部を鈍器ようの凶器で殴られて死んだと、書いてあったね。これは、田倉の場合とそっくりだよ。彼のは鈍器ではないというけれど、岩石に当ったか、殴った傷か、区別がつかない。しかし、たしかに頭頂部には、致命傷となった打撲傷があった」

典子はうなずいた。それは前に、小田原署の死体検案書を見て分ったし、そのことでは、竜夫と討論したことがある。

「偶然が二つも三つも重なると、もう偶然とは言えなくなる」

「二つも、三つも。……まだ、何があるの？」

「ほら、これだよ」

二人の後ろをバスが通り抜けるところだった。

「道路には自動車が通る。田倉の場所もせまいが、トラック一台は通れた。おや、そういえば、この道路も、ずいぶん、狭いね。バスが行きあうときは、すれすれだろうな」

バスの標識は、小田原↔熱海であった。典子は、いつか村谷阿沙子女史の病院の帰り、狭隘《きょうあい》な通りで、バスが難儀して往《ゆ》き合うのを思いだした。

「すると、この運転手殺しの犯人と、田倉さんを殺した犯人とは同一人物なの？」

典子が、声を低めてきくと、

「まあ、少なくとも、同じ手口と言えそうだね」

と竜夫は断定を避けて慎重であった。

二人が、そこに立って、ぼそぼそ話をしているものだから、近所の中年の男と女が、前後して近づいてきた。

「昨日の人殺しのあとを見ているのかね？」

と男の方が先に竜夫の顔を見てきいた。

「そうです。新聞で見たものですから」

竜夫が答えた。

「恐ろしいこったね。若い者が殺されて」

中年の女が言った。陽除《ひよ》けのためか頭に手拭《てぬぐい》をかぶっていたが、それには「××村青果出荷組合」という字が染め抜いてあった。

「昨日は、大勢、お巡《まわ》りさんが集まって、大変だったわな」

中年女は、話を聞かせるように言った。

「そうでしょうね。この辺ではめったにない事件でしょうから」

竜夫が、やはり相手になった。

「そら、あんた、人殺しなんて、この近所には起ったことがねえ。お巡りさんや刑事が大勢来るわけだあな」

「この辺の警察署はどこですか」

「小田原署ですよ」

警察署まで、田倉事件と同じであった。

「刑事さんは、いろんなことを、きいてまわったでしょうな?」

竜夫は質問した。

「そりゃ、詳しくききましたよ。八時から十時ごろの間に、自動車がこの辺にとまってはいなかったかとか、エンジンがとまる音はしなかったかとか、人の叫び声はしなかったかとか、殺された人の人相を言って、そんな男を見かけなかったかとか、怪しい人物をその頃《ころ》、見なかったかとか、そりゃ、根掘り葉掘りでしたよ」

中年女が一息にしゃべった。

「で、どうでした?」

「それが、あんた、この辺はみんな早寝でね。誰も見たり、聞いたりした者はいねえ。自動車は夜中に、ときどきとまるが、そりゃ運ちゃんが小便をするためだあな」

四人は笑った。

「警察は、がっかりしてたよ」

「それじゃ、刑事さんたちは、何も収穫はなかったわけですね？」

「うん、なかったずら。妙なものを畑の中でさがしまわっていたっけが」

男は言った。

「妙なもの？」

竜夫は聞きとがめた。

「ああ、汽車の切符の切れ端だと言ってたよ」

「汽車の切符ですか？」

「そう。殺された人の近くに、三等切符の裂けた端が落ちてたというんで、その残りがねえかと、蚤《のみ》とり眼《まなこ》で蜜柑畑やこの辺をさがしていたよ」

汽車の三等切符。……それは被害者の木下一夫が持っていたものか、犯人のものか、あるいはまったく関係のないものか、聞いている典子にも判断がつかなかった。

しかし、裂いてあったというところをみれば、被害者か加害者の持っていたものに違いないように思われる。それは、どこの駅からどこへ行く切符であろう……？

竜夫も同じことを考えたとみえ、そのことを中年男と女にきいた。

「そりゃあ、知らねえな」

二人は顔を見あわせて答えた。

「それは、警察に行ったら、すぐ分るべえ」

「いや、どうもありがとう。おかげでおもしろい話を聞きましたよ」

竜夫は、礼を言い、典子を誘って、駅の方へ歩きだした。

「ほんとにおもしろい話ね」

典子は、竜夫の横で歩きながら言った。

「何が？」

竜夫は顔を向けた。

「ちぎられた一枚の切符のことよ。まるで、シャーロック・ホームズじゃないの？」

「そうか」

竜夫も、思わず、苦笑してにやにやした。

「素敵だわ。切符の破片からたぐってゆくなんて」

典子は、探偵《たんてい》小説の世界が現実にわが身に来ようとは思わなかった。

「君、有頂天になっちゃ、いかんよ。切符は僕らが発見したんじゃないよ。権威的な警察の手にあるんだよ。僕らには、何も持札がない」

「あるわ」

「ある？」

竜夫は怪訝《けげん》な目をした。

「田倉さんは他殺だ、という推定よ。私たちは、ずいぶん苦労して、この状況データを集めたわ。警察にはないことよ」

「そうか。なるほどね」

竜夫は、晴れた相模湾《さがみわん》に目をやりながら、首筋に浮いた汗を、よごれたハンカチで拭《ふ》いた。

「僕らは天才的ではないから、二人で合わせてホームズになるか」

竜夫の冗談で洩《も》らした一語が、典子の胸には、心臓を衝《つ》かれたようにせまった。二人で一つの人格を造りあげる。――それは結婚の意義に通じていた。

真鶴駅から小田原行きの湘南《しょうなん》電車に二人は乗った。窓から見ると、さっき見た蜜柑畑のあたりが一瞬にとび去った。

「小田原警察署には、妙に縁が重なるのね」

典子は、窓からの風に逆らいながら、隣の竜夫に言った。

「うん、僕もそう思ってたところだ。いよいよ、これは田倉の事件に糸がつながってるな」

「ところで、小田原に着くまで、考えましょうか。木下一夫さんという深夜便トラックの運転手は、誰に殺されたのでしょう?」

「いちばん有力な嫌疑者《けんぎしゃ》は、田倉の女房の弟である坂本浩三だね。なにしろ、トラックでは相棒だったからな」

「なぜ、殺したのでしょう？」

「それは、僕にもよく分らない。二人でいっしょに会社を辞めたくらい仲がよかったんだろう。それが、急に殺すような動機となるのは何だろうな」

「わたしには、推定がつくわ」

典子は言った。

「へえ、聞きたいな」

「トラックが一時間半、遅延した原因が、この殺人の原因になってると思うわ」

「そうだ、それは、僕も考えている」

「あら、ずるいわ」

典子は、すこし、はしゃいだ声で叫んだ。

「ひとの考えを聞いて、もっともらしい顔するなんて」

「それくらいは、僕だって考えてるさ」

竜夫は、あまり笑いもせずに答えた。

「君の言うとおりだ。あの運転手二人は、トラックを一時間半遅らせて、何かやっている。故障なんて、真赤な嘘《うそ》だからね。会社から叱《しか》られて、本当の理由を言わずに、喧嘩《けんか》してやめたくらいだから、相当重大なことをしたと思うな。それがもつれて、仲違《なかたが》いとなり、坂本浩三が、木下一夫を殺したということになる」

典子は藤沢の田倉の家に悔みに行った時、蒼白い顔をして霊前にすわっていた青年を目にうかべた。彼が、そんな暴力を振《ふる》う男とは、そのとき夢にも想像できなかった。

「相当、重大なことをした、それが問題よ。何でしょうね？」

「田倉の死んだ時刻に、その現場を通っている。やはり田倉の怪死に関係したことだろうな」

「だから、何をやったか、ということよ」

「それさえ分ったら、こんなに困りはしない。……だが、それもまもなく分るだろう」

「え、どうして？」

典子は目を大きく開いた。

「警察だって、被害者の木下の相棒が坂本浩三だったぐらいは調べているさ。だから、目下、厳重に行方を捜査中、というところだろう。坂本は警察にすぐにつかまるだろうね。あんなチンピラは逃げきれるものではない。だから、坂本浩三がつかまったら、彼が犯人であろうがあるまいが、木下と会社を辞めた理由、つまり、一時間半遅延の真相を白状するだろう」

「そうすると、田倉さんの怪死事件は解決するの？」

「有力な手がかりになるだろうね」

「じゃあ、ホームズは、いいとこないわね」

「そうさ。素人《しろうと》の捜査なんて現実には無力なもんだよ。スーパーマンは小説の中だけだ。それも、ベーカー街に戞々《かつかつ》と鳴る二輪馬車《カート》が走っていた時代さ」

竜夫は、典子と反対に、急に無気力な表情になっていた。

電車が小田原駅に着いた。

捜査問答

1

小田原署の前に来たとき、竜夫は、

「この前、田倉の怪死事件のときに会った親切な警部補さんは何という名だったかね？」

と典子にきいた。

「和田さん、とか言ったじゃない？」

典子が思い出して答えた。

「そうだ、そうだ、そんな名前だった。君は、もの覚えがいい。今度もやっぱり和田さんに会った方がいいね?」

「そうね、やはり、一度でも会って顔を知ったかたがいいわ」

警察署というと、やはり、とっつきにくい気がした。その無愛嬌《ぶあいきょう》な玄関を二人ははいった。

「和田警部補は、このあいだ、沼津警察署に転勤なさいましたよ」

この前とは違った受付の巡査は二人に答えた。

「へえ、沼津に?」

竜夫はすこしがっかりした顔をしたが、仕方がないというふうに、名刺を出した。

「こういう者ですが、真鶴で起きた殺人事件のことで、捜査主任のかたにお目にかかりたいのですが」

巡査は名刺の社名に目を走らせた。

「出版社のかたですね。もう取材ですか」

と竜夫を見た。こんな場合は出版社名は便利がよかった。

「捜査本部ができていますから、直接、そっちへまわってください。いったん、玄関を出て、建物に沿って奥へはいると、道場があります。そこが臨時の本部になっていますから」

巡査は教えた。

「捜査主任のかたは何とおっしゃいますか」

「伊原警部補です」

教えられたとおりに、二人は玄関を出て、横にはいった。小さな道のわきには、ちょっとした花壇のように草花が植えてあった。

道場の入口の扉《とびら》には、「真鶴殺人事件捜査本部」と、ものものしい貼紙《はりがみ》がしてある。

竜夫が先になって、おそるおそる、その扉を開いた。

顔をのぞかせると、畳の上に机をならべ、シャツだけになった係官がすわっていたが、その一人がこっちを向いて、

「何ですか？」

と一喝《いっかつ》するように大きな声を出した。

「あの、東京の出版社の者ですが」

竜夫も気をのまれて、小さな声を出した。

「今度の事件のことで来たんですが、伊原警部補さんに会わせていただけませんか？」

大声を出した人間は、正面の肥《ふと》った男を見た。彼の背後には、黒板があって、現場の見取図などが貼りつけてある。東京から、わざわざ来たと言ったのが、効いたのか、肥った男は、しようがないな、というような顔つきで、大儀そうに立ってきた。

「わしが伊原だが」

と、はじめてドアの外に若い女が立っているのを見て、意外そうな顔をした。

「お忙しいところを恐れ入ります」

典子も、すかさず名刺を出した。伊原警部補は、少しばかり、あかい顔をした。

「東京から、わざわざ、このことで来たんですか?」

警部補は、出てきて、後ろのドアを閉めた。

「そうなんです」

竜夫が、おじぎをした。警部補は、名刺を持ったまま、

「新聞社ではなく、出版社が早くも駆けつけたとは珍しいな。やはり、何かな、このごろ流行の、週刊誌の影響で、テンポが速くなったのですかな?」

と、半分は冗談めいた笑顔を浮べた。

「そうなんです。近頃は、うかうかしていられません」

竜夫も、気が軽くなったような表情をした。

「忙しいから、五分間ぐらいですよ」

伊原捜査主任は、笑顔を引っこめて、むずかしい顔に返った。

「結構です」

「じゃ、きいてください」

主任は立ったまま、身がまえるような恰好《かっこう》をした。

「ひとどおりの概要は新聞で読みました」

　竜夫は言いだした。

「いま、僕たちは現場にも行って見たところですよ」

「ほう、現場に行ったのかね」

　捜査主任は、熱心だな、という目を二人に投げた。

「殺されたのが、二十いくつかの青年ですから興味を持ったんです。つまり、近頃、青少年の凶悪犯罪が非常に多い。それで、次号はその問題の特集をしようと思っていたところに、この事件が発生したので、もしや、犯人が同じような青年だったら、一つの実例になると思って駆けつけたんですが」

　竜夫は、思いつきの理由を言った。

　伊原主任は、その意見にうなずいた。

「話しますよ。捜査に支障のない点は何でも答えよう」

「ありがとう」

　竜夫は礼を言って、メモをとりだした。

「まず、あれは殺人でしょうね？」

「もちろんです。頭頂部を、鈍器ようのもので強打されて、頭蓋底骨折《ずがいていこっせつ》が致命傷だ。本人ではできない」

伊原主任は答えた。

「凶器はみつかりましたか？」

「まだ発見できない。現場を相当、詳細に捜索したのだが、出てこない。おそらく犯人が持って逃げたのだと思われる」

「凶器の推定は？」

「局所の破壊状況から見て、金槌《かなづち》のようなもの、金棒、あるいはスパナといったものが考えられる。それに、加害者は相当な力を持った者というのが、われわれの推定です」

典子は、横で聞いていて、頭蓋底骨折というのは、田倉義三の死因も、同じ名前だったと思いだした。

「相当な力を持った、といえば男でしょうが、それも青年と考えていいわけですな？」

竜夫が言うと、捜査主任は、

「そう、君の意味は、同じ仲間の犯行ではないかと言いたいのだろう？」

とすこし微笑を唇《くちびる》に出して反問した。

「そうなんです」

「われわれも、その線は追っている」

「追っている？　すると、容疑者が出たのですか？」

この質問に、主任は曖昧《あいまい》に口を閉じた。彼はそれをごまかすように、ズボンのポケットから、よれよれの煙草《たばこ》を一本とりだした。典子は、竜夫をつついてマッチをうけとると火をつけてやった。

「ありがとう」

と、伊原警部補は礼を言った。

「さっき、現場を詳細に捜索したと言われましたが」

竜夫が鋒先《ほこさき》を変えた。

「凶器は別として、犯行の手がかりになるものは、何にもありませんでしたか?」

「なかったね」

主任は即答した。

「しかし、僕の聞いたところによると、汽車の切符のちぎれた破片を刑事さんたちが一生懸命に探していたそうですが……」

「そんなこと、誰が言った?」

伊原主任は、目をきらりと光らせた。

「あの近所の人がそう話していましたよ」

竜夫が言うと、主任は舌打ちしそうな顔をした。

「それはね、死体のすぐ近くに、三等切符のちぎれた破片が落ちていたのです」

と彼は告白した。

「しかし、それは、この犯罪に関係があるのか、ないのか、判定がつかないから何とも言えない。残りの破片を探したのは、念のためでしたのだが、一片も出てこなかった。あるいは、どこかからか、それだけが風に吹かれてとび散ってきたのかもしれない」

「その落ちていた破片には、文字が何と書いてありましたか？」

「なんにも書いてない、つまり、切符でも、ほんの隅《すみ》の一部分でね。文字のないところですよ」

竜夫は捜査主任を疑わしそうに見た。しかし、主任が嘘《うそ》をついているとは思えなかった。

「発売駅と行先、せめて発売日が分ると、ずいぶん参考になるんだがなあ」

主任の方が残念がっていた。

「切符は新しかったんですか？」

「わりと新しい」

と主任は答えた。

「その日から、三四日以前にさかのぼるということはないくらいだ、少なくとも、二三日じゅうに買ったという新しさです」

典子は考えていた。切符を、もし、犯人か被害者が持っていたとすると、普通なら、乗車以前か、あるいは、途中下車の場合に限る。この普通なら、というのは、下車して、当然、改札口に渡すべき切符を、渡さずに持っていた場合であるが、これは特別なこととして、いちおう、除外してみる。駅は、現場から真鶴駅が一番近い。この駅は、さして乗降客が多くない。

竜夫も、それを考えたとみえ、

「真鶴駅に当ってみましたか？」

と主任にきいた。

「当ってみたが、そこからの手がかりはなかったな」

と、伊原主任は首を振った。

「駅員は、被害者にどうも記憶がないと言っている。当日も、前日も、上下線とも乗降客があまりなかった。それで、たいてい、駅員の誰かに記憶があるはずだが、ないところを見ると、被害者は真鶴駅を降りたものではないらしい、と思いますね」

約束の時間が過ぎそうなので、竜夫はすこし、あわててきた。

「駅から、現場付近までの目撃者は？」

「それも、ないのです」

「それじゃ、被害者の足どりが全くとれないのですな？」

「今のところは、全く分らないのです」

「しかし、あの現場は、小田原から熱海への街道になっていて、バスも自動車もトラックも通る。その辺からの手がかりはないのですか?」

「バスも手をまわしたが、そこからは、これという線が出てこない。……君、もう、いいでしょう」

と、主任は腕時計を見た。

「いや、もうちょっと待ってください。バスがだめだとすると、トラックはどうですか?」

竜夫が、ひきとめるようにしてきいた。

「トラック?」

心なしか、伊原主任の目が、すこし変ったように見えた。

「つまり、トラックを運転して、犯人と被害者が現場に来たということです」

主任は黙っていた。

「主任さん、さっき、凶器はスパナかも分らない、とおっしゃいましたね、トラックとスパナは線があると思いますが」

「………」

「それに、重大なのは、被害者の木下一夫君がトラックの運転手だった点です。これは、どうなんでしょう?」

伊原主任は、短くなった煙草を、てれ隠しのように、口に持っていったが、それは、もう消えていた。

「それなら、君、そのトラックを探さなければならんわけだね？」

主任は、竜夫の顔をわざわざ見るようにして言った。

「そうです」

「その手当も、みんなすんでいる」

と宣言した。

「そして、現在のところ、不審と思われる報告はない」

「そうですか」

竜夫は、ちょっと下をむいたが、

「新聞によると、木下君は、もとトラック会社の運転手とありましたが、その辺の線から、何か出てきませんか？」

と目をあげてきいた。

主任はふたたび沈黙した。彼の太い首には、汗がにじんでいた。

「たとえば、もとの同僚というような……」

竜夫は畳みかけた。

「遠距離運行のトラックは運転手が交替のため二人で乗るはずです」

伊原主任は、それでも黙っていた。

「主任さん。主任さんは、さっき、容疑者を追っているような口吻《くちぶり》でしたが、その辺の線じゃありませんか?」

「容疑者は出ている」

と、捜査主任は当局の権威を示すように言った。

「しかし、それは言えない。近ごろの新聞はすぐ容疑者を犯人に仕立てて書きたてるからな」

「新聞じゃありません。うちは雑誌ですよ」

竜夫は相手の言葉を訂正した。

「それに、ほぼ、僕らにも、主任さんの言われる犯人の見当がついてますよ」

「ほう」

主任はわざと目を細めたが、少々不安そうであった。

「坂本浩三でしょう?」

竜夫が言うと主任はいったん細めた目を急にむいた。

「え、君は、どうして、それを?」

「木下君の相棒を、トラック会社で調べたんです。二人が、十数日前に、同時に会社を馘《くび》になったことも知りました」

竜夫は答えた。主任はあらためるように彼の顔を凝視していたが、ちらりと典子にも視線を当てると、そのまま目を落した。

「実は、そうなんだ、君たちがそこまで調べているのだったら言うけれどね」

伊原主任は観念したように口を割った。

「ああ、やっぱり、そうですか」

竜夫は、うなずいて、

「それで、彼の消息の見当がつきましたか？」

ときいた。

「消息が分るも分らないも、君」

主任は、空を見るようにして言った。

「本人から、手紙が来たんだよ、今朝」

「えっ」

今度はこっちがびっくりした。

「手紙？　坂本浩三からですか？」

「そう。自殺すると言ってね。むろん、住所は書いてない。消印は、東京の四谷。内容は、木下君を殺《や》ったのは自分であるということ以外に、理由は書いていない。……いま、うちの捜査員が東京へ飛んで行っている」

2

朝、典子は、目がさめると、すぐに朝刊をひろげて見た。昨日、小田原署で聞いた、坂本浩三の自殺記事が出ているかと思ったが、どこにもそんな活字はなかった。もう一種の新聞を手にとったが、これにも出ていない。典子は安心した。世間は平穏である。石垣島《いしがきじま》南方に早くも小さな台風が発生して、本土に近づくようすがある、というのが、ただ一つの不穏なニュースであった。

坂本浩三が、小田原署の捜査本部に「自殺する」という手紙を出したのは、みずから木下一夫殺しの犯人を告白したようなものである。いや、これで決定したといってよい。典子も予想したことだったので、格別意外ではなかったが、何ゆえに彼は同僚を殺さねばならなかったか、当人は投書に一句もふれていないと捜査主任は言っていたから、やはり、これは謎《なぞ》のままであった。

竜夫は、木下一夫がつかまれば、真相解決の一端がほぐれると言ったが、木下は殺され、その犯人と思われる坂本浩三が自殺してしまうと、ふたたび田倉の怪死は、箱根の深い霧の中に隠れてしまうのである。

それにしても、情報屋田倉義三の墜死にはじまって、村谷阿沙子の夫の失踪《しっそう》、この女流作家の代作問題、彼女の入院と行方不明、その小説の草稿は故人となった畑中善一の創作ノートであり、彼の恋人は田倉の現在の妻になっている。この妻も今はどこに行ったか分らない。その弟は同僚を殺して逃走した。――事件は複雑になるばかりである。ちょっと考えても、頭が痛くなるほどだが、事件を簡略にしてみて、こうなると最も気にかかるのは、田倉の妻、よし子の行方であった。なぜ、彼女までが姿を晦《くら》まさねばならなかったか。その弟のふしぎな犯行と考え合せて、彼女の行動が、いちばん不可解である。いったい、どのような理由で行方を絶ち、現在どこにいるのであろう。……

典子は、朝の食事のときも、ラッシュアワーに揉《も》まれる電車の内でも、このことを考えつづけたが、いい思案は浮ばなかった。

出社すると、まもなく竜夫も出てきて、さっそく、例のお湯呑《ゆの》み場へ連れこまれた。

「今朝の新聞には、出なかったね」

と、彼も同じように坂本浩三の自殺の記事が気になっているらしかった。

「ええ、なんだか、ほっとしたわ」

典子は正直な感想を言った。

「ほっとするのは、まだ早いよ。これからいよいよ始まるのかも分らん」

それを期待するように、竜夫の目が光ったように思えたので、典子は、ひやりとした。

「いやだわ」

「なにしろ本人が予告しているのでね。四谷局の消印で手紙を出しているそうだから、いまに都内のどこかで死体となって出てくるかも分らないね」

「もう、よしてよ」

典子は耳をふさいだ。

「僕は、今日から、神奈川県の地方紙を取ることにしたよ」

彼はすこし声に笑いを混ぜながら言った。

「東京紙だけでは、地方の事件は詳しく報道しないからな。地元紙だったら、捜査の推移がよく分るからね」

「そうね」

典子はうなずいたが、今朝から考えていたことを口に出した。

「ねえ、今度の運転手殺しと、田倉さんの変死とが、関係あるってこと、警察では知ってるかしら?」

「それは気づかないだろうね」

竜夫は、小首を斜めにしながら答えた。

「第一、田倉の場合は、他殺ではなく、自殺として片づけられているだろう、この二つの線をつなぐ意識は、警察にはないだろうね。それに、僕たちが考えているように、この犯行の原因が、トラックの一時間半の遅延事故にあるということも考えつかないだろうな」

さて、それはどうかな、と典子は思った。警察のことだから、根掘り葉掘り、トラック会社の聞き込みをやるに違いない。当然、遅延事故にも行き当るであろう。竜夫の考えは少々甘いようだと思ったが、そのことは言わなかった。そんなことで議論するよりも、典子には、もっと言いだしたいことがある。

「ねえ、わたし、秋田県に行ってみたいわ」

と竜夫を見あげた。

「え、秋田県に？」

「ほら、五城目《ごじょうのめ》よ。田倉さんの奥さんの実家よ。家財道具を彼女の弟が送っているくせに、電報が受取人不明として返った土地よ。わたし、どうしても、行って、確かめてみたいわ」

「五城目までかい？」

竜夫が吐息をついて、典子の顔を見たとき、給仕の男の子がはいってきて、声をかけた。

「崎野さんも、椎原さんも、いま、編集長が見えましたよ」

竜夫は、目をまるくした。

白井編集長は、机の前にすわり、横の芦田と、顔を近づけて話をしていた。それは仕事の話らしい。三日ぶりで見る彼の顔は、あいかわらず精悍《せいかん》そうであったが、しかし、その皮膚の下に、一種の疲労が翳《かげ》っているのは、それとなしに眺《なが》めている典子に、気のせいだけではなく思われた。

編集長は次長と低い声での打合せが済むと、全員の方に顔を向けた。心なしか、編集長の目が、典子と竜夫に光ったように思われた。

「忙しい最中に、私用で休んですみません」

彼は挨拶《あいさつ》ともなく、一同に言った。

「いま、芦田君から聞いたけれど、仕事は順調に進行しているようで、安心しました。どうもありがとう。しかし校了まで、あと五日だし、遅れている部分もあるようですから、奮闘してください。僕も私用で休んだ罰に大馬力をかけます」

編集長は宣告を終ると、一人一人に指示したり、質問したり、ダメを出したりした。

それは、いつもの白井編集長の姿であったが、今日は、すこし自分で元気をつけているようなところがある。

典子も、白井編集長にちょっと呼ばれたが、それは仕事のことだけで、ほかのことには全然ふれなかった。典子は真鶴の事件を話す気持もあったが、白井の機嫌《きげん》が、あまりよくないので言いそびれた。それに、編集長はやたらに仕事を出してくる。

それから四五日は、典子は、仕事に追いまくられた。校了間近な数日は戦場のようなものて、誰も彼も目が血走ってみえた。竜夫とも、ゆっくり話す機会がなかった。それでも、小さな話を交わす隙《すき》はあった。

「編集長は、どこに行っていたか、ちっとも言わないな」

竜夫は腕を組んで言った。

「やっぱり、秘密かしら？」

典子は、低い声で反問した。

「そうかもしれない。どうも変だな。私用で休んでいたという理由だけで、さっぱり説明がない。まさか、どこへ行って、何をしていたか、ということまで、僕らの立場ではきけないしね」

「言っても、ほんとうのことでなかったら、むだだわ」

「とにかく、あの顔は、えらく疲れた顔だな」

「ああ、崎野さんも、そう思っていらっしゃる？」

「同感だろう？　だから、何かあったのだ。休んでいる間にね」

竜夫は、白井編集長が、あくまで事件に関連していることを信じているようだったが、典子も、いまとなっては、その意見に傾かざるを得なかった。

「編集長は、運転手殺しのことを知ってるかしら？」

「知っている、と僕は思うな」

竜夫は半分、断言するように答えた。

「あら、どうして？」

「あの顔色を見たかい？　自分ではバカ元気をつけているようだけれど、あれは疲労困《こん》憊《ぱい》の顔だよ。つまり、彼の休みの間に、何か重大なことがあったのだ。編集長が田倉の変死に関係があるとしたら、当然に、真鶴の事件は、新聞ではなく、彼がじかに知っているると思うな」

「新聞といえば」

と典子は言った。

「あれから、地方紙に何か捜査状況が出てたの？」

「うん。出てるが、さっぱり進展しないらしい」

竜夫は話した。

「捜査本部でも、坂本浩三のことは発表している。しかし、自殺体は出てこないし、手がかりは無いしで、困り抜いている模様だな」

校了の二日間は印刷所に全員で出張するが、夜おそくまで息つく間もなかった。

「ねえ、崎野さん」

典子は、わずかな隙をみて竜夫に言った。

「わたし、やっぱり、校了になったら、秋田県に行ってみるわ」

「そんなことを、この間、言っていたが、ほんとうに行くのかい?」

竜夫は典子の顔を見すえた。それは、彼女の考え方を肯定し、勇気づけるような目であった。

ふと、気づくと、白井編集長は、校正室の隅《すみ》にある長椅子《ながいす》に身体《からだ》を横たえて眠っている。その顔を見ると、頬《ほお》がこけて急に年齢《とし》をとったようだった。顔色が冴《さ》えないのは、仕事のための寝不足だけとは思えない。深いやつれがあった。

その翌日の夕方、出張校正から、用事があって、本社へ帰ってきた典子が、必要なメモを入れた机の引出しをかきまわしていると、編集長の机の上の電話が鳴りだした。部屋にはほかに誰もいなかった。急いで送受器を取ると、低い女の声が、

「白井さん? わたくしですけど……」

と、いきなり耳に流れた。せきこんだ調子だった。

「あの……白井はただいま出かけておりますけど……」

と言いかけたとき、工場に行っていると思った白井の長身が、視界をすぎた。あわてて、

「あっ、ちょっとお待ちください」

と、ふりあおいだ典子の手から、電話をさらうと、白井は典子に背を向けて、低い声で話しはじめた。

「うん、うん、……そうですか。それじゃ……これから行きますから……」

というような、きれぎれの言葉しか、聞きとれなかったが、やがて編集長は、がちゃんと送受器を置くと、

「椎原君、僕はちょっと出かけてくるから」

と言って、そそくさと出て行ってしまった。

典子は、ぼんやりとその後ろ姿を見送った。時計を見ると六時だった。編集長は、あの電話を予期して帰ってきたのだろうか。いつもなら、取次ぎを受けるときは、かならず相手を確かめてからでなくては、電話に出ない彼だ。しかし、それよりも心にかかったのは、あの低いが澄んだ女の声を、彼女はどこかで聞いたことがある、ということであった。

典子はその晩、そのまま家に帰らずに上野駅からおそい汽車に乗った。朝、家を出るときに、母に話しておいて許可をとっていた。

「まあまあ、あんたも大変だね」

と母は目をみはっていた。

仕事の疲労で、典子は長い汽車の旅をぐっすりと寝こんだ。いつもは夜汽車では熟睡できない性質《たち》だったが、校了直前からの疲れがたまり、それがいちじに出た恰好《かっこう》で、夢

も見なかった。

それでも、福島とか、米沢《よねざわ》とか、山形とかの駅名のもの憂《う》い連呼はかすかに知っている。朦朧《もうろう》状態の中で、ずいぶん、遠くに来たものだと思ったものだった。

新庄《しんじょう》をすぎたころ夜が明け、朝靄《あさもや》のなかに農家が浮んでいた。秋田では多くの乗客が入れかわったが、東北弁が急に耳に殺到してきた。

五城目は、秋田から一時間足らずで、一日市《ひといち》駅で、乗り換える支線の終点で、この辺では、かなり大きな駅ということになっているらしい。町も、思ったよりも賑《にぎ》やかであった。積雪を考えて造られた民家の構造は、典子も写真などでは見たが、実景を目の前にするのは初めてで、珍しかった。

まず、何よりも、田倉よし子の実家を訪ねなければ、と思い、手帳に控えた町名、それは彼女の弟、坂本浩三が藤沢駅から送り出した荷物の宛先《あてさき》だったが、交番の巡査にきいたり、途中で人にきいたりして歩いた。東北弁では難儀を覚悟したが、典子がよその土地の人と思っての心遣いか、訛《なま》りはあるが、みんな標準語で話してくれた。

当の番地を訪ねると、そこは賑やかな、狭い市場の中で、荒物屋であった。

「へえ、その番地は、たしか、うぢどこだが、うぢは吉田で、田倉だどか坂本だどかじゃねえすな」

五十ばかりのおかみさんが、買物客を相手にするかたわら、典子を見て言った。

「ご近所に田倉よし子さんとか、坂本さんとかおっしゃるお家《うち》はございませんか？」

典子は、半分は、そのことを予想していたが、念を押した。

「一軒もねえすよ、この町内では」

おかみさんは、言下に答えた。

「もう、二十年もここで商売してるだで、あれば、わしが知らんはずはねえすから」

土地の人だから、この答え方は正確であった。

そこに、頭の禿《は》げた主人が奥から出てきて、誰を探しているのか、という意味をおかみさんにきいていた。

「田倉？　知らねえすな」

と主人も首をひねって、典子を見ていたが、

「ああ、そういや、いづがも電報配達が来て、そんな家はねえかと、探しまわっていだな」

とおかみさんに話しかけた。

おかみさんは、蠟燭《ろうそく》を客に売って、釣《つ》り銭を銭箱《ぜにばこ》から出しながら、

「んだ」

とうなずいて、

「そんな家はねえだから、電報持って帰っていったすなあ」

と思いだしたように言った。

その電報は、竜夫が打って、受取人居所不明の付箋《ふせん》で返送されたあれに違いない。

そうすると、藤沢から、田倉よし子の名前で送った家財道具の荷はどうなっているのだろう。典子が知りたいのは、それであった。

「そんな荷が、配達された覚えはねえ」

夫婦は口を揃《そろ》えて答えた。

おかしなことである。電報は、たしかに、ここまで配達されて返されたが、荷物の方はまったく配達にきた形跡がないのである。

それに、田倉よし子の名も、彼女の実家と思われる坂本姓も、二十年もここに住みついている夫婦が知らないのであった。

典子は、駅に向った。とにかく、荷物を出したことは事実だから、駅にはかならず到着していなければならない。

ところが、これは駅の構内にある到着係によって確かめられた。

「そら、駅止めになってるす」

係は、帳簿を繰った末に言った。

「え、駅止めですって？　それじゃ、荷物はここに置いてあるのですか？」

駅止めになっているとは、気がつかなかった。

「んでねえ」

駅員は首を強く振った。

「ちゃんと、荷受人が来て、こっちでは引渡しずみになってるす」

3

「それは、当人が引き取ったのですか？」

典子は目を駅員にそそいできいた。

「ええと、荷受人は田倉よし子さんだなす。そうでねえす。男だったえ」

駅員は記憶をさぐるように言った。

「男？」

「そうだな。四十すぎの人でがしたな。甲片を持ってきたで、渡しあンした」

「それは、何日《いつ》ですか」

駅員は帳簿に目を落した。

「七月二十六日になってるす」

今度は典子が記憶をさがした。自分と竜夫とが藤沢駅に行ったのが、たしかその頃《ころ》である。そのとき、藤沢駅の運送店では、五日ばかり前に送ったというから、荷物が五城目駅に到着して、あまり日が経《た》たないうちに荷受人が現われたわけである。

「そだ、到着したその日の夕方であンした」

典子の言うことに駅員もうなずいた。

「その男の人、すぐに荷物を引き取って帰ってゆきましたか?」

「引き取るには引き取ったが……」

と駅員は答えた。

「そのまんま、荷物は、ここで古道具屋さ売ってしまいあンした」

「え、古道具屋に?」

典子は目をまるくした。

「古道具屋を連れてきていたのですか?」

「んだ。この土地の古道具屋ですが、値段は、荷造りをほどいて見でからというので、小型トラックをやとって持って帰りあンした。その受取人もいっしょでがした」

典子は、ちょっと言葉が出なかった。なぜそんなことをしたのか。古道具屋に売り払うために、わざわざ藤沢から五城目くんだりまで家財道具を田倉よし子は送ったのであろうか。

いったい、その四十すぎの男とは誰であろう。典子の頭に、何の連絡もなく、突然にかすめて過ぎたのは、白井編集長の顔であった。

「いやいや、そういう顔のひどでねがったなあ」

駅員は、典子の言う人相を聞いて否定した。

「瘠《や》せた人だが、色の浅黒い、あんまり垢抜《あかぬ》けのしない男でがしたな。そだな、この辺《あたり》の人ではないようでがんしたなす。土地の者か、他所者《よそもん》かは、だいたい分かりあンすよ」

白井編集長でなかったことには安心したが、今度は、いったい何者か、見当がつかなかった。

これは、その買った古道具屋に、もっと詳しくきく必要があった。駅員は、その買主の所と名前を典子に教えた。

典子は駅の構内を出た。五城目は寂しい町だが、それでも、商店街のような通りが、一筋の帯のように流れている。売出し中とみえて、赤い小旗が、どの店の軒先にも吊《つ》ってあった。

若い娘さんたちも、洋装で歩いていたが、かなりトップモードもある。近ごろは都会も地方も、若い女性に関しては、服装が平均してゆくようで、典子は微笑した。それでも、どこかが違うとみえて、典子をふり返っては通りすぎて行く。

古道具屋は四五丁ばかり行った所にあった。ここは場末とみえて、赤い旗も見られなかった。山城古物店《やましろこぶってん》というのが、その店の名前であった。入口がせまく、店先いっぱいに、ごたごたした古い器物が積み重ねてあった。

典子が足を踏み入れると、

「いらっしゃい」

と、暗い店の奥から五十ばかりの親爺《おやじ》が出てきた。典子を上客と見たか、ていねいに頭を下げた。典子は気の毒になった。

「すみません。買物じゃないんです。ちょっと、ものをおたずねにあがったのですが」

「はあ……」

店主は気を抜かれた顔をした。

「変なことを伺うようですけれど、七月二十六日ごろ、あなたの方で、駅到着の引越し荷物をお買いになったことがありますわね？」

「………」

親爺は、声を出さずに、典子の顔を、しばらく見ていた。

「わたし、その荷を送った者の親類で、秋田にいるものですから、手紙で頼まれたのですけれど」

「へえ」

と店主は、典子を見たまま、ようやく言った。

「なにか、あの荷物のことで、間違いが起りあンしたか？」

正直に、心配そうな目つきであった。

古道具屋にとっては、警察沙汰《ざた》になるような、曰《いわ》くつきの品物を買うのが一番当惑するのだ。典子は方便とはいいながら、この店主を心配させていることを心の中で詫《わ》びた。

「いいえ、品物には間違いはないんです」

典子は安心させるように言った。

「ただ、その代金が藤沢の親戚《しんせき》に送られてこないからと問い合せてきたんですよ」

「代金はすぐにそのかたに渡しあンしたよ」

店主は即座に力をこめて言った。

「三千五百円をネ。一切合財《いっさいがっさい》、ひっくるめてその値で買い取りあンした。値段が、それで折り合いあンしたがらなす」

引越し荷物を、全部で三千五百円とはずいぶん安い値だと典子は思った。おそらく、売主は処分を急いで叩《たた》き売ったのであろう。

「いいえ、あなたをお疑いするわけじゃありませんわ」

典子は急いで言った。

「ただ、頼んだ人がお金を送ってこないから、直接にお伺いにきたんです」

「そんな悶着《もんちゃく》が起るがら困りあンすよ」

店主は顔をしかめてつぶやいた。

「あだしの方は、ちゃんと確かにお金を渡したんだからね。そんな尻《しり》を持ちこまれても困りあンすな」

「いいえ。おたくにご迷惑を言いにきたのではありません。ただ、事情をお伺いにきただけです。不愉快をかけて申しわけありません」

典子があやまったので、店主の顔色はやわらいだ。人のよさそうな、まる顔の、頰《ほお》の赤い親爺である。

「そだら悪い人のようにゃ見えながったがなあ」

と店主は言った。

「はじめ、空《から》っ手《て》でうぢさ来で、家財道具を売りたいから買ってくれねえか、と言うがら、承知しあンしたと言うど、いま、駅止めにしてある荷物で、わけがあって、このまんま処分してえ。値は、荷をあけて品物を見だ上でよろしいと言うもんだから、そうしあンした。そんであだしは、その人といっしょに駅さ行きあンした。そでがすな、四十二三ぐらいの、色の黒い人であンしたよ」

彼は説明した。

「それがら、その人が駅で手続きをして、荷をうげとったがら、わしはすぐにトラックをやとって店さ運びあンした。みんなで五個ぐらいあったがな。トラック賃も、その人が出すと言ったがらな。荷づくりをほどいてみると、なるほど処分しても無理もねえような古道具ばかりであンしたよ。簞笥《たんす》は、ガタガタで、きずだらけだし、水屋《みずや》だっても、食卓だっても、机だっても、みんな相当の代物《しろもの》でアンすよ。あんたの前だが、わしは断わりたいぐらいでアンしたな」

「そうですか」

典子は微笑《ほほえ》みながらうなずいた。

「なにしろ、貧乏していましたから」

「そんな具合で、三千五百円というのは、わしは奮発した値段でアンすよ。この町には、もう一軒古道具屋がありアンすが、あすごさ持って行っても相手にしてくんながんべよ」

親爺は恩恵がましく言った。

「それで、その道具は、少しはおたくにまだございますの」

あったら、ちょっと見たいと、典子は思った。

「いや、みんな売れでしまいあンした」

店主は、すこし具合悪そうに言った。

「わしのどこも、店が狭いがら、そんなものは早くさばごうと思って、安い値をつけあンしたがらね。売れ足は速《はよ》がんしたよ」

「すみませんが」

と典子は、店主を怒らせないようにていねいに言った。

「そのときの領収書がありましたら、ちょっと拝見できませんでしょうか？　わたくしも、頼まれたものですから、責任がありますの」

店主は、はたして厭《いや》な顔をしたが、それでも、行きがかりを感じたか、すぐに奥の間にひっこんだ。

やがて、彼は片手に小さな紙片を持って現われた。

「これであンすよ」

親爺は証拠を示すように言った。

「恐れ入ります」

典子は頭を下げて、手にとって見た。それは、この店のありあわせの便箋《びんせん》の半分に書かれたものらしかった。

領収証

一金三千五百円也

右、家財道具の代金として受け取りました。

七月二十六日　　　　田倉よし子　代人

山城古物店殿

——あまり上手でない筆跡であった。

「この代人の名前がありませんわね」

典子が言うと、

「んだ、それがだな」

と店主も言った。

「わしも、書いでくれと頼んだども、その人は間違いが無《ね》えがらとどうしても言うんで、わしもそのままにしてしまいあンした」

典子は、その日の夕方の急行列車「羽黒《はぐろ》」に乗った。わざわざ、遠く、秋田県の五城目くんだりまで来たけれど、たいして収穫はなかった。しかし、藤沢駅から田倉よし子が送った家財道具の行先が分っただけでも、あるいは収穫かも分らなかった。

収穫といえば――と典子は、列車に揺られながら考えた。秋田県の賑《にぎ》やかな町が過ぎてからは、窓は黒い景色だけであった。

収穫といえば、ある四十男が現われて、その荷物を叩き売って処分したことだ。誰であろう。田倉よし子とどんなつながりをもった男であろうか。その行為の目的は何か。

典子は考えてみた。

田倉の妻の実家は、五城目だと、今まで信じていた。

いつぞや、田倉の変死後藤沢の彼の家を訪ねたら、妻の弟である坂本浩三が、

「姉は遺骨を持って郷里《くに》に帰っています」

と言い、その、お郷里《くに》は、ときいたら、あきらかに、

「秋田です」

と彼は答えた。藤沢から送りだした荷物も、秋田県五城目になっているから、ここが彼女の実家と思いこんでいた。ところが、ここまで来て、分ったことだが、彼女の実家は、五城目の町には見当らないのである。すでに、その家が絶えて、現在、何も残っていないのかもしれない。電報が受取人不明で返送されたのは当然であった。

すると、荷物が五城目駅送りになって、そこで処分されたのは——田倉よし子の実家が、秋田の五城目にあると思わせる工作ではないか。つまり、電報の場合のように、受取人不明として返送されるのを防いだのであるまいか。送った荷物が、返ってこなかった。すると、誰でも、送り先に無事に届いたと思い、同時に、それは宛先《あてさき》の住所に家があると思いこんでしまう。

四十男の、荷物の叩き売りの工作は、この理由のために違いない。それでは、田倉の妻よし子の実家は、もはや、五城目にはないのか。それを、なぜに有るがごとくに装うのであろう？

いや、と典子は、別な考えに行き当って、目を凝らしたものである。

田倉よし子の郷里は、五城目でも何でもないのではないか、そこは、まったく架空の郷里ではなかろうか。実際はもっと別な土地で、そこを知られたくないために、わざと

そんな土地を郷里と見せかけたのではないだろうか。

　そんなら、その荷受人の四十男とは誰だろう。田倉よし子と、何かのかかりあいをもった男だということは分るが、それは何者か。それに、いったい、田倉よし子自身はどこに行っているのであろう。

　村谷亮吾――典子の頭に、不意に、この人物が浮んだ。箱根から行方を絶ったまま、未《いま》だに消息の知れない、阿沙子女史の夫である。彼も四十すぎだ。瘠せていることに変りはない。

（まさか！）

　典子は自分で否定した。亮吾と田倉よし子とはどのような線のつながりがあろう。古道具屋が見せてくれた三千五百円の領収証の下手な文字のことだけではない。文字は下手に似せて書けば書けるのだが、田倉の妻と、村谷女史の夫との線は結びようがない。

　しかし、一方にはまた亮吾と坂本浩三のトラックのこともある。この線の結びつきはどうなのだろう。

　乗客の大部分は話し声を閉じ、かわりに鼾《いびき》と寝息にかわった。典子も、昨夜の夜行と今夜の夜行の強行軍に疲れて、いつか目を閉じて、まどろんでしまった。

　どのくらい眠ったのであろう。突然、背中を叩かれたような気がして、はっと目をさました。

目をあけたのは、典子だけではなかった。乗客の全部が起きあがっているのだ。みんなが、顔をきょろきょろと振っていた。

「汽車がとまっている」

と誰かが叫んだ。窓は墨を塗ったように黒く、灯一つ見えなかった。駅ではなく、列車がとまる場所ではない！

がたがたと音たてて、乗客が窓ガラスを押しあげ、首を外に出したものである。

「おおい、何かあったのかあ？」

と大声で外にきいている者もいた。

下の線路のわきを、乗務員が灯を持って走っていた。

自殺者

1

乗客はほとんど総立ちになって、一方の窓際《まどぎわ》に寄り、外を覗《のぞ》いていた。外は真暗で黒い山影が圧迫しているだけに、異常感が迫っていた。

線路におりた乗務員の灯が、しきりと後尾で動いている。

「どうしたのかしら?」

眠りから不意に起された女が不安な顔つきをして横の客にきいていた。

「線路の妨害かな」

「飛びこみ自殺かもしれない」

と口々に言っていた。

「トラックがはねられたのかもしれない」

と言う者もいた。タクシーと衝突したのかな、と言ったのは、東京の者らしく、周囲から笑われた。現場は山の中だった。人家の灯一つ見えていない。

「どこだろう、ここは?」

とつぶやく者に、

「越後川口《えちごかわぐち》を出てしばらくだから、六日町《むいかまち》か塩沢《しおざわ》のあたりでしょう」

と教えてやる者もいた。みんな、事実を知りたがって外を覗いている。長い列車の窓が人の頭の影で埋《うず》もれていた。なかには、わざわざ、暗い線路にとび降りて見に行く乗客もいた。

やがて、懐中電燈を持った乗務員が二人、線路のわきを走って戻った。それを真上から見て、

「おーい、何だね?」

と客がきいた。

一人の乗務員は先に走ったが、あとからのが、

「マグロですよ」

と窓を見上げて言った。

「え、マグロ？」

「飛びこみですよ」

聞いている乗客がざわめいた。女性の乗客はいっしょに息をついた。

「男か、女かあ？」

しかし、これには応《こた》えがなく、乗務員は石炭の燃えている機関室に登って行った。汽笛が鳴り、汽車が動きだすと、乗客はようやくそれぞれの席に戻ったが、まだ窓をあけて、未練気にあとを見ている者もいた。

典子のすわっている前の席に、中年の男二人が、ならんでいたが、窓の外を透かして見ると、横の連れに言った。

「ああ、やっぱり六日町と塩沢の間だな。見ろや」

横の男も、首を伸べるように覗いていたが、

「ほんとだ、ここは、やっぱり魔の場所だなア」

と同感していた。

典子は、飛びこみ自殺と聞いたときから、胸がどきどきしていた。瞬間に、若い坂本浩三のことが頭にうかんだのだ。自殺する、と警察にも手紙で通知した青年である。予感がそれに走るのは当然だった。自分の乗っている汽車の車輪が彼をひいたのではないか、と思うと、唇《くちびる》が白くなった。

専務車掌がドアをあけて入口に立った。

「皆さま、お急ぎのところを恐縮でございます。只今《ただいま》、事故がございまして、当列車は六分間、不時停車をいたしました。しかし、只今、速力を出して遅れをとり戻しておりますので、上野着は定時の予定でございます」

車掌は帽子を片手に持ち、次の車両に行くため通路を歩いた。

「車掌さん、ひかれたのは、男かい、女かい？」

乗客が彼をつかまえてきいた。

「女です」

車掌は苦笑しながら歩いた。

女——と聞いて、典子はほっとした。坂本浩三ではなかった。他人の不幸に無関心なわけではないが、あの青年でなくて安心した。

「幾つくらいの女だえ？」

と、車掌の後ろ姿に、まだ質問している者がいた。車掌は答えないで次の扉《とびら》をあけて消えた。

女の飛びこみ自殺というので、方々の座席で低いが興奮した話し声がかわされていた。時計を見ると、午前三時に近かった。すっかり、眠気をさまされた恰好《かっこう》であった。

人の上には、さまざまな一生がある。どのような不幸が彼女に死をえらばせたのであろうか。乗客は、それぞれに、勝手な想像をし、その空想の中で死者に同情していた。そして、誰もが、自分の乗った汽車が人を殺したということに寝ざめの悪い表情をしていた。

「なんだか、ゴトンと車輪がモノに当った感じだったよ。あのときにひいたんだね」

と後ろの席では男が言っていた。

「もう、よして」

と女がとめた。

「やっぱり、女だってよ」

前の中年男は、煙草《たばこ》を出し、半分を折って袋に入れ、火をつけながら言った。

「この前も女だったな?」

連れの男は相槌《あいづち》を打っていた。

「んだ。この前と言っても、もう二年くれえになる」

「もう、そうなるかな、早《はえ》えもんだな」

「ちょうど、いまの場所に近《ちけ》えとこだなあ。死人の魂が呼びよせるというじゃねえか」

「そんなことを言うなあ、昔から」

「あんときゃ、年増《としま》の女だったがね。顔が滅茶滅茶《めちゃめちゃ》になっていてなあ」

「おめえ、見たのか？」

「ちょうど、そんときゃ塩沢の親類の家に遊びに行ってな、話だけを聞いたもんだ」

「やっぱり覚悟の自殺かね？」

「自分で線路の上にすわっていたのを機関手が見たのだから自殺に間違いはねえ。機関手もすぐに制動機をかけたけれど、間に合わなかったちゅうだ」

「あれは、たいてい間に合わねえそうだな。でも、機関手は気持が悪いだろうな」

男ふたりは、しきりと、自殺者の話をしていた。典子は、もうたくさんだ、と思いながらも、とめるわけにはゆかないので、聞えないような位置に首を変えて、目をふさいでいたが、話し声は、自然と意地悪くはいってくる。

「それで、それは、どこの女だったえ？」

男は、目が冴《さ》えたとみえ、しきりと話に興じていた。

「分らねえ」

「分らねえ？　と、いうと……？」

「書き置きも何もねえしよ。身もとの分るような持ち物はいっさい無かったそうだ」

「ふうん。そいじゃ、どうなるんだろうな？　引取人のねえ時は」

「しようがねえから、役場で引き取って火葬にし、無縁仏として墓地に埋めたというだがな」

「やれやれ」

と嗟嘆《さたん》したのは、連れの男の方であった。

「かわいそうに、どんな事情があったか知らねえが、肉親や、亭主や子供の知らねえ土地で土になって埋もっているなんて、どのような星の下に生れた女だろうな」

「貧乏暮しはしていても、まだ、おいらの方が、ましかな？」

「そうとも。人間、生きている間が花だあな。貧乏人は貧乏人で、結構、たのしみがあ る。死んじまったらつまらねえ」

「いや、貧乏もそう楽じゃねえぜ。この間、おれの上の娘を嫁にやったがのう、支度金や何やかの入費で、ひでえ借金を背負って、嬶《かかあ》も泣いてらあな……」

話は、ようやく自殺者を離れた。あとは、二人の貧乏話が長々とつづいていた。典子は、ようやく眠る気持になった。

それにしても、五城目で田倉の妻の荷物を処分したのは誰だろう。彼女の思索はその方へ傾きはじめた。やはり、一番に考えられるのは亮吾だが、これはとっぴすぎる。ただ、年齢や人相が近いというだけで、田倉の妻との因果関係はないのだ。それに、顔色も黒かったというし、筆跡も、わざと下手に変えたとは思われない。あれは、やはり、本人の生来の筆跡のように思える。

（変装）

ふと、この考えが心に浮んだとき、典子はひとりで声を立てずに笑った。なるほど、探偵《たんてい》小説にはよく出てくるテである。が、これは小説の世界ではない。現実なのだ。しかし、と、また、考え直した。変装も無下《むげ》にはしりぞけられぬ。実際の事件にだって、かなり出てくるのである。たとえば、ちょっと服装を違えるとか、口髭《くちひげ》を付けるとか、髪を染めるとか。

ぎょっとなったのは、髪を染めるということからの連想だった。白井編集長は、その長髪に白髪が混じっている。自分では、もう古くなった流行語だが、ロマンス・グレーだと言って、自慢にしている。もし、あれを黒く染めてたら――顔色は、もとから黒い方だし、瘠せているのである。

いったい、編集長は休んだ二日間、どこに行ったのであろう？　むろん、荷物の受取りは、もっと前のことだが、そのころだって休んでいなかったとは言えない。どうも、今度の事件では、編集長の影が、どこかに揺曳《ようえい》しているようである。竜夫が編集長になんとなく疑惑を抱《いだ》いているのも、分らなくはなかった。しかし、まさか。――

まさか、である。あの編集長にそんなことができるわけがない。およそ、犯罪らしいことと、白井編集長を結びつけて考えることはできない。彼は、いわゆる犯罪の適格者ではない。それは考えられない。

典子は、いつのまにか眠りに落ちた。

終点に着くのが分らないくらいだった。目をあけると、窓の外は白くなり、鶯谷《うぐいすだに》あたりの風景が流れていた。ほかの乗客は、荷物棚《だな》から、手荷物をおろしていた。

ホームに降りた。六時すぎだから、朝が早いわけだった。遠くがまだ白くぼけていた。

早朝の空気は特別で、人の歩く音まで澄んでいる。

新聞立売りから朝刊を一枚買った。家に投げこまれたのをおそく起きて読むよりは、このような時間に、立売りから買うと、何か新鮮で、刷ったばかりのインキの香りを嗅《か》ぐようであった。

一面をざっと見渡し、社会面を見たとき、彼女は、あっと叫ぶところだった。村谷阿沙子の写真がまず目を奪ったのだが、それよりも、横の大きな見出し活字が、彼女の肝を消した。

「作家村谷阿沙子女史自殺す」

という題で、わきに、「昨夕、浜名湖《はまなこ》畔の宿で」とついていた。

典子は目を閉じた。それから激しい動悸《どうき》が打つままに記事を食いつくように読んでいった。

――八月十四日午後八時ごろ、静岡県浜名湖畔館山寺《かんざんじ》の旅館風光荘に一週間ばかり前から滞在していた三十二三歳くらいの婦人が、多量の睡眠薬を飲んで苦しんでいるのを、床をとりに行った女中が発見、すぐに医師を呼んで手当したが、一時間後に絶命した。遺書により、東京都世田谷区世田谷××番地、女流作家村谷阿沙子女史（三二）と判明した。女史は、東京都杉並区××町、浅野春子と宿帳に記名して泊っていたもの。遺書によると、仕事の上で行きづまり、その煩悶《はんもん》のためと書き残されている。なお、同女史は一ヵ月前から強度の神経衰弱に陥り、品川のある精神病院に入院していたこともある。遺族は夫君の亮吾氏（四一）があるだけで、子供はない。亮吾氏は目下旅行中で自宅にいないので、連絡に努めている。

女史は一時旺盛《おうせい》な執筆活動をしたが、最近はあまり作品を発表しなかった。懇意な出版社の話によると、女史は最近、スランプを嘆いていたという。葬儀の日取りは亮吾氏が帰るまで未定である。

旅館の話では、女史はきわめてもの静かで、終日、部屋の中にこもり、書きものをしていたというが、これは自殺の前日に女中に言いつけ、気に入らないからといって全部焼き捨てさせたという。

記事は、それから村谷阿沙子が宍戸《ししど》寛爾《かんじ》博士の娘であることや、その簡単な履歴とおもな作品の名前を二三あげて結んであった。

典子は、記事を一度見ただけでは印象に残らず、二三度、読み返した。脚の下から血が凍って、感覚がしびれてくるようだった。村谷阿沙子が、行方を絶っていたことは分っていたけれど、まさか、こんな結果になるとは、予想もしなかった。

典子は駅の構内を、ほとんど無意識に歩いて、タクシーにふらふらと乗った。

「お客さんどっちへ行くんです?」

運転手が請求するように振り返った。

車は、まだ朝靄《あさもや》の残っているような街を走った。朝もこんなに早いと、車も少なく、速力が出ていた。

「いまごろ、上野に着く汽車というと、どこから来あンしたか?」

運転手が東北訛《なま》りで話しかけてくる。故郷をなつかしがっているのかもしれなかった。いつもは、運転手の相手になってやれるのだが、今朝ばかりはその気になれなかった。

村谷さんはなぜ自殺したんだろう?

典子は、車に揺られながら、そのことばかりを考えていた。実際に仕事上の行きづまりだけだろうか。それなら、彼女の作品上の秘密を知っているだけに分らないでもないが、問題は、ただ、それだけだろうか、ということである。彼女の自殺は、もしや田倉の変死と関連をもっているのではなかろうか。箱根での当夜の彼女の行動もずいぶん不可解なものだった。どうも、何か暗い線のつながりがあるような気がする。

それに、夫の亮吾氏は、いったい、どこに行っているのであろう。これだけの騒ぎだから、どこかで新聞を読んでいるはずなのである。出てこないはずはない。そうだ、亮吾氏が姿を出しさえすれば。——

車は家の前に着いた。

玄関をあけると、母が奥から蒼《あお》い顔で飛びだした。

2

典子が帰ると、母は、おろおろしていた。やはり、今朝の新聞を見て、村谷阿沙子の自殺を知り、間接的だが、典子の口から阿沙子のことは聞いているので、他人《ひと》ごとでない顔つきであった。

「どうして、村谷先生は自殺なんかなすったんだろうねえ?」

と典子に聞きたがっている。

「わたしにも、よく分んないわ」

典子は説明のしようがなかった。最初、新聞をよんだときの衝撃は、よほど薄らいだが、まだ頭の中は混乱していた。とにかく、早く出社せねば、という気持が先に来ていた。

「やっぱり、なんだね、ああいう小説家というのは自殺する人が多いんだね」

と母は言っている。母の年代からすると、芥川龍之介《あくたがわりゆうのすけ》や、有島武郎《ありしまたけお》が印象に残っているに違いなかった。

典子は、母のつくってくれた熱い味噌汁《みそしる》で暖かい御飯をたべて一寝入りしようとしたが、神経がたかぶっているせいか、容易に寝つかれなかった。

「お母さま、わたしの帰る汽車でも、女の人の飛びこみ自殺があったのよ」

典子は床の中にはいっても、話しかけた。

「おお、嫌《いや》だね。凶《わる》いことは、呼びあうというけれど、気味が悪いね。そんな具合じゃ、おまえ、汽車でよく眠れなかっただろう？　まだ早いから、ゆっくりお寝《やす》み。時間になったら、起してあげるからね」

しかし、典子は、母から起されるまでもなく布団《ふとん》から起きた。身体《からだ》は疲れているが、眠りにはいる時の、あの平らな、ゆるやかな意識の滑走がない。いろいろな思案が頭の中を駆けめぐって、寝つかれないのである。村谷阿沙子の、細い目と、低い鼻と、二重にくくれた赤ン坊のような顎《あご》の顔や、そのときどきの表情や声がうかんできてならない。

その肥《ふと》った体軀《たいく》の鈍い動作まで、きれぎれだが詳細に思いだされるのである。

「おや、もう、お支度かい？」

母は襖《ふすま》のところに立って、目をまるくしていた。

「ええ、早く社に出ないと落ちつかない気がするわ」

「でも、往復夜行だからね、少し、寝《やす》まないと毒だよ」

「大丈夫。心配なさらないで。まだ若いのよ」

典子は、母に微笑《わら》ってみせた。

社に出勤すると、編集部員が出揃《でそろ》うにつれ、村谷女史の自殺のことで持ちきりであった。そんな事情が女史にあったのか、と誰もが意外そうに目をむいている。

「リコちゃん、君、女史の係だったから、多少思いあたるようなことはなかったかい?」

と典子にきく者もいた。

「いいえ、そんなところ、ちっとも無かったわ、先生がそのようすを見せなかったのか、わたしがぼんやりして気がつかなかったのか、どっちか分らないけれど」

典子は、当りさわりのないことを答えておいた。

しかし、村谷阿沙子の自殺が、田倉義三の変死に原因していないとは、誰が言えよう。たしかに、あの晩の、村谷阿沙子や夫の亮吾の行動は不可解であった。亮吾の失《しっ》踪《そう》自体が田倉の変死に関連を持つとしたら、女史の自殺も、それと結びつけていいだろう。

が、それは自殺しなければならないほど、重大な関係にあったのであろうか。それを、裏から考えると、田倉を殺したのは、村谷阿沙子ではないか、ということになる。少なくとも、それくらいの重大さがないと、自殺までは考えられないであろう。あるいは、村谷阿沙子が田倉に直接に手をくださなくても、田倉変死にからんで、それと同じくらいな比重の役割を持っていたということになるであろう。いったい、それは何か。

村谷阿沙子が姿を出しさえすれば、事件の真相の一部は分ると思ったのに、彼女の口は、これで永久に閉ざされたことになるのである。事件の直後、彼女の偽りの入院から脱出、それから今度の自殺まで、ついに彼女はみずから語ることを拒否してしまったのだ。

全員が出揃ったが、白井編集長と崎野竜夫の姿は、いつまで経《た》っても現われなかった。二人とも、どうしたのかしら、と典子がふしぎに思っているとき、やがて芦田次長がそれを説明した。

「白井さんから電話連絡があってね、今朝早く、浜松に急行したそうです。村谷さんの自殺した旅館に行ったわけですが、それから先のことは、逐次、電報で連絡するそうです。たぶん、明朝には帰ってくるでしょう」

そう言ったあとで、竜夫の机をひょいと見て、

「崎野君は、ちょっと都合で遅れるそうだ。さっき電話で届けがあったよ」

と、これは、どうでもいいような、捨台辞《すてぜりふ》に聞えた。

午後二時ごろ、白井編集長から芦田次長あてに長文の電報が届いた。

芦田は、居合せた部員に、それを披露《ひろう》した。

「村谷阿沙子さんの葬儀は、郷里《くに》の鳥取県で済ますことになったそうだ。兄さんに当る人が、郷里《くに》から、浜松の現場に出てきて、そう決定したんだそうだ。したがって、遺骨は東京にはもどらず、葬式もない。これは、村谷阿沙子さんの遺書に指定されているので、その遺志どおりにするわけだね。もう一つは、夫君の亮吾氏が、目下、どこに行っているのか所在不明のため、そういう処置がとられたわけらしい。白井さんは、鳥取県までついて行って葬式に列席するか、あるいは東京にすぐ帰ってくるか、まだ決心がつかないと言っている」

芦田は、そう報告した。

白井編集長が、阿沙子女史の郷里まで行って葬儀に列席したい気持は、典子には分るのである。白井は、女史の父の宍戸寛爾博士の教え子だから、恩師の娘として礼儀を尽したいのであろう。ただの単なる寄稿家と、編集者の間ではないのだ。もし、それだけの義理なら、浜名湖畔の宿に行ったことだけで十分なのである。

崎野竜夫が、ひょっこりと顔を見せたのはそのときであった。

「どうも、勝手をしました」

竜夫は、まず次長にあやまった。

「君、崎野君、村谷阿沙子さんが自殺したのは知ってるだろうな?」

芦田は顔をあげて言った。

「はあ、知ってます。新聞を見て、おどろきました」

「白井さんは、いま、現場に行ってるがね」

「え、編集長は浜松まで出かけたんですか?」

「都合によっては、村谷さんの郷里まで行くかもしれない。これは、さっき君がいなかったから、君だけに達しておくよ」

「どうもすみません」

竜夫は、頭を掻《か》いていた。

典子は、竜夫をうまく外へ誘いだそうとしたが、思うような機会がなかった。竜夫は、おくれてきたものだから、神妙そうな顔をして仕事に熱中していた。

そのとき、また電報が来た。

「白井さんからだ」

と芦田次長は、居合せた一同に聞えるように大きな声を出した。

「ムラタニサンノイコウノウツシオクツタ　サクヒンテキナナヤミヲツヅツタモノ　ソ

レイガイニゲンインカイテナシ　コンヤ　イコツニシタガツテ　トツトリニユク　三ヒアト　キキヨウノヨテイ」

（村谷さんの遺稿の写し送った。作品的な悩みをつづったもの。それ以外に原因書いてなし。今夜、遺骨に従って、鳥取に行く。三日後、帰京の予定）

「やれやれ、白井さんは鳥取くんだりまで行くらしいぜ」

芦田次長は溜息《ためいき》をついた。

部内が、ざわざわしたついでに、竜夫の方から典子に合図して、先に出て行った。落ちあうところは、例の社の前の喫茶店であった。典子がはいって行くと、竜夫は二人前のコーヒーを頼んで、煙草《たばこ》をすって待っていた。

「たいへんなことになったわね」

典子は、竜夫の前の椅子《いす》にすわると、たかぶった声で言った。竜夫も、さすがに深刻な顔をしていた。

「えらいことになった」

彼は言った。

「まさか、村谷女史が自殺するとは思わなかったな」

「やっぱり、田倉さんの変死に原因があるのかしら？」

典子は竜夫の目を覗《のぞ》きこむように言った。

「むろんだろう。しかし、みずから死をえらぶほどに、彼女自身が重大な関係を持っていたかどうか、これは疑問だね」

典子はうなずいた。その説には賛成であった。

「じゃ、どうして自殺なすったのかしら？」

「もちろん、田倉のこともあるし、亮吾氏の失踪も精神的な打撃だった。もっとも、これらの真相は、ぼくらにはよく分らないがね。とにかく、衝撃だったことは想像がつく。が、それよりも、女史の自殺の第一の原因は、やっぱり代作のことだろうな」

「え、代作ですって？」

「つまり、畑中善一の創作ノートを全部費《つか》い尽したんだろうね。彼女は、文字どおり、作品が行きづまったのさ」

「………」

典子は、返事もできないで、竜夫の唇《くちびる》をまっすぐに見つめるだけであった。

「村谷女史の最近の作品が質的にも落ちてきて、筆力が急になくなったのに、君は気づいてるだろう？」

竜夫は声を低くして言った。典子は、そのとおりだ、とうなずいた。竜夫に指摘されるまでもなく、それは気づいていた。しかし、今までは、その現象を、作家が誰でも一度は陥りやすいスランプと考えていたのだ。現に、あきらかに、そう吹聴《ふいちょう》している編集者仲間もいた。

「それはしだいにノートが欠乏した結果だね。女史は必死になって、自分でも創作を工夫してみたが、もともと才能がないのだからいいものができるはずがない。つまり、それが、悪作愚作となって、ちょいちょい現われだしたのさ。第一、君だって分るはずだよ。現に君がもらってきた女史の最後の作品だって、ひどいものだったろ。客観的に見て初期のものとくらべてみたら別人みたいだった。枚数だって五十枚の約束が四十三枚書くのがやっと、といった状態だった。以前は絶対にそんなことはなかったじゃないか」

竜夫の説明に、典子は抗議が言えなかった。畑中善一のノートのことを知らなかった以前ならともかく、今では、それを承認しないわけにはゆかなかった。

「しかし、村谷阿沙子女史は誇り高い女だ」

竜夫はつづけた。

「悪く言うと虚栄心の強い女だ。死者には礼を失するがね。だから、彼女は女流作家として没落するのがもっとも耐えられなかった。親の七光りというか、世間では、村谷阿沙子というと、何となしに、宍戸寛爾博士の娘だという強い印象もある。これが、彼女に今まで、ずいぶん、プラスしていたのだ。だから、転落するとなると、それだけこれが重荷となり、よけいにみじめになってくる……」

コーヒーは運ばれてきたが、典子は口をつける気がしなかった。

「自殺までに思いつめるには、むろん、田倉のことや亮吾氏の失踪の打撃もあるがね。最大の原因は、創作が不可能になったこと、それからひいて、代作の秘密が暴露《ばくろ》しやしないか、というおそれも、多分にあったんだろうな。その証拠に、白井さんの電報によると、彼女の遺書は作品的な行きづまりを訴える文章に尽きてるそうじゃないか。いずれ、その全文が届いたら、はっきりするだろうが、おそらく、芸術的な絶望感をうたった美しい遺書だろうな。あまりにも作家的なね。もっとも、村谷さん自身の文章じゃ、芥川の百分の一の感銘もないだろうが……」

「白井さんが行ってらっしゃるから、お帰りになると詳しいことが分るわ」

典子は、村谷阿沙子の代作の悲劇を、これ以上に聞きたくなかった。

「分る」

竜夫も、典子の気持に気づいたらしく、素直に話題の転換に従った。

「それじゃ、この辺で一つ、君の陸奥《みちのく》紀行を聞こうかな」

彼は、わざと典子をくつろがせるように言った。

「わたしの奥州行きは、芭蕉《ばしょう》の百分の一の感銘もないわ」

典子は竜夫の言葉を取った。

それから、五城目で調べたことを、なるべく詳しく話した。

竜夫は、吸いさしの煙草が灰になるのも忘れて、熱心に聞いていたが、典子の話が終ると、

「どうやら、今までになかった現象が、やっと現われたね」

と目を輝かして言った。

「え、どういうこと？」

「そうじゃないか。今まで、僕らは過去の跡ばかりを追っていた。僕らがさがしだしたい生きた人物は陰にかくれて姿を出さなかったものだ。それが、五城目で、ひょいと姿を見せたわけだ」

「………」

「田倉の細君の送りつけた家財道具を売りさばいた男だよ。こいつは、正真正銘の、向う側の生きた人間が、われわれの前に、やっと出てきた、という感じだな」

竜夫は、すこし興奮していた。

「これは、おもしろくなりそうだね。いや、君が奥州くんだりまで行った甲斐《かい》があったよ」

「そんなに、ひとりで喜んでいないで」

と典子は言った。

「崎野さんこそ、今日は遅れて出社したりなんかして、どこに行ったのよ」

竜夫は煙草を吹かした。言いだす前に、ちょっと考える、といった表情であった。

「そうか、それはね」

「実はね」

と竜夫は口を開いた。

「田倉の細君のことを調べに行ったんだ」

「あ、田倉さんの奥さん?」

典子は、目をみはった。

3

田倉の妻のことを調べた、という竜夫の言葉は、典子に大きな興味を起させた。

「じゃ、何か手がかりがあったのね?」

典子は思わず竜夫をのぞきこんだ。

「あわてちゃいけない。そんなものはないさ」

竜夫は眩《まぶ》しそうな目つきをして言った。

「あの細君のことを知るために、田倉の戸籍抄本をとり寄せたのさ」

「田倉の戸籍?　へえ、原籍地なんか、よく分ったのね?」

典子は意外だった。そんなものを、竜夫はどこから聞き出してきたのであろう。

「小田原署に照会したのさ」

竜夫は答えた。

「ほら、前に田倉が変死したときに、田倉の細君が小田原署で事情を陳述しているだろう、あれに原籍地が載っているはず、ということを思いだしたんでね」

なんだ、そうか、と典子は合点《がてん》した。

「それ、いつごろなの？」

「一週間ぐらい前だったかな」

「そんな前なの？　ちっとも知らせないのね？」

典子は竜夫があいかわらず協調しないのを怒った。

「いや、失敬。つい、忘れちゃってね」

竜夫はごまかすように、あわてた動作でポケットから手帳をとりだした。

「ほかの記載事項はどうでもよいが、知りたい要点だけここに書き抜いてきた」

と紙を開いて見せた。田倉義三の戸籍抄本から書き抜いたという竜夫のすこし乱暴な文字がならんでいた。

「本籍　滋賀県甲賀《こうが》郡××村字《あざ》××

　戸主　田倉義三
　　大正五年七月十五日生

妻　よし子

〇よし子は、大正八年二月二十五日生
　秋田県南秋田郡五城目町××番地
　坂本良太郎《りょうたろう》、同すみの長女
〇昭和十六年三月十六日移籍届出済」

「へええ」

典子は、しばらくその文字を見つめていた。

「やっぱり、田倉の奥さんの本籍地は間違いなかったのね？」

「そうなんだ。実は、この抄本が郵便で届いたのは昨日なんでね。君が五城目に行った留守なんで、どうにも手遅れだった」

竜夫は頭をばさばさと搔いた。

「しかし、実際に君がこの番地のところに行ってみて、現在、住んでいる人が知らないとなると、この坂本というのは、早くから土地を離れて、家もなく、そして、よし子さんの両親も死亡し、親戚《しんせき》も残っていないということだろうね。よし子さんには弟の浩三が一人いるだけだな」

典子はうなずいた。そのとおりに違いないと思った。

が、彼女には、このとき、一つの疑点が生じた。なぜ、竜夫は田倉の妻の本籍地を、あらためて確かめたのか、という不審である。

「それはね」

と竜夫は言った。

「田倉の妻の郷里が、ほんとうに、荷物の送り先かどうか、ちょっと疑問に思ったからだよ」

「じゃ、あれは偽装で、実際は、別の土地かもしれないと思ったのね？」

「そうなんだ」

「理由は？」

「理由か、理由は……」

竜夫は煙草をとりだして、ゆっくり口にくわえて火をつけた。

「未《いま》だに行方が分らないだろう。こんなに長いこと分らないというのは、別に実際の郷里があって、そこにひっこんでいるような気がしたからさ。だって、女のひとが突然姿を消して長く戻ってこないというのは、故郷しかないもの。それだけの長期間ゆっくり身を落ちつけるところはね」

なるほど、それは一理であった。

「しかし、この抄本によって、はっきりこの仮想は崩れたな。よし子さんには故郷というものがないのだ。すると、彼女は、いったい、どこに身をひそめているかという問題になるね」

竜夫は困ったように、額に指を当てて煙草をすいつづけた。

「それに、弟の浩三さんもよ」

「そうだ、あの自殺予言男もだ」

竜夫は額を指でもみはじめた。

「あの姉弟は、まさかしめしあわせて、どこかでいっしょに暮しているわけでもないだろうになあ」

竜夫はつぶやくように言っていた。

自殺予言男という言葉を聞いて、典子は、ふと思いだすものがあった。

「自殺なんていやね。わたしが秋田からこっちに帰ってくる汽車で飛びこみ自殺があったわ。自分の乗ってる汽車だもんだから、とても嫌《いや》な気持」

典子は、そのときの感覚がよみがえったように眉《まゆ》をしかめた。

「ほう」

竜夫は指を額から放し、典子の顔を見た。

「それは、男かい、女かい?」

「女だったわ」

竜夫も坂本浩三を考えていたのだと思うと典子は微笑《ほほえ》みたくなった。

「場所は越後の塩沢の近くだったけど、そこは、魔の場所で、二年くらい前にも、女の自殺者があったんですって」

「ふうん。詳しいんだな」

「いやだわ。前の席にいた土地の人同士が話をしていたの。その自殺した女のひとは身もとが分らずに無縁仏になっているとか、その霊魂が新しい自殺者を呼んでいるんだろうとか、そんな話し声が耳について眠れなくて困ったわ」

竜夫はそれを黙って聞いていた。

自殺のことから、当然に話は村谷阿沙子のことに移った。

「あのかたが自殺なさるとは思わなかったわ」

典子は素直な感想を言った。阿沙子に会ったときの小さな記憶が、崩れたガラスの破片のようにいつまでも頭の中に堆積《たいせき》している。

「誰だって、その人が自殺するとは思っていないさ。われわれは、いつも傍観者であって、観察者ではないからね」

竜夫は言ってから、不意に煙草を捨てると靴《くつ》で踏みつけた。

「ね、リコちゃん」

と彼は典子の目をまっすぐに見た。

「君、村谷阿沙子女史が、遺書に、自分の引取先を夫の亮吾氏に指定しないで、どうして鳥取の実兄にしたのか分るかい？」

そうだ、それは典子も妙に考えていたことだった。

「ご主人の行方が分らないからじゃないの？」

と答えてみた。

「それは第一に考えることだがね。しかし、いちおうは亮吾氏にも指名すべきだろうな。実兄と、両方に知らせてくれと言いのこしていいはずだ。それが亮吾氏にあててまったく無いというのは、どういうのだろうな？」

「さあ、よく分んないわ」

典子は、いちおう、逃げた。

「つまりね、そりゃ阿沙子女史が、亮吾氏の失踪《しっそう》を確認していることじゃないかな」

「確認？」

「そうだ。阿沙子女史はある理由で、亮吾氏の行方を求めることがまったく絶望であると知っていた。だから、亮吾氏を指定してもだめだ、と思ったのじゃないだろうか？」

そうかもしれない。竜夫の言うことに、典子もだいたい、うなずけた。

「いやにおとなしいね。何か反論はないかい？」

と竜夫はすこし揶揄《やゆ》する調子で典子の顔を眺《なが》めた。

「別になさそうね。そうかもしれないと思うだけよ」

典子は、阿沙子女史が、どんなに亮吾氏の行方を探していたかを知っている。東京に帰ってからも、何度となく小田原駅に行って、彼が乗った可能性のある列車をきき、その手配を頼んでいる。その夫の捜索については、阿沙子女史は、かなり執拗《しつよう》であったように思われる。

だから、その結果、女史が夫の失踪に絶望する何らかの理由を発見した、ということはあり得るのだ。

「しかしね、また別の考えもあるよ」

と竜夫は言った。

「どういうこと？」

「女史には亮吾氏の行方はだいたいおぼろな見当がついている。だから、かえって連絡したくない、という考え方だね」

「あら、いやに持ってまわったような言い方なのね。それ、どういうこと？」

「僕にもよく分らないんだ。このくらい抽象的なことしかね」

竜夫は指を組みあわせ、骨を音たてて鳴らした。

が、典子は、竜夫がもっと深い想像をたてているような気がしてならなかった。

「崎野さん、あなたの考えていることは、もっといろいろなことじゃない？」

「いや、まだ、この程度だよ」

「嘘《うそ》。もっと、何かありそうよ。そんな顔つきだわ」

竜夫は仕方なしに笑いだした。

「そうかな。そいじゃ、言うけれど、君は、阿沙子女史がどうして死場所を浜名湖にえらんだか考えたことがあるかね？」

「いいえ、それは、ないわ」

典子は首を振った。

「僕は考えてみたよ。自殺者が場所をえらぶには、やはり何かの因果関係があるのじゃないかとね。たとえば、かつて行ったことのある土地で、印象にのこっているとか、その土地に縁故があるとか、前から行ってみたいと思っていた土地とか……」

「なに、それ、景色がいいという意味なの？」

「風光明媚《めいび》も、たしかに自殺者にとっては魅力だろうね」

竜夫はまじめな顔で言った。

「浜名湖は美しい湖だ。弁天島は有名な観光地だし、館山寺は湖中に突き出た半島にあって、そこからの眺望《ちょうぼう》もすばらしい」

「崎野さん」

典子は睨《にら》んだ。

「いや、僕はまじめに言っているのだ。たしかに美しい景色は自殺者の最期《さいご》の場所になっているよ。しかし、美しい風景だけが理由にはならない。自殺者と、その場所との関連の糸を見つけなければ、観察は弱いね」

竜夫は、そこでふと溜息《ためいき》に似たものを吐《つ》いた。

「ねえ、リコちゃん、僕は考えてみたよ。浜名湖の近くにどういう土地があるだろう、まず浜松市だ。こっち側には、少し遠いが静岡市がある。しかし湖の西側には、豊橋、岡崎、それからずっと行って名古屋になる。この都市のうち、村谷阿沙子女史に、縁故のある土地はないか？」

典子は考えたが、たちまち声をあげた。

「あ、あるわ！」

「どこだい？」

「豊橋よ。ほら、村谷家の女中さんの実家が豊橋だったわ。わたしが犬山の帰りに訪ねたことのある……」

「そうだ。あの女中は広子といったな。その村谷家で使っていた女中の実家が豊橋にある。豊橋と浜名湖。これは近いね。……しかし、僕が考えているのは、それだけだ。この二つは、ばらばらの点かもしれないし、一つのつながった線かもしれない。いまのところ、それは分らないんだ。ただ、二つの距離が近いということが分っているだけだ」

竜夫は、飲みのこりの冷えたコーヒーに、思いだしたように手を出した。

抽象画

1

村谷阿沙子の遺書の文句の写しが、編集部に届いたのはその日の夕刻であった。それは白井編集長の文字であった。

皆が、どのような文章かと思って、さっそくに回し読みをしたが、誰の顔にも期待はずれの白けきった失望がうかんでいた。

「やれやれ、村谷さんも、死にぎわには、こんなまずい文章しか書かなかったのかね」

次長の芦田が、まず興ざめた顔で、投げ出したように吐息をついた。

「いまの高校生でも、これよりましかもしれないな」

と露骨に感想を言う者もいた。

典子も、それを読んだが、便箋《びんせん》に、ぎっしりと三枚分はある遺書の内容は、少しも作家らしい重量感はなく、これはひどいと思った。

「いま、私のすわっている部屋からは、静かな湖と、かすかに動いている一片の雲が見えます。鏡のように動かないこの湖の水底に、私はほどなく横たわっていることでしょう。その時、小さな波一つ立たないこの水面に、水の輪が、いくつかの模様をつくって、ひろがってゆくことでしょう。それが、私が湖底に沈んでゆく最後の印であり、遠くに広がった水の輪が消えたとき、私の生命も消えてしまうでしょう。私が自身でえらんだ死を、私の死について、だれもとがめだてすることはできません。私の気持は、澄みきった水のように平静で、なごやかです。なに人も止めることのできないものを、私だけが決行することに、自身がまるで神になったような爽快《そうかい》な勇気を感じます……」

こういう書き出しで、平凡な死の心理がだらだらと続いている。そこには内容も何もなく、感傷的で、少々気どった文句が続いているだけだった。

「小説を書かせると、うまいところもあるんだが」

と編集者の一人が言った。

「これは、まるで作文だ。人間、自殺する前には、精神が動揺して、こんなにも下手な文章を書くもんかね」

要するに、この遺書とも遺稿ともつかぬ一文は、あまりにまずいから、雑誌に載せるのは見あわせようということになった。白井編集長が帰社して何と言うか分らないが、これではいただけない。第一、うちの雑誌にスクープのようにして掲載したら、他誌の物笑いになる、ということで、皆の意見は一致した。

「ちょいと気の毒になったね」

そのあとで、竜夫は、典子を外に誘いだし、歩きながら言った。

「編集部の連中は、真相を知らないから、あんなことを言っているが、村谷女史一生懸命の文章だぜ」

「そうね」

典子も、なにか寂しくなった。

「村谷さんは、最後まで、小説家らしく死にたかったのだ」

竜夫はつづけた。

「自分の秘密は暴露したくない。死後でも小説家だったことを認めてもらいたかったのだ。だから、遺書の内容は死の原因が何も書いていない。生きていて、何も書けなくなった女流作家という世間の軽蔑《けいべつ》的な評価が、村谷さんのような、毛ナミが良くて虚栄心の強い女には耐えられなかった。それを少しでも悟られまいとして、苦心の美文調の文章になったんだね」

「亮吾氏のことには、何もふれてないわね」

典子はうつむいて足を運びながら言った。

「うん、ふれていない。あの文章は、死後、公表することを考えて書いたんだからね。気の毒に、かえって軽蔑されるとは思わなかっただろう。おそらく、ほかの雑誌でも、あれでは一誌も載せないだろうな」

二人は歩道をゆっくりと歩いた。

人通りも多いし、車はひしめきあって走っている。みなが息せき切って忙しそうな表情をしていた。見ただけでも、ここには、どろどろした生活的なエネルギーが燃えあがっている。村谷阿沙子がよけいに空疎《くうそ》になり、彼女自身の死まで、ガラスのように無色になって感じられた。

「白井編集長は、鳥取から、いつ帰ってらっしゃるのかしら？」

典子は思いついたように言った。

「さあ、電報では三日あと、とあったが……」

竜夫はビルの頂上あたりを眺めていたが、

「白井さんも、いろいろとよく動くな」

とつぶやいた。

その言葉がひどく意味ありそうに聞えたので、典子が思わず竜夫の顔を見ると、

「リコちゃん。社に帰っても、さしあたり忙しい仕事がないから、久しぶりに絵でも見ようか？」

と、通りすがりの画廊《ギャラリー》の入口を指した。

画廊の中は、ひっそりと静まっていた。客もないし、静かなものである。店員の姿も

見えず、額縁にはまったさまざまな絵が、周囲の壁面で、二人の視線の当るのを待っていた。

風景や、人物や、静物を二人は順々に脚を移して見ていった。

「絵のことは分らないが」

と竜夫は言った。

「やっぱり、こういう場所にいると気分が落ちつくね。リコちゃん、君、失敬だが、絵が分るかい？」

「分んないわ」

典子は笑いを見せて首を振った。

「ことに、こんな傾向の絵はさっぱりよ」

典子がさした前の額には、暗い色調に、原色でアクセントをつけた大きな抽象画がかかっていた。

「そうだ、こういうものは苦手だな」

竜夫は札に書かれた標題を見て、

「都会の月、っていうのか。どれがビルで、どこに月が出ているのか、さっぱり分んないな。標題を見て、なるほど、そうかな、という感じもするが」

「これ、さかさまに掲げてあっても、分んないわね？」

「画家には失礼だけど、そう思うね。また、実際に、専門雑誌の図版でも、こういう抽象画《アブストラクト》はさかさまに出していることもあるらしいな」

竜夫は、そう言いながら、次に歩を移した。

それは、風景で、裏日本にあるらしい切り立った断崖《だんがい》と、荒れ狂う海が描いてあった。竜夫が、その絵の前に立って、ひどく興味深そうな目つきで凝視していた。

典子が、背後からこっそりと動いても、竜夫はその前に突っ立ったままであった。典子は意外な気がした。

「崎野さん、何をそんなに感心しているの？」

典子は竜夫の肘《ひじ》をつついた。

「いや、そうじゃない。僕は、いまあることを考えているだけだ」

竜夫は鼻の頭を指で押さえ、まだ波濤《はとう》を睨《にら》んでいた。

「え、何を？」

「つまり、この隣の抽象画を、君が見たときに言った言葉さ」

「なんだったかしら？」

「この絵はさかさまにして見ても分らない、と言ったろう。そのことだ」

「…………」

「今度の事件のことを連想したのさ。もしかすると、僕らは何か勘違いをしているような気がするね」

典子は、そこで立ちどまった。

「まさか、絵のように、全然、さかさまとは思わないけれど、どこかで一部分、勘違いして眺めているような気がする」

「それは、どの部分なの？」

典子も、その考え方にひかれてきいた。

「それは、はっきりとは分らないよ。まあ、今のところ感じだな」

竜夫はようやく、風景画の前から動いた。

折から、客がはいってきたのと、奥から店員が出てきて、二人のようすをじろじろ眺めはじめたので、その、ひっそりした画廊を出た。

「だいぶん立っていたから、少し疲れたね」

と竜夫は眩《まぶ》しい夕日の光に、目を細めながら言った。

「それに、咽喉《のど》が乾いた。その辺で冷たいものを飲もうか？」

「そうね」

むろん、それは話を続けたい意味だった。

「ねえ、君」

竜夫は運ばれてきたジュースを半分吸い上げて、典子を見た。

「田倉の細君の行方もさることながら、弟の坂本浩三はどこに行ってるんだろうな。まだ、捕まらないようだが」

それは典子も気にしていることだった。毎日、新聞を見ているが、さっぱり記事が出ていなかった。もっとも東京の新聞だから、よそで捕まれば、出ないのかもしれない。

「いや、僕は、あっちの地方紙を取って見ているが、出ていないのだ」

竜夫は、典子の言葉を聞いて言った。

「捕まるか、自殺するかすれば、かならず記事は出ると思うのだが、それが出ないところを見ると、彼はどうやら無事らしい。まさか、どこかでこっそりと自殺しているとは思えないが……」

「わたしも、なんだか生きているような気がするわ」

典子も、それは同感であった。

「しかし、坂本が木下を殺したのは、トラックの遅延の秘密だと思うんだが、その秘密がどうして解けないかなあ」

竜夫は髪をばさばさと掻《か》き、頰杖《ほおづえ》を突いた。

「だが、ただ一つ、その暗示になるようなものがある」

竜夫は、つぶやくように言った。

「殺された木下の死体の現場に落ちていたという汽車の切符の切れ端だ」

「そうだわ、わたしもそう思ってたところだわ」

典子は、瞳《め》を向けた。

「あれは、たしか木下が持っていた切符だと思うな。これは確実だよ」

「そうね」

「破ったのは、坂本だ」

「そうでしょうね」

「まず、なぜ、坂本は木下の持っている汽車の切符を破らねばならなかったか、だな」

「それは、坂本が、木下の行先を、死体が発見されても、警察やそのほかの第三者に知られたくなかったからよ」

典子が言うと、竜夫もそれは賛成だと言った。

「と、同時に、坂本は何かの理由で、木下をその土地に行かせたくなかった、という想像もできるね」

「その考えは、大いにあるわ。もしかすると、坂本は、木下をそこにやらせまいとして争いになり、殺したのかもしれないわ」

「ううむ」

竜夫は目をつぶって考えていたが、

と目をあけ、典子の顔を眺《なが》めた。

「そうかもしれない。じゃ、なぜ、そこへやらせたくなかったのだろう？　殺してまでも……」

「それはよく分んないわ。でも、それが、いわゆるトラックの秘密に関係のありそうなことは想像がつくわ」

「また、トラックの秘密か」

竜夫は顔をしかめた。

「困ったな」

「でも、こういうことは言えないかしら？」

典子は考え出した。

「トラックの遅延のことが、田倉さんの変死に関係があるとしたら、それに係《かか》わりのありそうな土地に限定できそうだ、ということよ」

「うん、そうか。なるほど、そいつは一案だね」

竜夫はそれに乗り気になったように、曲げた両肘を卓の上に突き出した。

「すると、どこだろう？」

「そうね、まず、東京だわね」

「そりゃ、いいね」

「あ、そうか。これは、いろんな意味で関連を持ちそうだね。しかし、ちょっと平凡だ。ほかの土地を探そう」

「それじゃ、秋田の五城目だわ」

「そう。これはもっと有力だね」

「有力も何も、それしきゃ考えられないわ。まさか、豊橋とか、浜名湖は入れられないし」

「いや、村谷女史の関係も、この事件の一環だからね。あらゆるところを考えていいと思うよ」

「でも、トラックの運転手との相互関係の線がないわ」

「線は、これから見つけてゆくんだな」

あまりおそくなりそうなので、二人は椅子《いす》から立ちあがって喫茶店を出た。

社に帰ってゆく途中でも、竜夫は、歩きながら、

「どうも、どこかで僕は勘違いをしているような気がするな」

と首を傾《かし》げてつぶやいていた。

その夜、典子が家に帰っていると、家の前でスクーターの音が鳴って、とまった。

「速達ですよ」

配達夫は玄関でどなった。

母が立っていったが、

「典子、崎野さんからだよ」

と、一枚のハガキを持ってきた。

へえ、いまごろ何だろう、と裏を返すと、

「——急に思い立ったことがあって、明日と明後日、社を休みます。例の件についてですが、あまり期待をかけないでください。よろしく、崎野生」

と走り書きがしてあった。

「あら、また始まったわ」

典子は思わず声が出た。

2

翌日、典子が出社してみると、やっぱり崎野竜夫は出社していなかった。

典子は仕方がないから次長《デスク》の芦田の席へ行って、

「崎野さんは、昨夜から身体《からだ》の調子が悪くて、今日は休ませていただきたい、とのことです。私が昨夜ことづかりました」

と報告した。

芦田は、朱筆で原稿の整理をしながら、しぶい顔をして、

「あいつ、このごろ、よく休むな」

と舌打ちしてつぶやいていた。

竜夫は、なるほど、事件以来よく休む。芦田がしぶい顔をするのはもっともだと思ったが、典子は半分は自分にも言われているようで、頬が熱くなった。

だが、この理由は誰にもいえないのだ。話すとしたら、最初、田倉の変死事件を、

「どうだね、君たちでやってみないか」

と言った白井編集長だが、この白井がしだいに妙な姿勢になってきているのである。

竜夫は白井編集長が事件に深い関係を持っているとして、ひどく疑わしそうな目を向けているらしいのだ。

その白井編集長は、翌日の午後、ひょっこり社に現われた。

自分の席に疲れたようにすわった白井は、まず芦田次長に留守中の礼を言った。

「鳥取から、まっすぐにお帰りになったんですか？」

と芦田はきいた。

「ああ、昨日の午後の汽車に乗ってね。長いので、くたびれた」

白井編集長は頬をこすっていた。なるほど、その横顔は疲労が強く、剃刀《かみそり》を当てていないだけに、髭《ひげ》がのびて、憔悴《しょうすい》した感じであった。顔の皮膚も冴《さ》えないで、くろかった。

「村谷さんのお葬式は盛会でしたか?」

芦田は、引出しから煙草《たばこ》をとりだし、火をつけてきいた。

「まあね。なにしろ郷里だから。それに宍戸《ししど》先生の関係もあって、土地の人の参会者は多かったよ」

白井編集長は、あまりはずまない声で言った。その話ぶりから察すると、村谷女史の葬儀は、あまり盛会ではなかったらしい。典子は自分の席にすわって、その会話を聞いていた。

「女史の旦那《だんな》さん、来ていましたか?」

「いや、ついに来なかったね」

芦田は質問した。

編集長は弱い声を出した。

「肝心の喪主が来ないので、少し、妙な具合だったよ。兄さんが代りをつとめていたが、陰でひどく亮吾氏への不満を言ってたな」

「そうでしょうな。いったい、亮吾氏はどこに雲がくれしているんでしょうな?」

何も事情を知らない芦田は、ぼんやりそんなことを言っていたが、それは典子がいちばん関心を持っていることだった。

「さあ。困ったものだね」

白井は顔をしかめた。

「遺骨は、兄さんが当分、預かることになったんだが、女史の死は、たいていの新聞に出ていたのだから、亮吾氏もどこかで読んで、知っていそうなわけだがな。それが未《いま》だに、姿を出さないというのは変だね」

典子は、そっと目をあげて、編集長の顔を見た。しかし、白井の表情は実際に困惑したときのそれで、わざとらしいふうには見えなかった。

「ああ、そうそう」

芦田が切りだした。

「村谷さんの遺稿はこっちに着いたので、すぐ皆でまわし読みをしましたがね」

「うん」

白井の目が心なしか光ったようだった。

「どうだった？」

「それがねえ、どうも」

芦田は言いしぶっていた。

「だめか？」

白井は芦田の顔を見た。

「みんなでまわし読みをした結果の意見ですが」

芦田は遠慮そうに言った。

「どうも村谷さんの文章としては、すこしひどすぎると言うんです。遺書ですから、ぜひ載せたいのですがね、あれでは、掲載すると、かえって悪評をこうむって、村谷さんの生前の名声と霊とを傷つけるんじゃないか、と言うんですが……」

「そうかね」

白井編集長は、机の上に頬杖を突いた。弱々しい顔つきだった。

「諸君の意見がそういうことなら、仕方がないね。いいよ。じゃ、ボツにしよう」

日ごろは、自分が、いいと思うと、皆の意見などかまわず、強気に押す人だった。それが抵抗もせずに、あっさり妥協したのである。

典子は白井編集長の疲労と弱さを、よけいに、そこで見る思いであった。

「椎原君」

編集長が突然呼んだので、典子は、はっとなって、椅子から浮き腰になった。

「崎野君は、今日はどうしたのかね?」

白井は、空いている竜夫の机を見ていた。

「はい。今日は何だか身体の調子が悪いそうで、休ませていただくと言っておりました」

典子は答えた。

「そうか」

白井は低い声で言ってうなずいたが、その、そうか、という声の調子には深い意味がこもっているような気がして、典子はどきりとした。

白井編集長は、それから何も言わずに、机で、留守中の来信や仕事の進行表などしばらく黙って見ていた。彼は、その間にも、何度か小さなあくびをしていた。よほど疲れているに違いなかった。

白井は、ふと立ちあがった。それから手洗いにでも行くような恰好《かっこう》で典子の傍《そば》を通りかかったが、その指が何気なさそうに典子の肩をたたいた。

典子はびっくりした。ふり返ると、白井編集長は、前かがみに玄関の方へ歩いて行くところであった。その寂しそうな背中が、典子にあとからついてこいと言っているようだった。

典子が、椅子から立ちあがって、編集長のあとを追うと、白井は社の前の、いつも竜夫と話している例の喫茶店にはいって行くところであった。

典子が店にはいると、白井編集長は窓ぎわにすわっていて、すこし微笑しながら彼女を目で招いた。典子はおじぎをして近づいた。

「何を飲むかね?」

白井は典子にやさしくきいた。

「コーヒーをいただきます」

編集長と二人きりで茶など飲んだことがないので、典子は少々かたくなって言った。

白井は、それを注文しておいて、

「すこし疲れたな」

と半白の長髪を、ばさばさと掻いた。

「ほんとにお疲れのようですわ。すこし、お休みになりましたら？」

典子は、目のふちまでくろずんでみえる白井の顔を見あげて言った。

「鳥取は、遠いからな」

白井は運ばれたコーヒーをうまそうにすすった。顎《あご》に短い無精髭が生えている。

「ほんとに、もっと近いところでしたら、わたくしも、村谷先生のお葬式に参って、お焼香したいくらいでしたわ。あんなにお近づきになっていて、それができなかったのは、ほんとに残念でなりませんわ」

典子は心から言った。たとえ、村谷女史にどのような隠された事実があるにせよ、人間としてのつながりは別だった。

「いや、君の気持は、村谷さんの霊には十分通じているよ。そのために休むことはない」

編集長は、低い声の調子で言った。彼の疲労した顔から、その言葉が出ると、しんみりと聞えた。

「休むといえば」

と白井編集長は、思いついたようにきいた。

「崎野君が休んでいるようだが、どこかに行ったんじゃないかな?」

典子は、編集長に嘘《うそ》を見すかされたように、動悸《どうき》したが、

「いいえ。ただ、身体の具合が悪いということづけがあっただけですが……」

と、やっと答えたが、まだ、胸の騒ぎはおさまらなかった。

「そうか」

白井は細い声で言った。その、そうか、は、さっき編集部で、崎野が休んでいると聞いたときにうなずいた調子と同じであった。ひどく、もの憂《う》げなのである。

「ねえ、リコちゃん」

白井編集長は、ふと言った。

「いつか僕が頼んだ田倉の変死事件だがね、あれ、調査が少しは進んだかね?」

この質問を受ける予感は、典子がこの喫茶店に編集長から呼ばれたときに起っていた。だから、典子はその答えを用意していた。

「いいえ。あれから思うように進まないんです。たいへんむずかしい事件ですわ」

白井編集長にはたいそうすまない、と典子は心の中で詫《わ》びた。が、いまの場合、どうしても竜夫の側に立つほかはなかった。調査の協力者というだけでなく、もっと竜夫に接近している強い意識があった。

「そうかね」

編集長は、変らぬ声で言い、典子とは別な方角を見ていた。その深いまなざしを見ると、典子は編集長にすっかり洞察《どうさつ》されているような恐れを感じた。

「すみません」

典子は思わずあやまって頭を下げた。

「あやまることはないさ」

白井編集長は、おだやかに典子を眺《なが》めて、疲れたような微笑をした。

「むずかしいことなら仕方がないよ」

「そりゃ、編集長は、僕らのしていることを、察しているよ」

そのあくる日、その同じ喫茶店で、典子は出勤した竜夫と向いあっていた。

竜夫は、今日、元気な顔をして社に出てくると、編集長にも挨拶《あいさつ》し、次長にもあやまっていた。白井編集長は彼に対しては何も言わなかったそうである。

「わたしも、そう思ったから、編集長の顔がこわかったわ」

典子は昨日、ここで編集長に会ったときのことを思いだして、まだ胸に動悸がしているような気がした。

「そういえばね、このあいだも、ちょっと変なことがあったのよ……」

典子は校了の日、編集長にかかってきた女声の電話を思いだしていた。

「なんだい、変なことって？」

竜夫は真正面から彼女を見た。

典子が話し終ったとき、竜夫は空間の一点を見つめて、眉《まゆ》を寄せ、ひどく真剣な表情になっていた。

「白井さんは」

竜夫は言った。

「複雑な気持だろうな。そして、僕らのしていることが、気になって仕方がないのだろうな」

「崎野さんは、やっぱり編集長を疑っているのね？」

こうなると、妙なことに、典子は編集長の肩を持ちたくなった。昨日は、竜夫の側に立ったけれど、編集長に対して、疑わしげな顔つきをあいかわらずしている竜夫を見ると、いこじな心になった。

「さあ、そりゃ、僕にも、まだ何とも、はっきり分らないな」

竜夫は曖昧《あいまい》な笑い方をした。

「いえ、きっとそうだわ。あなたはそう思ってるわ」

典子は躍起になって言った。

「きっと編集長が事件に重要な役割を演じていると思いこんでいるのね？」

「それは、まだ、分らないと僕は言ってるよ」

竜夫は煙草を口にくわえた。

「ずるいわ」

と典子は言った。

「ずるいかな？」

竜夫は煙を吐き、目をすぼめた。

「ずるいわ。だって、すっかり自分の意見を言わないんだもの。あいかわらず、肝心なところでもったいぶっているのね」

「いや、そういうわけじゃないけど」

「だったら、二日も、社を休んでどこに行ったの？」

「そうだった。あ、どうもすまないな、社に欠勤の届けをしてくれて……」

「いつものことだわ。そいで、こんどは、どこに出かけたのよ？」

「うん。こんどはね、一昨日から、ちょっと田舎に行ってきたんだ」

竜夫は言いしぶっていた。

「田舎って、どこなの？」

「山の深いところさ。気持がよかった。久しぶりに、のんびりと山を見て歩いたからね」

典子は睨《にら》んだ。

「それが崎野さんの悪い癖よ。どうして素直に行先が言えないのかしら？」

竜夫は片手をあげた。

「いや、あやまるよ。しかし、ちょっと今、君に言えないのだ。悪くとらないでくれ。もしかすると君にわらわれるかもしれないからね」

「わらわれる？」

「そら、このあいだ、画廊で抽象画を眺めて言っただろう？　僕らはたいへんな錯覚をしているかもしれないって。それを確かめに行ったんだ」

「それで、錯覚してたということが分ったの？」

「いや、それがまだ分らない。結果が出ないから、言えないのだ。変なことを言うと、君に軽蔑《けいべつ》されそうだからね。それが嫌《いや》なんだ」

竜夫がそう言ったものだから、典子も心の中ですこしおかしくなった。

「わたしの軽蔑をおそれているのね？」

「まあ、そういうわけだ」

「じゃ、追求しないわ。どこか知らないが、山のある風景を見に行ったということだけにしておくわね」

「ありがとう」

竜夫は礼を言った。

「都会にいて、ああいう山間の田舎町をたまに歩くというのはすばらしいね。どうだね、今日は顔色がいいだろう?」

「知らないわ」

竜夫は典子をじっと見ていたが、

「リコちゃん、明日は都合のいいことに日曜日だから、いっしょに箱根に行かないか?」

「え、箱根に?」

「うん、あの坊ヶ島に、もう一度行って見るのだ。これも、僕らが思い違いをしているかもしれないということを確かめるためだよ」

3

翌日、典子が新宿の小田急の駅に行くと、竜夫が先に来て待っていた。

いつも、こんな時には遅れてくるか、ぼんやりして気のなさそうな表情をしている竜夫が、今日はひどく気負ったような顔をしていた。

「いやに張りきってるみたいね」

典子が微笑しながら言うと、

「うん、今日はたのしいんだ。こういう人たちといっしょに日曜日に箱根に行くと思うと、その空気にこっちまで伝染するよ」

と竜夫は答えた。

なるほど、あたりには、若い男女や、家族連れや、ハイキングの服装をした組が多い。みんながたのしげに騒いでいた。

新宿から湯本まで電車で九十分ばかり、そこからはバスで宮ノ下に向った。この道中、最後まで二人は行楽的な雰囲気《ふんいき》に包みこまれていた。

バスから宮ノ下に降りたのは、竜夫と典子だけで、あとは強羅《ごうら》や芦ノ湖《あしのこ》の方へ運ばれて行くらしい。

「さあ、これでやっと気分が落ちついたね」

竜夫はバスを見送って言った。

「これから、どっちへ行くの?」

天気がいいのである。晴れた空に、光が紗《しゃ》のようにうす濁って満ちていた。

「まっすぐ対渓荘へ行こう」

竜夫は歩きだしていた。

この前、竜夫は、僕らは思い違いをしているかもしれないと言った。ふたたびこの箱根に来たのは、彼の言う錯覚の発見と、その修正であろうが、それが都合よくゆくかどうか。竜夫はひどく張りきった表情なのである。

「こっちは、どう？」

典子は、例の国道と、村道の分れ道に立ちどまって言った。くねくねと曲った狭い村道は勾配《こうばい》をつけて下に向っている。その先が、田倉の落ちた現場なのだ。この道を見るのも久しぶりのような気がした。

「いや、そっちは後まわしにしよう。対渓荘が先だ」

と彼はまっすぐに歩いていった。

そこからはケーブルの降り口まで、五分とはかからない。こちら側が駿麗閣で、百メートルくらいの距離で対渓荘のケーブル昇降口に着いた。

女中がそこにいて、

「いらっしゃいませ。どうぞ」

と、とまっている専用ケーブルカーをさした。それから、下の到着点に待っている宿の者に、客の下降を知らせるため、リン、リンとベルを二つ鳴らした。

ケーブルカーの客は、竜夫と典子の二人だけで、宿の若い男が運転していた。断崖《だんがい》の下にある旅館の屋根が少しずつ大きくなり、せりあがってきた。

この合図のベルの音を聞くのも、典子にはなつかしかった。死んだ村谷阿沙子の原稿とりに、隣の駿麗閣に泊ったとき、何度も耳にしたものだった。

下に着くと、対渓荘の女中が待っていて、

「いらっしゃいませ。お早いお着きでございます」

とおじぎをした。

実際、時間はまだ午前十一時前だった。こんな時刻に旅館にまっすぐはいる者は少ない。だから女中はアベックの二人を勘違いして、

「あの、お泊りでございますか、それともご休憩でございますか?」

ときいた。典子は、あかくなって、顔を女中からそむけた。

「いや、それはあとで決めます。ちょっと裏の景色を見せてください」

竜夫は宿の玄関に向かわず、横の庭の方へ向かった。

「あの、お部屋はどういたしましょう?」

「それも、あとで決めます」

竜夫は背中から声を投げた。女中は口をあけたままで立っていた。

庭を通り抜けると、早川の渓流のふちに出るのだ。この場所も、典子は竜夫といっし

ょに来たことがある。ちょうど、旅館の裏に当っていて、川の真向いは急傾斜の山であった。前に来たときはその木の茂りが深い蒼《あお》さであったが、いまはかなり色づいていた。このあたりは、さすがに秋が早い。

川の中には大きな石がいくつも水の中から突き出ていて、白い泡《あわ》を立たせていた。この位置から見ると、こちら側の対渓荘と、向う側の駿麗閣との間には、交通遮断《しゃだん》を兼ねた境界の高い板塀《いたべい》が伸びていて、その端の川の中にも突き出ていた。

「これじゃ、両方の旅館の往来はできない」

竜夫は腕を組んで、眺めながら言った。

「客はどうしても、ケーブルカーを使用しなければならない仕組みになっている。だから、出るにも、はいるにも、あの、チン、チンというベルに、合図されるわけだな。やっぱり一種の密室だね。ここは」

それは、この前にも、竜夫がつぶやいた言葉であった。

「そう、昇るときはベルが三度鳴り、降りるときは二度鳴るわ」

典子は言った。

竜夫は、やはり腕組みしたまま、かなり急な速さで流れている水の上を見ていたが、

「この川は深いだろうか、浅いだろうか？」

とひとり言のように言った。

「そりゃあ、深いに決ってるわ。流れている水の色を見ても分るわ」

渓流の中央は濃い碧色《みどりいろ》をしていた。

「いいや、僕の言うのは、この川のふちだ。歩けるだろうか？」

と言った。

「歩ける？」

典子は、竜夫の言葉にびっくりした。

「どうしてそんなことを言うの？」

「いや、ものはためしだ。待て、待て」

と言うと、靴《くつ》を脱ぎ、靴下をはずし、ズボンの裾《すそ》を膝《ひざ》の上までたぐり上げた。

典子が呆気《あっけ》にとられている目の前で、竜夫は、川の中へはいっていった。それはまだ、くるぶしのちょっと上のところまでが没しただけであった。竜夫は、典子をふり返って、にやりと笑った。

それから、川の中を岸に沿って歩き、ちょうど、両方の旅館の境界線である塀が川に突き出ているところまで行って、とまった。彼は、それから塀につかまると、少しずつ、それに沿って川の中央の方へ向った。

「あ、危ないわ。よしなさいよ」

典子は、はらはらした。竜夫の脚がいまにも深く川の中に滅入《めい》りこんで、身体ごと没するような幻覚が起きた。

が、竜夫は手で塀をつかまえたまま、そろりそろりと用心深い足の動かし方で、川の中心に歩いていった。水は彼の膝まではまだ遠かった。それが、塀の端に歩き着くまで、たいして変りはなかった。

竜夫は、塀をつかまえたまま、身体の位置を変えた。つまり、彼は塀の向う側にまわりはじめたのである。彼の姿が塀でかくれる前に、彼は典子に挨拶のように手を上げた。

典子は、胸の動悸《どうき》が激しくうった。竜夫の姿が見えなくなっただけに、よけいに心配である。その位置の川の深さは、こちら側と同じだと思うのだが、もしかすると彼の姿が、川の中に陥没するのではないかという気がして、じっとしていられなかった。

やがて竜夫の姿が塀の突端から現われると、典子はほっとした。竜夫はふたたび合図めいた手のあげ方をし、また塀に沿って、典子の方へ戻ってきた。

「冷たい水だ」

と典子に感想を言った。

「危なかしくって、見てて、はらはらしたわ」

典子は、竜夫をじろじろ見て、言った。彼は濡《ぬ》れた足を、例のきたないハンカチで拭《ふ》いていた。竜夫の濡れた部分は、膝頭と、足首との、ほぼ中ほどぐらいの線であった。

「思ったより浅かったよ。底に大きな石がごろごろしてるんでね。それに乗っかって行きさえすれば、足が深く沈むことはない」

「何の実験なの？」

「両方の旅館を裏から往復できるかどうか、ということだ。見た目には、あの塀が川の中に突き出ているので、それは困難なようだが、いま、君も見ていたとおり、あの方法でやろうと思えば、できないことはないのだ」

竜夫は、ズボンの裾をおろし、靴下を着け、靴をはいた。

「これで、両方の旅館にいる客は、ケーブルで昇ったり降りたりしなくても、隣に行けるということが立証できたね。少なくとも、密室の範囲が広くなったわけだ」

竜夫は、誰のことを考えているのか。

あの事件の関係者として、この対渓荘には、村谷阿沙子女史、その夫の亮吾氏、それに女中の広子がいた。隣の駿麗閣には、田倉義三と、その妻のよし子がいた。この五人の誰が、竜夫の実験の対象になっているのであろうか。

「いや。それはまだ、僕にもはっきりしないのだよ」

竜夫は、典子にすこし笑いながら答えた。

「その五人のうちの誰かだろうな。誰かが、ケーブルカーによらずに、隣の旅館に行くことも可能だった、という立証だけで満足なんだよ」

そう言って、気づいたように、典子を見て、

「あ、五人ではない、もう一人いたよ、駿麗閣にね」

「あら、まだ誰かいたの？」

「リコちゃんだよ。阿沙子女史の原稿督促係として、ちゃんといたじゃないか」

「まあ。いやだわ」

「すべての人物を疑え、というのが犯罪推理の鉄則だからな」

竜夫はしろい歯を出して笑った。

宿の女中には、心付けをやって、二人は、ふたたび対渓荘の専用ケーブルカーで上に昇り、国道に出た。右に行くと、木賀を経由して、仙石原に行き、左に行くと、いま来た宮ノ下へ向う。

竜夫は先に立って、左へ道をとった。

「それでは、これから君がさっき誘った村道の方へ行ってみようか」

竜夫は、ぶらぶら歩きだした。こうして、ハイキングのようにして歩くには気持のいい天気なのである。

国道から分れて、二人は村道の方へおりていった。前回に来たときは炎天の暑いさかりだったが、今日は涼しい風が渡り、空気も冷えている。ここから見ると、箱根の全山に秋の気が動いていることが、はっきり分った。

田倉が墜落した場所に来ると、二人は思わず立ちどまった。典子は目を伏せて黙禱《もくとう》した。この断崖の真下の石に血を散らせて伏せていた彼の最期《さいご》の姿が、まざまざとうかんだ。

いったい、田倉は、どうしてここからやすやすと突き落されたのであろう。彼は駿麗閣でビールに混じった睡眠薬を飲んだ。それは、彼の妻よし子が、田倉が外出する予定とは知らずにビールに混入したものだろう。

だから、田倉は、ここまで来て、ふらふらと眠りこける状態になっていたかもしれない。ほとんど無抵抗に近い。そんな状態だったら、誰にでも突き落せる可能性はあるのだが。

竜夫は、その推測に、前に反対した。

それにしても、田倉は、どうして、こんな場所に、夜ひとりでやってきたか、誰と会うつもりだったのだろう。そして、約束したその相手が、田倉を殺した犯人なのだろうか。

また、ふと、典子は死の前夜に田倉が強羅の春日旅館の女中に言った〝おもしろいアベックを見たよ〟との一言も気にかかった。竜夫もそのことにひどく興味を持っているようだったが、そのおもしろいアベックとは、誰と誰だろう。そして、それは、この事件にどの程度の影響を持っているのであろう。

典子がそのようなことを考えていると、

「やっぱり、この道は、トラック一台がやっとのことだな」

という竜夫の声が聞えた。

竜夫は村道の幅を見つめて立っていた。

「トラックですって？　じゃ、坂本浩三君と木下君とが乗っていたトラックが、やっぱりこの道を通ったということなの？」

典子はきいた。

「そう考えるのが当然だな。坂本というのは田倉の女房の弟だからな。やはり、事件関係者の圏内の一人だ。あの一時間半遅延したトラックは、田倉が怪死したこの村道を、かならず通過しているよ」

竜夫は言ってから、待て、と首を傾《かし》げた。

「いったい、そのトラックは、どこでバックしたのだろう。こんな狭い道では、転回《ターン》もできないし、片側が断崖の、この急勾配をあの重い荷物を満載した重量のあるトラックが逆戻り運転で、国道まで押しのぼるのは大変だし、……そうだ。照明のない夜だから、それは危険なはずだ」

竜夫は、しばらく考えるようにしていた。

「リコちゃん、この村道の坂をおりたところは、寂しい集落だったな？」

「ええ。突き当りが製材所だったわ」

「そうだ。製材所には専用のトラックがあるから、そこではターンする平地があるのだ。坂本と木下の運転したあの重い積荷のトラックは、いったん、この坂道を下って、製材所のところでターンしているよ」

竜夫は目を輝かした。

「よし。これは製材所の人たちにきいてみよう。夜、知らぬトラックが来て、ターンしてまた道を引き返して行ったといえば、たいていおぼえているだろう」

「日付まで記憶しているかしら？」

「あの怪死事件のあった晩だからね。そんなトラックの変ったことがあれば、たいてい印象が強いものだよ。一つ当ってみよう」

その製材所が行く手に見えたとき、竜夫は典子を待たせて、建物の内にはいって行ったが、長いこと出てこなかった。山峡《やまかい》の製材所は、この間と同じように機械鋸《のこ》の音をあたりに響かせていた。その低い屋根の陰鬱《いんうつ》な建物が、典子にはちょっと無気味だった。

二十分もかかって、竜夫が出てきた。しかし、彼の顔は失望していた。

「だめだった。そんなことはないと言うんだ」

彼は首を振って言った。

「ここ一年、夜、ここまで自動車が来て、ターンしたことはないと言うんだ。つまり、それは、自動車のエンジンと物音で分るからね。ここの連中は、半分は、住み込みの連中なんだ。みんなで、そんな事実は絶対にないと否定したよ」

三つのX

1

製材所では田倉が墜落した当夜、トラックが転回《ターン》していった事実がないと証言したことが、竜夫には、かなりのショックのようすであった。

「まいったな」

と彼は額に手を当てていた。

「でもそれは」

典子は彼がしょげているので、すこし気の毒になって言った。

「もう、ずいぶん、前のことでしょう。はたして、その夜に、その事実がなかったかどうか記憶があやふやだと思うわ」

「ところが」

竜夫は、歩きだしながら言った。

「あの製材所にトラックの助手が四人いてね。四人で、徹夜で麻雀《マージャン》をやったそうだ。そのあくる日が、田倉の変死体が発見された騒ぎだから、その前夜というのでよく覚えていた。トラックが近くに来てターンすれば、かならず、耳にはいらぬことはないと言うんだ」

典子も、そう言われると仕方がなかった。

「それに、決定的なことは」

と竜夫はつづけた。

「ここまで自動車が来たのは、ここ数年来に一度もない。だから、よその車がはいってきたらかならず印象に残ると言うのだ。こんな寂しい場所で、死んだように静まり返っている夜だから、車のエンジンのような大きな音がすれば、あたりが割れるように聞える、というんだ。だから、それは絶対に聞きのがしがないというわけだ」

典子も、その理屈はよく分った。なるほど、そういうことになるだろう。

「崎野さんは、坂本君と木下君とが運転するトラックが、かならず、この村道に来た、という推定だったのね?」

「そうなんだ」

竜夫は肯定した。

「あの一時間半の遅延の現場は、たしかに、田倉の怪死の現場と一致する、という見込みだった」

「理由は？」

「カンだね。理論では言えないけれど」

竜夫は、頭をかき、眩《まぶ》しい目つきをした。

「坂本と木下のトラックが、この事件に重要な役割をしているという推定に立つなら、田倉の怪死の現場にもっとも接着した地点に、あのトラックの遅延現場を設定すべきだと思ったね」

「簡単明快ね」

典子は、ひやかすように言った。

「すごく単純なのね」

「すべての理論は、根本は単純なのだ。考える道中で複雑になってゆくのだ」

「犯罪事件はそうはゆかないわ。企《たく》まれた計画なら、複雑だわ」

「この事件に関しては、たしかにそんな錯覚が起るね」

「あら、それも錯覚なの？」

「かもしれない。僕は、もっと単純なことじゃないかと思っている。おや、向うから人が来たね」

それは土地の人らしく、中年の男が鍬《くわ》をかついでおりてきた。彼は、竜夫と典子とを、

ちらりと見て、

「こんにちは」

と言い残してすれ違った。

「こんにちは」

典子も挨拶《あいさつ》を返した。

「この辺のかたは、ていねいなのね」

典子は低声《こごえ》で言った。

「君、いまの人、知ってるのかい?」

竜夫がふりむいて、きいた。

「むろん、知らないわ」

典子は笑いだした。

「そう。知らない人だろう? 僕らには、まったく縁のない人だ。しかしね、ここで、君と僕の間に、何か事件が起ったとする。そして、いまの人が来合せたとする。これは偶然だ。しかし、第三者の目から見たら、あの人がここに、ちょうどその時間に来たということが意味ありげに映るかもしれない。つまり、それは偶然ではなく、その行動が必然的な意味を持つようにとれるかもしれないのだ」

「何だか抽象的すぎるわ。もっと、具体的に言ってよ」

「具体的にか」

竜夫は、しばらく黙っていたが、のぼり道を一歩一歩あるきながら、言葉も、そのおりに、一語一語を切るように言いだした。

「この田倉事件では、いろいろな人物が出てきた。僕らは、すべてそれが、田倉の怪死に関係があるように思っているけれど、これは、考え直してもいいのじゃないかと思うな」

「というと、どういうこと？」

「たとえばさ、ここに、Aグループがあるとする。それからBグループがあるとする。あるいはCグループがあるかもしれない。本来は、これらのグループは個々に別なものだが、僕らが、ごっちゃにして、複雑に考えているのかもしれないのだ」

「ちっとも具体的な話になっていないわ」

典子は抗議した。

「Aグループだの、Bグループだの英語の構文を聞いてるみたいだわ。Aグループがだれだれで、Bグループがだれだれなのか、はっきりおっしゃいよ」

「いや、そこまでは、まだ決定する勇気がない。そう思いついただけだ」

「単なる思いつきね」

典子は腹を立てて言った。

「それを、思わせぶりに言うなんて、ずるいわ」

「いや、別にそういうわけではないが」

竜夫は、典子が色をなしたので、なだめるように言った。

「しかし、君は、うまいことを言ったね。英語の構文か。なるほど、ひねくれた英文解釈の出題には、学生のとき泣かされたものだ。いろいろなグループが入りくんでいて、どの動詞がどれに懸かっているのか、どの代名詞がどれを受けているのか、さっぱり分らなかった。ちょっと、そのひねくれたところが、この事件と似ているよ」

典子は、はぐらかされたような、小ばかにされたような気持になって、竜夫の傍《そば》をはなれ、さっさと歩いた。

いつのまにか、それは村道を上りきって、自動車の通る広い舗装道路に出ていた。

「おい、リコちゃん」

竜夫は、大股《おおまた》で追ってきた。

「知らないわ」

典子が国道を湯本の方角へ向おうとすると、

「そうじゃないんだ。右だ、右だ。右へ行くんだ」

竜夫は大声を出した。

「え」

典子が、思わず脚をとめると、竜夫が傍にならんできて、

「今度は木賀の方へ行ってみよう」

と言った。その言い方が、また、すこし断定的であった。

「木賀なんかに、どうして行くの？」

典子は、まだ腹がおさまらなかった。

「だって、君の、ここに到着した最初の宿が木賀だったじゃないか。そして、田倉と会ったのが、その途中だったんだろう。それに、その日の晩九時ごろと翌朝の霧のなかで見た、二組の男女というのも、その付近だったね？」

典子は、仕方なしに脚を動かした。竜夫の唇《くちびる》が微笑したようだった。

「また、実地検証なの？」

典子はわざととがめるようなまなざしで竜夫を見た。

「そう、今度は新しい目で見ておく必要があるね」

典子は、また始まったと思った。「新しい目」などと言っているが、どんな意味があるのか。きき返すのも癪《しゃく》だから、黙っていると、

「おや」

と竜夫が立ちどまった。

「さっきの人が、こっちに戻ってきているね？」

と村道の方を眺《なが》めていた。

典子が見ると、その道路の位置から、ずっと低い下の方に、曲った村道があって、それは屈折のたびに見えかくれしていたが、ちょうど、現われている部分に、さっきすれ違った土地の男が歩いていた。

「あれは、田倉の落ちた断崖《だんがい》の上に当らないかい？」

典子は目で見当をつけたが、なるほど、その上部に当りそうであった。

「そうね」

「うむ、すると、この辺の国道からだと、田倉があすこに立っていたのが見えたわけだな」

竜夫はじっと眺めていた。

「でも、それはだめよ」

「なぜ？」

「夜だったじゃないの？　暗くて分るはずがないわ」

「田倉が誰かと話していたとする。相手は懐中電燈を持っていた。その光は、こっちから見えたはずだ」

「でも、その光だけでは、田倉さんだとは、分らないわ」

「光だけで分った者がいたら？」

典子は、竜夫の目を見た。その目は何かを解こうとして苦しんでいる目だった。

典子の今までの彼への不服がいちじに消えた。

二人は、それから木賀の方へ黙って歩いた。仙石原の方へ行く車が、しきりにあとから追い越した。

2

初秋の、明るい陽《ひ》が降りそそぐ道を、典子と竜夫はぶらぶら歩いた。右手には絶えず早川の流れが低いところに見えて、水音がはいあがってきていた。

左側は山の斜面になっていて、七曲り式に広い道がつき、強羅へ上がるようになっている。

このあたりは、家が少なく、両側に並木が植わっていた。道の行く手には、あまり大きくない旅館がかたまっていて、道はそこから折れて、早川にかかっている白い橋に通じるのだ。

典子が、最初の晩に泊った宿の屋根も、遠くに見えた。

「この辺だろう?」

竜夫が、歩調をさらにゆるめて言った。

「君が田倉と、ここに着いた晩に会ったのは?」

「そうね」

典子も、前後を見まわし、足をとめて答えた。

「暗くて分らなかったけれど、きっとこの辺だと思ったわ」

そのとき、田倉はどこかの旅館の浴衣《ゆかた》の袖《そで》をぴんと張って、さばさばしていた。

《椎原さんじゃないですか？》

と彼は典子を呼びとめたものだ。宿ですこし飲んだらしく、酒の匂《にお》いがしていた。田倉は、典子に、宿は決っているのか、とか、村谷女史は執筆に行きづまっているに違いない、とか、いろいろと言って、いっしょについてきそうな気配がしたので、典子は気味悪かった記憶がある。

いま思うと、田倉のとった宿が、強羅の春日旅館で、彼は強羅から七曲りの道をおりてこの辺を散歩していたのだ。

「そのときに会ったのは、リコちゃんだけではなかったのだね」

竜夫は、道路の地形を眺めて言った。

「そう。いわゆる〝おもしろいアベック〟でしょう？」

「そうだ。とにかく、田倉は、あの夜、ここを歩いているとき、君と、それから彼の興味をひいたアベックを見たわけだ。春日旅館の女中には、君のことは言わなかったが、アベックのことは言っている。よほど、興味が強かったに違いないな」

「崎野さんこそ、とても、そのことにこだわってるようだわ」

典子は、それほど関心がなかったので、竜夫がそればかりを気にするのが、妙に思えた。

「いや、これは重大だと思うな。そのアベックの正体が分ったら、この事件の謎《なぞ》の半分は解けそうなくらいだよ」

「まあ、そんなかしら？」

それはちょっと大げさすぎるように考えられたが、竜夫はひとり極《ぎ》めにしているようだった。

「だって、田倉さんが見たという男女の組は、全然、関係のない人たちかも分らないわ」

「それは、そうだ」

竜夫はいちおうは聞いて、

「しかし、田倉の口から出た言葉だからね。すべてをこの事件に関係ありと見たいな。全部を疑ってかかるんだよ。それが犯罪調査の基本さ」

「基本かもしれないけど、ますます藪《やぶ》知らずの道にはいってゆくかもしれないわ。崎野さんが、そのアベックが事件に重要な人物だなんて気負っていると、とんだ背負い投げをくうかもしれないわ」

「仕方がないね。それは、僕と君との、感じ方の違いだな」

竜夫は今度は強《し》いて逆らわなかった。

「さて、その晩は、田倉は強羅の春日旅館から、あの曲りくねった道をくだって、ここへ散歩に来たのだが……」

と、山の斜面に羊腸《ようちょう》とつけられた道をさした。

「君は、この木賀の里の宿に泊って、その夜九時ごろ、宿から出て歩いていて、村谷女史の旦那《だんな》さまと、若い女の人を見、その翌朝早く、あの曲った道を途中まで、上に登って行ったのだね」

「そう、霧の深い朝の七時ごろだったわ」

「そのとき、霧の中で見たのは？」

「村谷阿沙子先生と田倉さん……」

典子は答えた。

「そりゃ困るよ」

竜夫が、少し強い声で言った。

「え？」

「前の方はいいが、阿沙子女史と田倉というのはいけないよ」

「………」

「春日旅館の田倉の当番だった女中の言葉を思いだすんだね。あの朝、田倉はちょっとも外に出なかったと言ったじゃないか?」

そうだった。それが典子にはまだ不可解なのである。

前回の調査で、この箱根に来たとき、典子と竜夫は、田倉が七月十一日の晩に泊ったという春日旅館の係女中に会っている。

そのとき女中は、田倉が、

《十二日の朝は、九時近くまで、お部屋でお寝《やす》みになり、それまでどこにも外に出られませんでした》

と言ったものだ。

典子は、十二日の朝七時ごろに、たしかに霧の中に立っている阿沙子女史の姿と田倉の姿とを見ていたから、それは女中の思い違いではないか、と重ねてきくと、

《たしかに九時近くまでお寝みでございましたよ。それは間違いありません》

と自信たっぷりに答えたものである。

典子は、そのとき、係女中の強い自信に負けたけれど、彼女だって田倉を見たという自信があるのだ。

典子は、それを、いま、竜夫に主張した。

「君が見た、というのは、実際に、はっきりと阿沙子女史と田倉とを確認したのかね？」

竜夫は半分は疑わしそうにきいた。

「ううん。ちょっと距離があったし、濃い朝霧の中で、ぼんやりした影だったけれど、でも田倉さん以外の人とは思えないわ」

「じゃ、明確には、顔は見えなかったわけだね！」

「あの姿の輪郭だけで分るわ。阿沙子先生の特徴は見違えるはずはなし、声もすぐ分ったわ」

「阿沙子女史の場合は認めるよ」

竜夫が言った。

「僕の言うのは、その傍に立っていたという男の方さ。田倉の方には、きわだって身体の特徴がないからな」

「痩《や》せて背が高くて……そう、ちょうどあの人の背の高さだわ」

「二人の話の内容は分らなかったんだね？」

「それまでは、はっきりとは分らないけれど」

「それでは、かなりの距離があったわけだな」

竜夫はひとり合点《がてん》したように言った。

「あら、崎野さんは、わたしが、田倉さんでない人を田倉さんだと勘違いしたというの？」

典子は非難の目を向けた。

「いや、君の目なり耳なりは、いちおう、信じるとしてね」

竜夫は、典子の強い視線を避けるようにして言った。

「一方、春日旅館の女中の言ったことも無視できない。彼女は、田倉がその朝九時まで寝ていて外出しなかったと言い、君は、七時ごろ、田倉をあの道で見たと言う。だから、これはXだ」

そう言って、竜夫は、何を思いついたのか、ごそごそとポケットをさぐって手帳をとりだした。

「まてまて、この辺の道は重要だからな」

とつぶやきながら、何やら万年筆で書きつづけていた。

その間にも絶えず、目の前をハイヤーや、バスが通る。ハイヤーはたいてい仙石原のリンクに行くらしく、窓から見える客はゴルフ道具を持っていた。バスの窓からは、乗客が、道ばたに佇《たたず》んでいる竜夫と典子とをのぞいていた。

典子は、こんなところに、じっとしているのに気がひけた。

「それ、ざっと、こんなことになるよ」

と竜夫が典子の目の前に出した手帳を見ると、表みたいなものが書きつけてあった。

七月十一日の晩。木賀近くの道路で田倉が会った者――椎原典子……アベックX[A・B]。

七月十一日の晩九時ごろ。椎原典子が木賀の宿のそとで夜霧の中に見たもの――村谷亮吾氏とX[C]。

七月十二日の朝七時。椎原典子が、七曲り道の途中で霧の中に見た者――村谷阿沙子とX[D]。

「X[C]は女性で、X[D]は男だ。無論、三つのXはそれぞれ人物が違う。疑問という意味での記号だが」

竜夫は注釈をつけた。

「問題は、この付近に歩いていた三つのXだ。これが分るとおもしろいのだがね」

田倉が見た、〝おもしろいアベック〟は誰か分らない。亮吾と霧の中に立っていた女は誰か分らない。阿沙子女史と同じ霧の中に佇んで話していた男（典子はそれを確かに田倉と思うのだが）も誰か分らない――竜夫は、そう言っているのである。

「ああ、ちょっと頭が疲れたね」

竜夫は、ふと「湖尻《こじり》行」というバスの標識を見て、

「リコちゃん。ついでだから、仙石原の方を少し歩いてみようか」

と典子を誘った。

「そうね。いいわ」

いつまでも田倉の事件でもないだろう。八月も下旬となれば、高原の風は爽《さわ》やかだった。典子の返事が素直で明るかったのは、竜夫とならんで、草を踏むことに心が浮き立ったからである。

いつか、典子が岐阜に出発するとき、竜夫が列車の窓から手をさし伸べた。彼とは最初の手の触れ方であったが、典子はその感触をしばらくおぼえていたものだ。

そのとき、彼女は自分の方向が決った、と思ったことだった。

久しぶりに来た仙石原は、典子を満足させた。

空は高く晴れあがって、光が満ちている。高原の草は風にそよぎ、せまい山峡《やまかい》の道をあがってきた目には、胸がひろがってゆくような気持であった。ゆるやかな起伏の稜線《りょうせん》の途中には、いくつものバンガローが見え、ゴルフ場のホテルの白い建物が遠くにかわいかった。

外人が夫婦連れで草の上を歩いている。

竜夫は、じろじろとあたりを見ていたが、

「宮ノ下から、ここまで、車で何分くらいかかるだろうな?」

とつぶやくように言った。

「ハイヤーだと三十分くらいじゃないかしら」

典子は、およその見当を言った。

「三十分か……」

竜夫は腕を組み、広い平原を眺めていたが、彼がいったい、何を考えているのか、典子には分らなかった。

竜夫は草の上を歩きまわった。それは、そこに典子が立っていることなど、まったく無視したような、ひとり勝手な徘徊《はいかい》であった。

何か、一心に自分の考えを追っていることは、彼の表情を見ても分るのである。彼が原稿の文章を書いていて、行きづまったとき、しかめ面《つら》をして頭を抱えこんでいる、そのときの苦悶《くもん》している顔と同じであった。

典子は、ものを言うこともできないで、その竜夫の動作を見まもっていた。風だけが彼女の顔に吹いていた。

「リコちゃん」

竜夫は不意に、立ちどまって、顔を上げると、典子に言った。

「これから、その辺のタクシーを拾って、小田原に行き、藤沢で降りよう」

「藤沢に?」

典子は、竜夫が何を言いだすのか、と思って、目をみはった。

「うん。君に知らせてやりたいことがあるんだ。どうも君は、ちょっと安心しているようなところがある」

「何のことなの?」

典子には竜夫の言う意味がまったく分らなかった。

「まあ、いい。これから行けば分るよ」

竜夫は、さっさと道路の方へ出て、折からゴルフ客を送っての帰りらしいタクシーの空車を、手をあげてとめた。

「どちらへ?」

運転手はドアを片手で開いた。

「小田原駅まで行ってくれ」

「小田原ですか。へい、そりゃありがたい。どうぞ」

運転手は喜んでいた。

車は坦々《たんたん》とした舗装道路を小田原の方へ走っておりてゆく。木賀が過ぎ、底倉が過ぎ、宮ノ下が過ぎた。

竜夫は、腕時計を見ていたが、宮ノ下を通過するところで、

「仙石原からここまで、ちょうど、二十一分だ。上りは、少し時間がかかるから、二十五分くらいだろう」

と典子に言った。風が窓から吹きこんで、竜夫の語尾をけずりとってゆく。

「どういうことなの、それ？」

典子が、ききかえしたが、

「いや、今は、その時間のことさえ知っておいてくれたらいいのだよ」

と彼は説明しなかった。

癖が出た、と典子は、こんどは腹も立たず、微笑が出た。

「崎野さんは、その思わせぶりな癖が直ると、もっといい人だわ」

典子は、それだけ言っておいた。ただ、黙っているだけでは、やはり胸が落ちつかなかった。

竜夫は顎《あご》を撫《な》でて、それには返事をしなかった。

小田原駅で、東京行きの列車に乗り、竜夫が言うとおりに、藤沢駅で降りた。今日は、どういう日か知らないが、遊行寺《ゆぎようじ》詣《もう》での信者の団体が駅前に集まっていた。

前に来たことがあるから、田倉の家のある町の路地には迷わずに来られた。田倉の家は、知らない人がはいっていた。

「リコちゃん」

竜夫は、典子に小さな声で言った。

「この近所で、田倉の細君のことをきいてみてくれ。女のことだから、君の方がいいだろう」

なるほど、それは必要だった。今度のことでは、田倉の妻がかなり重要な場所を占めている。田倉と彼女の平素がどのようであったか、近所の噂《うわさ》を知っておくのは参考になる。

典子は、田倉の住んでいた家から二軒目の、隣の入口に、中年のおばさんが立っていて、こちらをうさんげに眺《なが》めていたので、おじぎをして近づいた。

そのときのおばさんの返事は、典子を、あっと心で叫ばした内容であった。

3

おばさんは小肥《こぶと》りのひとで、典子が近づいておじぎをすると、細い目に好奇心を輝かしていた。

「ちょいと伺いますが」

「はいはい」

おばさんは、背中の子供をゆすりあげ、典子に向った。

「田倉さんのことで、おたずねしたいんですが」

「田倉さんなら亡《な》くなられましたよ」

おばさんは薄い唇《くちびる》で言った。

「はい、それはぞんじているんですが、実は、おたずねしたいのは、田倉さんの奥さまのことですけど……」

「田倉さんの奥さん？」

おばさんは、ちょっと驚いた目で典子の服装を観察するように、じろりと見た。

「はい、実は、わたくし、田倉さんの奥さまの同級生の妹ですが」

典子は、とっさの思いつきを言った。

「姉が長らくお会いしていないので、藤沢に降りたついでに、お寄りしてみてくれと言ったんですが、思いがけなく、ご主人が亡くなられて、どこかに越してらっしゃることが分りました。それで、姉への報告に、せめて奥さまがこちらにいらしたときのごようすなりと話してやりたいと思います」

おばさんは、微笑をうかべて話している典子の顔を穴のあくほど見つめていた。

「もし、ごぞんじでしたら、奥さまにお変りなかったかどうか、お仕合せそうだったかというようなことを教えていただけませんでしょうか？」

「田倉さんの奥さんですか？」

おばさんは、目をまるくして反問した。

「はい、そうですが」

「いいえ、田倉さんのお家《うち》には、奥さんはいませんでしたよ」

今度は、典子がびっくりした。

「え、何ですって？　田倉さんには奥さまがなかったのですか？」

「え。田倉さんの家には奥さんはいません。ただ、よそで別々に暮していらっしゃるということは、田倉さんの口から聞いたことがありますが」

典子は呆然《ぼうぜん》となった。今の今まで、田倉は妻といっしょにいるとばかり思いこんでいたのだ。

事実、箱根では、その妻が田倉を駿麗閣に訪ねて行っているし、小田原署で見せてもらった聴取書にも、田倉のいる家の住所が書いてあった。

それに、あの家で弟の坂本浩三に会ったとき、「姉は義兄の遺骨を持って故郷の秋田に帰りました」と言ったではないか。

典子は、瞬間に、これは、おばさんの錯覚ではないかと思ったくらいである。

「確かに、奥さまは、田倉さんとごいっしょに暮していらしたのではないのですか？」

典子は念を押した。

おばさんは、自分の言葉を信用せぬのか、と言わぬばかりに、

「ええ、そりゃ、あたしは近所にいますからね、奥さんがいつもいるかいないかぐらいは、いくら何でも分りますよ」

と目をむいた。

「すみません。実は、あんまり、意外だったものですから」

典子はあやまるように、軽く頭を下げた。

「そうすると、田倉さんの奥さまは、全然、お見かけにならなかったのですか？」

「いえ、二度か三度見たことがあります」

おばさんは機嫌《きげん》を直したように、すぐ答えた。

「二度か三度？」

「そうなんですよ。それも、田倉さんの家から出てくるところを、ちらりと見たのです。三十七八くらいの女《ひと》で、立派な着物をきておられました。きれいな奥さんなので、あたしが、あとから田倉さんにきくと、そうです、あれが家内ですよ、とにやにや笑っていました」

「じゃ、ときどき、奥さまは田倉さんの家にいらしていたわけですね？」

「あたしが見たのは、そのときだけです。田倉さんは、家内とは事情があって、別居していると言いわけをしていましたよ」

「別居というと、どこなんでしょう？」

「さあ、それは、あたしもきいたんですが、田倉さんは口の中でごまかして、はっきり言いませんでしたよ」

田倉夫婦は別居していた。——

典子にとって、新しい事実だった。思いがけなかったことで、今までは、田倉夫婦は事件の時まで、同居しているとばかり信じこんでいた。夫婦というからには、むろん、それが普通だと思っていたのだ。

竜夫が、君は安心していると言ったのは、なるほど、このことか。――

「崎野さん、あなた、この事実を知っていたのね?」

典子は、竜夫を詰問《きつもん》するように言った。

藤沢から、東京駅に着いたときは、夜になっていた。

どこかで、静かに話しあいたかったが、さて、そういう場所はあんがいに無いものである。喫茶店では音楽を鳴らしてうるさいし、料理屋の座敷では困るし、食べもの屋では落ちつかない。それで、またしても結局、近いという理由もあって、構内の例のお抹《ま》茶《ちゃ》を出す店にはいった。

ここならレコードも鳴らないし、あたりの客も静かなのである。

「いや、あやまるよ」

竜夫は、典子に詰問されて頭を搔《か》いた。

「実はね。ふと、疑念を思いついて、以前に藤沢に行って、やっぱり今日のように近所の聞き込みをしたことがあるんだよ」

「それは、いつごろ？　ああ、いつか田舎に行くと言って社を休んだ時なのね？」

「いや、あの直前だ」

「じゃなぜ、わたしにそのことを知らせなかったの？」

典子は、竜夫の仕方が意地悪にみえた。

「だから、ごめん、と言っている。あやまります」

竜夫は頭を下げた。

「ごまかさないでよ。崎野さんはいい人なんだけれど、ひとり合点《がてん》しようとするところが嫌《いや》だわ。ずるいわ。この事件の調査では、わたしも共同責任よ」

典子は、また腹が立ってきそうになった。

「まあ、リコちゃん、堪忍《かんにん》してくれ。実は、いつか知らせようと思いながら、のびのびになってたんだ。それに今日が、ちょうどいい機会だったからね。箱根の帰りに藤沢に降りたのだ。そして、僕が言うよりも、君自身で新事実を知ってもらいたかったのだ」

竜夫の言い方には、どこか詭弁《きべん》があったが、典子も、今はそれを追求するよりも、その知った事実について、話しあわねばならない気がした。

「いったい、田倉さんの奥さんというのは、どこに別居してるんでしょう？　おどろいたわ」

「さあ、それは僕も分らない。いや、これはほんとうだよ」

竜夫は今度は念を入れた。実際、彼の顔には見当がつかないという表情がにじみ出ていた。

「では、それは、あとで考えるとして、別居の理由は何でしょう?」

「やはり、夫婦仲がうまくゆかなかったんだろう」

「それは分るわ。だって、いつか、田倉さんが亡くなってからお悔みに行った時、奥さんの弟の坂本君が、田倉さんをよく思っていないようすがあったじゃないの? 姉夫婦の仲がよくないから、自然と義兄をよく思っていなかったんだわ」

典子はそう言った。それは直感というのか、何となく思いあたるのである。

「そう。僕もそう思うね」

竜夫は、出された苦い茶をすすりながら賛成した。

「でも、ちょっとおかしいわ」

典子は瞳《め》を抹茶茶碗《ぢゃわん》にじっと据《す》えて言いだした。

「何が?」

「だって、ときどきしか来ない奥さんが、どうして田倉さんがあの晩箱根の宿に行っていることが分ったんでしょう?」

竜夫は沈黙して考えるような表情をしていたが、

「それは、連絡するものがあったからだろう」

とつぶやくように言った。

「連絡する者？　誰でしょう？」

「さあ、それは誰だか分らない。でないと、君の言うとおり、あの事件の晩に、田倉が箱根に行っていることが分るはずがない」

典子の目には、白井編集長の姿がうかんだ。連絡する者がいた、と竜夫が言ったものだから、編集長のことが脳裡《のうり》をかすめた。

が、そのことは口に出したくなかった。おそらく、それは竜夫の方が、もっと濃い姿で白井を描いているに違いない。

「でも、もう一つ疑問があるわ」

典子は言った。

「箱根の旅館に、奥さんが押しかけたのは、田倉さんが女遊びをしていると想像して、奥さんが嫉妬《しっと》して行ったことになってるわね。小田原署の聴取書にも、奥さんの言葉として確かにそう出ていたし、宿の女中さんも、痴話喧嘩《げんか》みたいな口争いが田倉さんの部屋ではじまっていた、と言ったわね。別居して、いちおう、田倉さんのことに関知しないはずの奥さんが、どうして今さらのように嫉妬《やきもち》をやくのでしょう？」

竜夫は目をあげたまま、典子の顔を見つめていた。それは、どこか驚嘆したようなまなざしであった。

が、竜夫は、

「いや、いくら別居していても、これは若いリコちゃんの前だが、女の感情は別だろうね」

と軽く言った。

「待て待て。今までのデータをここで一つ、見ておくのもむだじゃないね」

竜夫はポケットから手帳を出し、何やらぎっしり書きこんだ一ページを広げた。

典子も、興味を起して竜夫の横に行き、いっしょにそれを覗《のぞ》きこんだ。

さそい

1

それから二十日ばかりは、事もなく過ぎた。九月にはいってからは陽気もぐっと秋らしく爽《さわ》やかな日がつづいている。

典子は、雑誌の締切間際《まぎわ》なので仕事に追いまくられた。執筆家の間をまわって、原稿を集めたり、まだできていない人には催促をする。忙しい人ほど、原稿のできあがりがおそいので困るのである。

印刷工場への出張校正が三日後なのだが、

「まだ、いいだろう、君?」

と電話口で悠々《ゆうゆう》とかまえている寄稿家がいる。

「困りますわ、先生。明後日が校了なんです。明日がぎりぎりですわ」

「いや、君ンとこは、まだ校了には三日あるはずだ。そうサバを読むなよ」

こういうスレた執筆家は、作家に多い。

電話だけでは、不安だから、典子が執筆家の家を訪問することになるのである。

校了日の迫った雑誌の編集部というのは、いくら人手があってもたりないくらいである。

白井編集長も、崎野も朝から社には姿を見せぬのは珍しくない。みんな外をまわっているのだ。

その日も、典子は、朝早く家を出た。

「おや、今日はばかに早いじゃないの?」

母は言った。

「え、今朝の約束でいただく原稿があるんです。昨夜、徹夜して書いてくださってるはずですから、お約束どおりの時間にお伺いしないと悪いんです」

典子は答えた。その執筆家の郊外の家を訪ねて、できた原稿をもらい、中央線で東京駅に着いたときは十一時前だった。

ラッシュアワーははずれているが、地下道を八重洲口《やえすぐち》の方へ歩いていると、あいかわらずの混雑である。

改札口を出て、広い構内を出口へ進んでいると、その人ごみの中から、ぱったり知った顔に会った。

「やあ」

同時に、先方でも気がついて挨拶《あいさつ》してくれたが、これはビルの社長の新田嘉一郎氏だった。

新田氏は、にこにこと典子に笑いかけたが、今日は珍しくスーツケースなど手に提げての旅装である。

「ご無沙汰《ぶさた》しています。いつぞやは……」

典子がおじぎをすると、

「やあ、こちらこそ。あいかわらず、精が出ますね」

と典子に目もとを笑わせながら言った。

「ご旅行でございますか？」

彼女は、新田社長の恰好《かっこう》を見て、きいた。

「はあ。ちょっと……」

新田社長は、それで言葉を切るつもりだったらしいが、

「実は、京都までですよ」

「あら、そうですか」

「遊びにですよ」

ビルの社長は声をすこし出して笑った。

「どうせ、こっちにいても暇な身体ですからね。京都でも見てこようと思い立ったんです」

「結構ですね」

典子もこたえた。

「ちょうど、季節もいいし、羨《うらや》ましいですわ」

実際、羨ましかった。典子には、犬山に行ったときの記憶が、絵になって目の前にうかんだ。木曾川の流れ、小さなお城、それから濃尾平野の野面《のづら》と、牛の啼《な》いている百姓家。——

「あなたは、忙しそうですな」

新田氏は、まだ微笑を消さずに言った。

「ええ、なんですか、貧乏ヒマなしですわ」

典子の目は瞬間に現実にかえった。

「いや、若いかたは忙しいのが何よりですよ」

そう新田氏は言ったが、思いついたように、

「崎野君は、元気ですか?」

ときいた。

「ええ、崎野も元気で働いています」

自社の人間だから、典子も、身内としての礼儀で答えた。

「そうですか。そりゃ、結構ですな」

新田社長は、何かしら、にこにこした。

「どうか、よろしくお伝えください」

「はい。ありがとうございます。そう申し伝えます」

「では」

ビルの社長は、ちょいと頭を下げて、別れを示した。

「行ってらっしゃいませ。お元気で」

夕方、社で竜夫に会ったとき、典子はこの話をした。

「やっぱり、遊んでても社長さんだわね。一ぺん会っただけなのに、ちゃんと崎野さんの名前をおぼえていたわ」

竜夫は、ワイシャツ一枚になって、額にうすい汗をかきながら、原稿の整理をしていたが、

「そうかい」

と、にやにやしていた。

「あら、そんなにうれしいかしら?」

「何が?」

「だって、名前をおぼえていると言ったら、にやにや笑うんですもの」

「うん、まあね。怒る理由はないからな」

竜夫は、仕事が一区切りついたとみえて、椅子《いす》から立ちあがった。

「ああ、腹が減ったな」

と、実際に腹を手でこすった。

「今夜はおそくなる。リコちゃん、焼そばでも食べに行こうか?」

目で合図した。

「そうね」

ほかの部員への気兼ねもあって、典子が、そっと見まわすと、みんな仕事に取り組み、スタンドの灯《ひ》の下にうつむいている。白井編集長は、まだどこかをまわっているらしく、席にいなかった。

「いいわ」

典子は小さく答えた。

外へ出るのも、思わず目立たないように、忍び足になって脱出した。

近所の中華料理店にはいると、夕方だったがそれほど混んではいなかった。

「君は、何にする？」

卓に向い合せにすわると、竜夫はきいた。

「わたしも焼そばでいいわ」

「そうか。じゃ、それを二つ」

竜夫は注文すると、煙草《たばこ》をとりだした。

典子は、そのとき気づいたのだが、竜夫の目が、いつもよりはいきいきとしてみえた。

「崎野さん、今日は、いやに張り切ってるみたいね？」

「そうかな」

竜夫は、その目を青い煙に細めながら、

「そう見えるかい？」

「何か、少々、興奮しているみたいよ。そんな原因あって？」

「いや。なんにもない……。あ、そうか。そう言えばね」

と彼は卓に肘《ひじ》を突いた。

「今朝の神奈川の新聞を見たが、例の小田原署でさがしている坂本浩三ね。まだ、所在が知れない、と出ていたよ」

竜夫は、まだ、地方新聞を直接購読しているらしい。

「そう?」

典子は、思わず顔をしかめた。

「嫌ね。知ってる人が、そんなことで警察に捜索されるのは……」

「うん。あんまり愉快じゃない。しかし、警察も懸命だからね。捜査も厳重に違いない。なにしろ、新聞には、坂本がどこかで自殺しているのではないか、と出ているくらいだから、警察の捜査も難航しているのだろう」

「ほんとに自殺してるのかしら?」

「分らないな」

「もし、田倉さんの奥さん、つまり姉さんとどこかに、ひっそりと隠れているとしたら……」

そこへ、注文の焼そばを持ってきたので、典子は言葉を切った。

「おお、腹が空《す》いた」

竜夫はさっそく箸《はし》をつけて、食べはじめた。よほど空いていたらしく、息もつかぬくらいにすすりこんでいる。

「みっともないわ。音立てたりして」

典子は忠告した。食べもののために、坂本の話は中絶した。

「そうかな」

竜夫は、素直に行儀を直したが、ふと、顔を上げて典子を見た。

「あ、そうだ。リコちゃん、もうすぐ社の慰安旅行があるね」

「そうね」

それは、春秋二回にあって、全員が一泊旅行するのである。その秋の会が近づいていた。

「僕は、その旅行先選定の委員になってるし、君も、そうだったね？」

「ええ」

「それについて頼みがあるんだ」

竜夫は、焼そばに取り組むのを中止して言った。

「今度、その委員会があるが、僕はその席で箱根を提案しようと思うんだ」

「箱根？　それ、平凡じゃない？」

「いや」

竜夫は、急に熱心になって、身体《からだ》を卓の上にのりだした。

「これは、ぜひ、君も賛成意見をブッてくれよ。何が何でも通したいんだ」

「理由があるの？　ああ、また、実地検証なのね。今度は団体でするの？」

典子の皮肉に、竜夫は笑わなかった。

「二週間先だろう？　どうしても、僕らで白井さんを承知させて、箱根に決めるんだよ」

「編集長を？」

そうだ。社員の慰安旅行といえば、当然、白井編集長も同行するのだ。竜夫は、全員旅行にかこつけて、白井編集長をおびきだすつもりなのだろうか。

典子は、竜夫の顔を見まもった。

2

それから、五日経《た》った。

この五日間の時間の経過は、あとになって、重要な内容を持っていたことが典子に分ったが、そのときは、ようやく忙しい校了がすみ、ほっと一息ついた程度の価値であった。

校了前の戦争のような多忙さと、そのあとの快い疲労とは、雑誌編集者だけが知る特殊な苦楽であろう。

その、ほっとしたところで、次号の編集会議もすみ、次は、いよいよ、恒例の秋の社員慰安旅行のプランを練る会議となった。

これは、各部から準備委員が二名ずつ選ばれるので、みんなで五六人くらいである。この中には白井編集長が加わっていて、とりまとめ役をするのである。

その日、典子は出席した。といっても、大げさなものではなく、机の上に、お茶と駄《だ》菓子《がし》を置いて、くつろぎながら勝手にしゃべるのである。

竜夫は椅子につくとき、典子をちらりと見て、目くばせした。それは、頼むよ、という合図で、この間、打ち合せしたとおり、自分が箱根行きの動議を出すから、賛成してくれ、という意味である。

委員の全部が揃《そろ》った。

中央にすわった編集長が、みんなの顔を見まわして、

「次週の土曜日、日曜日は、恒例の社員旅行ですが、まず、行先を選定しなければいけません。みなさんで一つ考えてください」

と言った。

「ええと、去年は、鬼怒川《きぬがわ》だったが、一昨年《おととし》はどこだったかな?」

と言って考える者がいる。

「一昨年は、伊東で、その前が塩原だった」

社員旅行となると、どうしても温泉地がえらばれる。一泊だけの旅行だから、あまり

遠くへは行けないのである。

「じゃ、一つ、諏訪《すわ》にしようか」

という動議が出た。

「上諏訪に泊って、帰りは蓼科《たでしな》高原に行き、信州の秋を探る。どうですか？」

これは、だいぶん賛成を得たようで、容易に決定しそうになった。

「ほかに、名案はありませんか？」

白井編集長は、にこにこしながら目を配った。

「諏訪もいいが、ちょっと、旅館がどうかな。第一、情緒がありませんよ」

と言いだしたのは、竜夫である。せんべいを嚙《か》み、茶を飲んだあとだった。

「そらア、昼の景色を見るのもいいが、夜の情緒をたのしむということも大切ですよ。その点、上諏訪は、町の中に旅館があって、欠けるところがあります」

うむ、と男たちの中には、うなずく者がいた。夜の情緒という竜夫の言葉に、思いあたるところがあるらしい。

「じゃ、崎野君はどこがいいと思うかね？」

編集長はきいた。

「僕は、箱根がいいと思いますよ」

竜夫は答えた。

「なに、箱根？」

白井の眉《まゆ》が心なしか動いたようだった。

「すこし、平凡じゃないかい？」

横で、菓子を二つに折った男が言った。

「そうだ、平凡だ」

と別な男が言った。

「いや、そう思うかもしれないが」

竜夫は、声をすこし大きくしたようだった。

「情緒の点では、箱根がいちばんだよ。その点では、やはり東京に近いところがすぐれている。ここ、四五年の宿泊地をみるとね、伊豆の修善寺《しゅぜんじ》、伊東、塩原、鬼怒川、ずっと前には伊香保《いかほ》や水上《みなかみ》もある。箱根には、あんがい、行ってないんだ。あんまり近すぎるのでばかにしているが、やはり天下の名勝だよ」

「箱根も、このごろは、俗化してつまらない。家族づれで、何度も行ってるしね。僕は、ほかのところがいいな」

反対論が、菓子を嚙む音といっしょに出た。

「そうだ、別のところがいい」

それに賛成する者がいた。

りするよ」

竜夫は主張した。

「秋の箱根はいいよ。諸君は近すぎて平凡だというけれど、そう、しじゅう、箱根に行っているわけでもないだろう。それに、遠いところだと、帰りの汽車が長くて、うんざりするよ」

「しかしね」

「このへんで、女性側の意見を聞こう」

別の男が言った。

「リコちゃんは、どこがいいかね？」

「そうね」

典子は、思案する恰好《かっこう》をして、

「わたし、箱根の方がよさそうですわ」

と、かなり強い口調で言った。

「ふうん、やっぱりね」

その社員は、頰杖《ほおづえ》を突いた。

「女性は、天下の嶮《けん》の方がいいかなあ」

小さな笑いが、一同の間に起った。

「ええ。わたしたち、女子社員は意見が一致してるんです。箱根といっても、あんがいに行かないのですよ。芦ノ湖で、モーターボートに乗りたいという組もありますよ」

反対派は、ちょっと黙った。

白井編集長は、典子が、ちらと見ると、微笑は消えて、浮かない表情になっていた。典子は、気の毒になったが、竜夫との約束だから、どうにも仕方がなかった。

「そう。ぼくも箱根がいいと思うな」

竜夫が、典子の言葉を得て、むしかえして主張した。

「バスで通るのは普通だが、この機会に、みんなで、仙石原から湖尻あたりをハイキングするのは、いいよ。バスでは味わえない味があるからね」

「じゃあ」

と、菓子をのみこみ、お茶で流した男が言った。

「面倒だから、箱根に決めるか」

「そうだな」

その説に決定しそうになったとき、

「待ってください」

と言ったのは白井編集長だった。その言い方が、妙に真剣に聞えたので、典子が、どきりとしたくらいだった。

「これは、もう少し、検討した方がいいんじゃないですか。面倒だからということでなしに、年に一度の秋季社員旅行だから」

一同は、それで少しの間、黙った。

「しかし、編集長」

と言ったのは、竜夫だった。まっすぐに白井の顔を見ていた。

「ほかに、どうも適当なところがありませんよ。たいていの場所は、今まで行ってますからね。僕の意見としては、箱根を主張したいのです」

白井編集長は、竜夫の顔を見返した。その目が、どこか弱々しそうなのである。

「どなたか、意見はありませんか?」

編集長は、目を他の委員に移したが、典子には、編集長が助勢を求めているような気がした。

「そうですな」

他の委員は、淡々としたもので、

「そういえば、たいてい行ったところばかりのようですね。箱根は一度もないね」

「女性の希望もあるから、それにしようか」

と話しあった。

そして、その結論は、三十分後には、出たのである。

「今度は、箱根にしましょう。平凡だけど、そういうのも、一回はあってもいいと思います」

それが、一同の意見だったので、白井編集長もうなずいた。そうするより仕方がない、といったうなずき方であった。

「では、箱根に決めます」

白井は、あまり笑わないで言った。

「しかし、箱根には決ったが、宿は、どこにしますか？」

それに対しては、宮ノ下、強羅が、やはり圧倒的だった。

「では、強羅にしましょう」

編集長は、そう言って、

「旅館の交渉、車の手配などは、庶務課の方へお願いします。では、どうもご苦労さまでした」

と委員会の閉会を告げた。

みなは、ばらばらと立ったが、竜夫は、典子の傍《そば》に来て、こっそりと腕をつついた。

それは、ある合図だった。

白井編集長が、先に立って歩いているのが見えたが、心なしか元気がなさそうだった。

典子が机の上を片づけ、さりげなく編集部を出て、前の喫茶店に行くと、竜夫がコーヒーを飲みながら、ひどく機嫌《きげん》のいい顔をしていた。

「やあ、ありがとう」

竜夫は、典子を見ると、頭を下げた。

「リコちゃんのお陰で、思うとおりにいったよ。君の助言は適切で、効果があがった」

「そのかわり」

典子は、竜夫の向いにすわって、浮かぬ顔で言った。

「編集長は、元気がなかったわ。やっぱり、他の場所にしたかったのじゃない？」

「そうだろうな。編集長は、やはり、箱根が嫌《いや》なのだ」

「悪いことをしたわ」

典子は後悔をみせた。

「わたしのせいで、箱根に決ったようなもので、気の毒だわ」

「そんなこと、気にしなくていいよ。こっちの考えどおりで行くよりほか仕方がない」

「編集長は、わたしたちが共同作戦をしていると気づいているかしら？」

「そりゃ、とうに感づいてるだろう」

「ああ、悪いことをしたわ」

典子は、頰に指をやって、また言った。

「でも、崎野さんは、なぜ箱根行きをそんなに主張するの。また、なんかの実験をやろうというの？」

　典子には、それがまだ分らなかった。

「いや、ただの実験だったらね」

　竜夫は奇妙な微笑をしながら言った。

「また、リコちゃんと二人で出かければいいのだ。今度は、もう一人、必要なのだ」

「もう一人？」

　典子は、分ったというように、

「それが白井編集長なのね。そして、編集長にも何かの実験をさせるのね？」

「かならずしも、編集長に実験させるとは限らない」

　竜夫は、同じ表情をもちつづけながら言った。

「あるいは、傍観者かもしれない。あるいは、実験の参加者になるかもしれない」

「それを試すのに、箱根に呼ぶの？」

「それは、どういう結果になるか、今に分るよ。とにかく、今度は白井さんの同行を必要とするのだ」

　竜夫は以前から、白井編集長に疑惑をかけていた。典子も、それは知っている。以前には、竜夫のその気持が不満だったが、その後、いろいろなことが分ってくると、白井の行動も、ずいぶんと腑《ふ》に落ちないのである。

が、典子は、未《いま》だに白井編集長を信じていた。それだけは、竜夫とは違うのである。だから、竜夫が、あまりに編集長をマークしているのが、いやだったし、編集長が気の毒でもあった。

ことに、今の旅行会議で、竜夫が強引に箱根行きをとなえたとき、編集長の顔色が、ひどく悪かった。見ていて、はらはらしたくらいだった。それに、自分が加勢したのだから、典子は後味が悪いのである。

しかし、白井編集長が、箱根を嫌《きら》う理由が何かあるのだろうか。あるとしたら、田倉事件に結びつくほかはないのである。すると、やはり、編集長には、なにかがある！

「それにね」

典子が、おとなしくなってコーヒーをすすっているものだから、竜夫の方から言った。

「この実験は、夜が必要なんだよ」

「夜？」

典子は目をあげて、驚いた顔をした。

「そう。昼間ではいけない。夜なんだ。夜というと、リコちゃんを誘うわけにはゆかない」

典子は、すこし顔をあからめた。

竜夫も、てれたように、うつむいて、煙草《たばこ》をとりだした。

「そこで、ふと、気づいたのが、今度の社員旅行さ。ちょうど、いい具合だったね。これだと思ったよ」

竜夫は、顔をあげると、煙を前に散らした。それで、その表情が、ちょっとの間、見えなかった。

「これは、みんなで泊れるしさ。白井さんもいっしょについてきてくれる。両方兼ねて、こんなうまい機会はない」

煙が薄くなったときの、竜夫の目は輝いていた。

「ただ、問題は、箱根に決るかどうかで心配したけれど、リコちゃんのおかげで、目的どおりになった。万事、都合よくいった。あとは、その夜の実験を待つだけだ」

「どういう実験なの？」

「それは、また怒られるかもしれないが、言えないのだ。いや、待ってくれたまえ」

典子が妙な目つきになったので、竜夫は手を上げて抑えた。

「言えない理由は、これは、あとで君もかならず分ってくれると思うんだ。ぼくを信用してくれ」

「だって」

典子が抗議する顔になったので、竜夫は二三度、自分でうなずいた。

「じゃ、これだけは知らせるよ。僕らはね、その晩、箱根で、田倉の細君に会うのだ」

「えっ？　田倉さんの奥さんに？」

典子は、声をあげた。

3

竜夫が、その晩、箱根で田倉の細君に会う、と言ったものだから、典子は驚いたのだ。

「それ、ほんとうなの？」

目を竜夫の顔に向けたまま、確かめるようにきいた。

「ほんとうだ」

竜夫はうすく笑っているが、目の表情は真剣だった。

「たしかに、細君は来るよ」

「それ、決定的なのね？」

竜夫の自信があまり強いので、それも、きいたのである。

「確率は八十五パーセントというところだ」

竜夫も、絶対とは言わなかった。

「しかし、これは慎重を期して言ったので、まず、来ることは間違いないだろうね」

「その理由いっさいは、まだ言えないのね？」

「もう少し待ってほしいな」

「いつまで？」

「そうだな、箱根の旅行まで」

「編集長とわたしとに、同時に公開するという魂胆なのね？」

「あるいは、そうなるかもしれない」

竜夫は、ちょっと考えて言った。

「もしかすると、ならないかもしれないが。とにかく、今の僕にも、はっきりとは分らないんだ」

「では、これだけは質問してもいいでしょう？　田倉の奥さんの居所《いどころ》が分ったの？」

「これは微妙な答え方が必要だな」

竜夫は腕を組んだ。

「分ったとも言えるし、そうでもないとも言える」

「ずるいわ」

典子は叫んだ。

「いつまで、そんなもったいぶった言い方をするの？」

「まあ、そう腹を立てないでくれ」

竜夫は、手をあげた。あやまるような表情だったが、次に、ポケットに手を入れて、もそもそとさぐっていたが、手帳の間にはさんだ紙をとりだした。

それは便箋紙《びんせんし》を四つにたたんだものだった。

「あとで、これを読んでくれたまえ。この事件の、だいたいの今までのデータは書いたつもりだ。そして、君もよく考えてくれ」

典子がうけとると、竜夫は立ちあがった。

「ぼくの推測的な考えは、みなこれから出ているのだ。君がよく読んでくれたら、僕の考えというのが分るかもしれない」

竜夫は勘定を払うと、明るい陽《ひ》の当っている道路を先に立って横断した。

――典子が、その紙をひろげて読んだのは、家に帰ってからだった。机の上のスタンドの下で、便箋紙に細かく書かれたものを読んだ。スタンドの灯の色は淡い暖かさで竜夫の文字を染めた。

①田倉の箱根行きは、村谷阿沙子に会いに行くため。翌朝、女史は旅館の外で田倉と霧の中で会っていたという典子の目撃の疑問。

②前夜、村谷女史の夫亮吾氏も、別な女性と霧の中で会っていたが、典子はその女性が誰なのか確認できなかった。

③十二日の夕方、田倉の妻が、夫を訪ねてきて、二人の間に口争いがあった。夫婦喧嘩らしかったという女中の言葉。

④そのあとで、夫婦はビールを飲んだ(女中)。田倉の死体からは睡眠薬を飲んでいたことが証明されているから、睡眠薬はビールにはいっていたという推定。
⑤田倉は十時半ごろ駿麗閣のケーブルで外出。田倉の妻、十分後に夫のあとを追い、十一時すぎに帰る。
⑥このころ、阿沙子女史の一家は全部外出。
⑦田倉の死は十時四十分以後。理由はケーブルで昇ったのが十時半で、現場まで十分を要するから。その頭頂部の致命傷は、転落した時に岩石で打ったにしては少し不自然。
⑧田倉は前日の十一日の八時ごろ外出したが、〝おもしろいアベックを見た〟と言っている。
⑨田倉の妻の弟坂本の乗った深夜便名古屋行きトラックは、品川を二十時に出たが、名古屋では一時間半の延着。理由は分らない。このトラックは、宮ノ下付近を、十二日午後十時半から十一時ごろ通過している公算がある。この時刻は、ちょうど、田倉が駿麗閣からケーブルで昇って死の現場に到着せんとする時刻である。トラックに同乗していた木下は、何かを見ているはずである。
⑩現場の村道へ坂本のトラックがはいったとは考えられない。しかし、国道から、村道の現場付近が見通せる。

⑪畑中善一の遺稿は、村谷阿沙子の作品の代作となった。この周旋は、犬山にいる畑中の妹の家から田倉が巧みに借りだした形跡がある。したがって、田倉は、阿沙子女史の作品の秘密を知っている。

⑫阿沙子女史の父、宍戸寛爾氏の文学的弟子が、畑中善一、白井編集長、ビルの社長新田嘉一郎その他で、田倉も当時、畑中と知りあいであった。

⑬畑中の恋人を奪ったのは田倉で、彼女はその妻になった(推定)。田倉の妻の弟は姉のことで田倉を恨んでいた。それは田倉が妻を虐待していたかららしい。一時田倉は外地にいたことがある。

⑭田倉の妻の郷里は秋田県五城目というが、そこには居住した形跡がない。しかし、送られた家財道具は、ある男によって処分されている。田倉の妻と、その疑問の男との関係は何か。五城目との関連性。

⑮木下はなぜ殺されたか。彼は、十二日夜、箱根で何かを見ていたはずだ。破られた切符の行先はどこだったか。

⑯村谷女史は浜名湖畔で自殺した。村谷家の女中の実家は豊橋。浜名湖とは近い。

⑰田倉夫婦は別居していた。藤沢の近所の人は、ときたま妻が来ていたと言っている。戸籍面では離婚になっていない。

⑱木下の持っていた切符の行先が鍵の一つ。

全部で十八章に区切られた、竜夫の、いわゆるデータをよんでも、典子には、竜夫の考えがよく分らなかった。

傍点は大事なところらしいが、そこだけをあつめて、重点的に考えてみても、典子には、はっきりした具体的な線が出てこないのである。

あくる日、竜夫に言うと、

「そうかねえ？」

と小首を傾《かし》げて、薄ら笑いをしていた。

「そうかねえって、わたしが、よっぽど頭が悪いみたいね」

典子は軽蔑《けいべつ》されたような気になった。

「いや、そうじゃない。僕は、なるべく公正なメモを作成したつもりだが、やはり、ひとり合点《がてん》などころがあるかもしれない。それでリコちゃんを迷わせているかもしれないね」

「意識して、そうなすったんじゃない？」

「いや、こういうことは、僕はフェアプレーだよ」

竜夫は微笑して力説した。

二週間して、箱根の社員旅行会の日が来た。

社員全部で二十五名、編集、営業を含めた全員で、これには社長も同行した。ただし、夜の宴会のときに顔を見せるだけである。

この二週間の間、典子は竜夫とあまり事件のことは話さなかった。何度話しても同じところを低回するようだったし、すべては箱根の夜に期待するほかはなかった。

竜夫は、仕事が忙しいのか、一ん日《ち》じゅう、顔を見せない時がある。

ただ、その間に、それに関係した話をしたといえば、竜夫が、

「小田原署では、坂本の行方が分らないので当惑しているらしいな」

と言った程度だった。地元の新聞をとっているから分るらしい。

そんなある日、典子が、外を歩いているとき、またビルの社長の新田嘉一郎氏にぱったりと出会った。

「やあ」

と新田の方からにこにこして声をかけた。

「近ごろ、よくお会いするようですな」

東京駅で、いつか会ってまもないから、典子もそんな気がした。

「ほんとうですわ」

と典子も立ちどまって笑った。

「あなたは忙しい理由で、僕はぶらぶらしている理由で、お互いに外を歩くから、会うのですな？」

新田氏は笑っていた。

「京都はいかがでした？」

「いや、よかったですよ。たまには、ぶらりと出かけるもんですな。あなたも、東京ばかり歩いていないで、ぜひ、行《い》らっしゃい」

「ええ。そうしたいですわ。実は、今度、社員みんなといっしょに箱根に行くんです。そんな時しか東京を出られませんわ」

「箱根ですか？」

新田氏は思いなしか、目を大きくしたようだった。

「それはいい」

と、また笑顔になって、

「箱根だっていいですよ。東京を出ることだけでも気分の転換になりますからね。むろん、白井も行くんでしょうな？」

ときいた。

典子は、この人が編集長と昔の仲間だったことに気づいた。

「編集長もいっしょですわ」

「あいつとは、ずいぶん、会わない。元気ですか?」

「ええ、お元気ですわ」

典子は、白井編集長の近ごろの寂しそうな顔を、ふと思いうかべた。

「よろしく言ってください、そのうち旧交をあたためますってね。そうそう、それから崎野君にもよろしくね」

「はい、そう申し伝えます」

ビルの社長は、いつものように片手を上げ、のんきそうに歩き去った。

帰社して、白井編集長にそのことを言うと、

「そう。あいつも年齢《とし》をとっただろうな」

と、やはりなつかしそうに言っていた。畑中善一を入れた昔のグループのことが、典子にも淡い感傷で想像せられた。

社員旅行の日が来た。

白井編集長も、あんがい、元気がよかった。

もっとも、皆の前では不愉快な顔もできなかったであろう。気に入らなかったのは、会議の席上のときだけで、こうしていっしょに来れば、つまらない顔をしてもはじまらないのだ。

社員全員二十五名、新宿駅に集合して、小田急で出発した。そのうち五名は女子社員

で、典子もその仲間といっしょに行動した。

竜夫のようすを、ときどき気にかけて見るのだが、結構、ほかの連中と無邪気な談笑をしていて、目立った変化がなかった。

箱根は紅葉の盛りには、まだ間《ま》があったが、それでもたいそうきれいで、社員たちを満足させた。

今日は芦ノ湖から十国峠《じっこくとうげ》あたりをいっしょに回遊したが、夜には宴会があり、翌日からは団体行動が解けて、自由行動のはずだった。

幹事が決めた旅館は、やはり強羅だった。

五時に宿に着き、六時から大広間で宴会がはじまった。みんな揃《そろ》って、宿の浴衣《ゆかた》の上にどてらを重ねて会席膳《かいせきぜん》の前についた。

宴席にだけ顔を見せた社長が、床の間の前に立ちあがって、型のごとく、わが社隆盛の演説をはじめた。

どこの会社でも、社員旅行となると決ってつきまとうものがある。宴会と、社長の訓辞というやつだ。この訓辞は、かならずといってよいほど、わが社の歴史に始まって現在の発展成長に至るまでを、社長たる者の苦心を盛りこんでとうとうと続くのである。

社長の太い声が、宿の浴衣と袷《あわせ》の重ね着にくつろいだ社員たちの間に、幾分かた苦しい気分を与えだすと、みんなはまたかという表情で、たがいに顔を見合った。なかには小声でその演説口調を真似《まね》ながら、社長がしゃべる文句を先走りしてはおもしろがっている者もいた。

典子はそんな空気の中で、さっきから竜夫と白井編集長とに、かわるがわる注意してそっと視線を走らせていた。

斜め向いの竜夫も、上座の方に席をとった白井編集長も、しごく当りまえにふるまって、不自然さはない。ときどき、隣の同僚と何やら言いあっては笑っている竜夫を見ると、彼女の方が、どこかに緊張を感じるのだ。

社長の訓辞はまだつづいている。

「……ところで諸君、ごぞんじのように、最近の出版界では、とみに週刊誌の発刊が一段と著しくなってきている。数えあげれば実に四十余種類、まさに世は週刊誌の氾濫《はんらん》するところとなった。それだけに、特ダネ探し、トップ記事のネタ探しにどこも血まなこになっておる。軽佻浮薄《けいちょうふはく》、大山鳴動ねずみ一匹のたぐいも、彼らにとっては立派な記事になるのであります。

だが、わが陽光社は、こうした浮わついたブームに巻きこまれることなく、従来の方針どおり着実に発展しております。諸君も、週刊誌などによって狂わされたテンポにひきずられることなく、確固たる信念と、意志とを持って、堅実に、突き進んで行ってほしいものであります。これが私の諸君に対する唯一《ゆいいつ》の望みであり、願いでもあるのです」

社長は六十七歳になる。老人の顔はあからみ、満足気な表情であった。ポケットから取りだした大きなハンカチで白い口髭《くちひげ》のあたりをぬぐった。

「私の話はこのくらいでやめておきます。では諸君、大いに飲み、大いに遊んで、次なる英気の糧《かて》としてください」

大きな拍手が起った。同感もあり、追従《ついしょう》もあり、義理もあった。それが一つの手の騒音になってやんだ。話し声、笑い声があちこちで広がり、ならんだ姿が解放されていちようにくずれる。広間は、たちまち波立ち騒いだ。

幹事の合図で酒が運ばれた。すわっていた芸者が動く。アルコールを飲めない女子社員はさっそくにジュースやサイダーを注文するが、なかには、コップに酒を注《つ》がせる勇敢な若い女もいた。むろん、典子は控え目に笑っている。

「椎原さん」

隣にすわった女子社員の一人が典子に声をかけた。

「今日の社長の演説、最後のところはちょっと珍しかったわね」

どう？　とビールを持ちあげた。

「大山鳴動ねずみ一匹も、彼らにとっては立派な記事になる、なんて、社長も自分の雑誌のことは気がつかないから、うまいことを言ったつもりなのね」

そうね、とうなずいた典子は、自分の前のコップを手で蓋《ふた》をするようにして、

「だめなのよ、わたし」

と断わった。

事実、典子は、少しも食欲がなかった。ちらりと竜夫の方を見ると、彼の前には半分ほどビールのはいったコップが置いてある。セーブしているつもりだな、と思った。

典子は傍《そば》のビールを取って、隣の庶務の女の子のコップに注いでやった。

「わたし、ビールより、このお料理の方を先にいただくわ」

自分は、箸《はし》をのばして、刺身をつついてみただけである。

三味線《しゃみせん》が、次々に調子を変えて鳴っている。それにあおられて、男の歌声が大きくなってゆく。もうしばらくで、座敷の真ん中に、浴衣の尻《しり》をからげた連中がとびだしてくるはずである。

ふと顔をあげた典子の目が、竜夫の視線と正面にぶつかった。典子に竜夫は小さくうなずいて見せた。他の者は気がつくまい。典子は箸を置き、その手で浴衣の襟元《えりもと》をきつく合わせるようにした。それは、一つの用意である。目の端に竜夫の姿を入れておいた。

竜夫は両側の同僚には黙って何気なさそうに立ちあがった。芸者が一人、それに気づいたらしく、近寄って行く。彼はそれを手で制しながら、女の方へ笑いかけている。典子の方へはわざと顔も向けない。

典子は上座の白井編集長をうかがった。例の長い顎《あご》をつきだすようにして、相手の芸者としゃべっているが、竜夫の立ったのは気がつかないようである。

典子は膝《ひざ》を立てた。

「どこ？」

と問いかける隣の女の子に、

「ちょっと、用事を思いだしたのよ」

と微笑した。

白井編集長の顔が、こっちを向いたような気がしたが、その方はわざと見なかった。

小走りに廊下を行くと、竜夫が待って立っていた。広間の騒ぎは遠い。

「どうしたの？」

典子はきいた。

「出かけるんだよ、さあ、早く、着替えて」

竜夫はせかした。

「出かけるって、どこへ？」

「あとで話すよ。それより早く、着替えて、着替えて」

「でも私、ちょっと暇がかかるわ。男の人はいいけれど……」

「かまわないよ、待ってあげる。さ、早く」

典子は部屋に帰って大急ぎで、スーツを着た。胸に動悸《どうき》が打っている。非常な冒険が待っているような気がしてならない。

玄関の方へ行くと、竜夫が洋服を着て、タクシーを呼んでいた。

「お待ちどおさま」

息がはずんでいたのは、大急ぎで着替えたせいだけではなかった。

「仙石原《せんごくばら》まで」

車に乗りこむと竜夫は、運転手に短く言った。典子は思わず竜夫の顔を見つめた。ルームランプが消してあるから、横顔は黒い影になっている。

「仙石原？」

典子は小さな声をあげた。

「仙石原にこんな時間、どうして？」

「今、話すよ。それよりも、リコちゃん、何時ごろかい？」

典子は、腕時計を、とぼしい明りにすかして見た。

「ちょうど九時だわ」

「九時か。時間はぴったりだったな。時間をはかるのも、昔からの僕の得意だった」

「まあ。じゃ、宴会の時からはかってたの？」

「うむ、まあね」

その横顔を見つめながら、典子は、宴会の席での竜夫の動作を考えている。

しばらく、どちらもだまったままでいた。車は、曲りくねった道路を、器用に走って降りている。まわりの樹木のせいで、闇《やみ》はいっそう深い。ヘッドライトの線が、その暗黒を二つに切り裂いていた。

うしろから明りが淡く射《さ》した。典子がふり返って見ると、光芒《こうぼう》が追ってきている。同じ方向を来る客があるらしい。

カーブを一つ切ると、後ろの車のヘッドライトがその道路を照らした。光の当ったところだけ、黒い樹林が白くなって動いている。

典子は、思いだしたように、スーツの衿《えり》をかきあわせた。

竜夫はじっと車の前方を見つめたままである。それは輪郭で分るのだが、表情まではよく分らない。

「崎野さん」

典子は声をかけた。

「あててみましょうか、仙石原行きの目的を」

くるりと竜夫の顔が典子の方を向いた。竜夫の微笑《わら》っているような影の顔が、あまりに近すぎて、典子はちょっとうろたえた。

「崎野さんお得意の実地検証ね。それにしても、仙石原とは、どういうわけかしら?」

「リコちゃん」

竜夫の言った声が、意外に強いのである。

「え?」

「僕らはこれから仙石原で、ある人と会うことになってるんだがね」

「ある人?」

典子は、はっとしながら、

「崎野さん、まさか、あの田倉さんの奥さんじゃないでしょうね?」

「そうなんだ、リコちゃん、田倉の細君と会うのだよ。連絡がついたのでね、細君は九時三十分に、仙石原に来ていることになっている」

典子は何も言えずに、竜夫の顔を見まもった。

車が、急に一つカーブを切った。不意のことなので典子の身体は竜夫の方へ傾いた。

あわてて元へ起しながら、典子はまたスーツの端をひっぱった。

「でも、どうしてこんな時間に奥さんと会うの?」

それが分らないのである。田倉の妻は仙石原の旅館にいるらしいのだが。

竜夫は、だまったまま、前の方を向いている。

「ここまで来ても、会う理由がまだ言えないのね?」

典子の抗議に竜夫はやはり無言だった。

「ずるいわ」

典子は諦《あきら》めて言った。

「仙石原行きが、何かの実験だってこと、田倉さんの奥さんがそれに必要だってこと、わたしにはそれだけしか教えてくれないのね。そんなやり方は、もうたくさんだわ」

「リコちゃん」

竜夫は微笑を含んだ声で言った。

「そう怒らずに、もう少し待ってくれたまえ。今までのように、僕を信用してくれ。頼むよ」

それが、あんがい、真剣な調子だった。

「だって」

と、さらに竜夫に何か言いかけたが、自分を見つめている彼の目を感じて、そのまま口をつぐんだ。

竜夫はそんな典子に、てれたように顔を正面に向け戻した。例の、あのしかめたような表情が竜夫の横顔の線に描かれていた。

典子は、クッションにもたれた。後ろから来ていた光芒は、もうなかった。

風が出てきたらしく、細目にあけてある窓から、衿元に冷たい。

「リコちゃん」

不意に竜夫が言った。顔はまっすぐ前を見たままである。

「これだけは言っておいた方がいいと思うから言うのだがね。僕が今夜、これから行おうとしている実験は、ちょっと危険なことかもしれないんだ。いや、おどかしじゃない」

典子は息をのんだ。

「たぶん、大丈夫だとは僕は信じている。だけど、その場になってみなければ、ほんとうのことは分らないのだ。もしも、万が一にもこの実験に危険があるようなことになれば……」

車は、右手に川の音を聞かせながら走っていたが、それもなくなると、今度は片側が山で、片側が暗い平原の道になっていた。旅館の賑《にぎ》やかな灯《ひ》はなく、農家の灯が寂しく散っていた。

4

川は見えなくなった。

道はかなり高い場所を通っているので、左側の平原が低いところに暗く沈んでいた。その平原にも、その向うにもり上がっている黒い山にも、小さな灯が、ぽつりぽつりと見えていた。

「向うの山が早雲山《そううんざん》だよ」

竜夫が左側の窓を教えた。それはただ黒い山だけで、夜の暗い空に曖昧《あいまい》にぼけていた。今夜は、曇っているのか、星もなかった。

自動車が山裾《やますそ》の屈折にしたがって曲るたびに、竜夫は後ろの窓をふり返った。

典子も、それにつられて見たが、いま通ってきたばかりの道が、ほの白く延びているだけで、黒い山かげと空だけが残っている。

「何を見ているの？」

典子がきくと、

「いや、なんでもない」

と竜夫は正面を向いて低く言った。

そういえば、さっき、強羅から降りるときに、後ろからヘッドライトが射していた。それは、途中でなくなってしまったが、あの辺までは、同じ方向に降りる客があるらしいが、さすがにこの辺鄙《へんぴ》なところまで来る客は少ないようである。

道はくだり坂になり、右手の山が、いよいよ迫ってきた。窓から見て、樹林の匂《にお》いが嗅《か》げそうなくらい近い。川は、今度は、左手に水音を聞かせた。

運転手は背中をみせて、黙々とハンドルを動かしている。ヘッドライトの光が道をかなりはやい速度で掃いて行っている。

「ここはね」

竜夫が言った。

「箱根の裏街道なんだ。たしか、この先に関所の跡があるはずだがね」

「そう」

典子は窓をのぞいた。暗いなかに、遠くの灯が動いているだけで、衿から風がはいってくるような寂しさだった。

関所の跡のことなど、どっちでもいいが、いったい、田倉の妻というのはどこにいるのであろう。旅館にいるとしたら、ずいぶん寂しいところにいるものだ。

「田倉さんの奥さんは」

と、典子は待てないできいた。

「どこにいらっしゃるの？」

「すぐ、そこだ。僕らを待っているはずだよ」

竜夫はそれに平気で答えた。

「へええ」

典子は、暗い竜夫の横顔を見た。

「この先に旅館があるの？」

「ある」

と彼は短く言った。

「元湯場《もとゆば》といって、小さな温泉だが、何軒か素朴《そぼく》な宿があるはずだ」

「石俵《いしだわら》というのもありますよ、旦那《だんな》」

今まで黙っていた運転手が、不意に口を出した。

「ほう、そんな温泉もあるのかい？」

竜夫が運転手にこたえた。

「へえ。ほんとの山湯ですがね。ほれ、この道を行くんですよ」

ちょうど、車がそこにさしかかったので、運転手が右手をさした。光が道の分れたところを見せている。

典子が見て、その分れた小さな道は、山の斜面の中に、心細く消えていた。

「なるほど、こんなところもあるんだね。しかし、村の人だけだろう？」

「そうなんです」

運転手は、また普通の姿勢にかえりながら手を動かして言った。

「よそから来た人は、あまり知らないでしょう。第一箱根に、こんな道があることも知らない人が多いのですからね。宮ノ下から強羅、小涌谷《こわきだに》のコースしかないと思ってらっしゃるお客さんが多いのです。でも、ほんとうに箱根の趣があるのは、この旧街道だと思いますがね」

「すると、この道をまっすぐに行くと、どこへ出るんだね」

「仙石原から長尾峠《ながおとうげ》を越えて御殿場《ごてんば》に出るんです。しかしたいていのお客さんはそこまでは行きません。ほとんど湖尻へ回るか、さもなかったら、仙石原のゴルフ場行きですよ」

道は山峡《やまかい》を抜けて、急に左手に黒い平原を見せた。闇の遠いところに、ホテルのような灯が小さく見えた。

「あれが、そのゴルフ場のホテルだ」

竜夫がそれをさして典子に教えた。その灯だけが小さな飾り物の感じで、あとは寂莫《せきばく》とした暗さであった。

「旦那」

と運転手はきいた。

「仙石原に来ましたが、どこにつけますか?」

「そこに郵便局があるかね?」

「はあ、あります」

「その前でおろしてもらうよ」

小さな町の中におろされた。

「一時間くらい待ってもらうかもしれない」

竜夫はタクシーの運転手に言った。

「待ち時間ははずむからね」

「かまいませんよ」

と運転手は言った。

「どうせ、今晩は暇ですからね。じゃ、ここに車を置いて待ってますから」

「悪いな」

「いいえ。あっしは車の中で眠っていますよ」

運転手は、身体《からだ》を動かして実際に眠るような姿勢をした。

典子が見ると、郵便局は目の前だったが、むろん真暗《まつくら》に表を閉じていた。郵便局だけではない、この近くの家がほとんど戸を入れていた。寂しい所だけに、夜が早いのである。

「九時二十五分だ」

竜夫は腕時計を外燈にすかして見て言った。

「強羅の旅館を出たのが九時だったね。ここまで二十五分かかっている」

「そう」

典子は、竜夫がそのとき、ただ時間を見ただけだと思っていた。それ以外の意味を考えなかった。

「田倉さんの奥さんは?」

典子はあたりを見た。暗いだけで、どこに旅館があるか分らなかった。

「ちょっと歩こう」

竜夫は、それには答えないで歩きだした。その旅館に行くのだ、と典子は解した。

しかし、竜夫が歩きだしたのは、家が集まっているところとは反対であった。暗い平原に向っている細い道を行くのである。

「あら」

典子は、思わず立ちどまった。

「そっちに行くの?」

心細そうにきくと、

「そうなんだ。すぐ、そこだよ」

と竜夫の声が暗い中で返ってきた。

「だって、そっちに旅館みたいな家、ないわ」

典子は眺《なが》めて言った。遠くの方に黒い丘陵のようなかたちがみえ、そこに点々と細い灯が見えるだけであった。

「いや、旅館じゃない」

竜夫は、やはり歩きながら言った。

「あの奥さんの方から、来るんだよ。僕たちに会いにね」

何かがある、と典子が直感したのはこの時だった。はじめて、竜夫が、〝危険なことかもしれない実験〟の実行に移っていることを知ったのだった。

もし、相手が竜夫でなかったら、すぐに背中を返して逃げたかもしれない。それほど、人の気配のまったくない、天地暗々とした闇の中へ、竜夫は歩いて行っているのだった。

幅のせまい道だった。典子は竜夫に添うようにして歩いた。こんなにまで彼の身体にふれるようにして歩いたことはなかった。だが、この場合、空も地上も闇がひろがって、まるで身体が黒い自然の中に浮くような寂寥《せきりよう》の底では、感情を考えている余裕がなかった。

遠くには、やはりゴルフ場のホテルの灯が小さくみえる。そこだけが闇を抉《えぐ》り抜いた窓のように光っているだけに気味が悪かった。道の両側は、草地か、田のようだったが、よく分らなかった。それが沈んで、広がっているのである。

竜夫が、後ろを振り返った。典子も、そのとおりにした。

いま来たばかりの家屋のかたまりが、黒い影で見えるのだが、その家の間から、光ったものが流れて消えた。自動車のヘッドライトのようだった。

「待たせたタクシーが場所を変えたのかしら?」

典子が言うと、

「そうかもしれないな」

と竜夫は逆らわなかった。

竜夫は、そこで足をとめた。煙草《たばこ》をとりだしたので、マッチをするためかと思ったが、煙草に赤い火がついても、彼はそこから動かなかった。

「リコちゃん、ここで待っていよう」

と彼は、ぼそりと言った。

「あら、こんなところで？」

典子は驚いた。

「うむ、そういう約束の手紙を貰《もら》ったのだ。いまが、九時三十五分だ」

マッチをつけた時に、彼は腕時計も見たらしかった。

「九時三十分から、四十分までの約束だった。もうすぐ、あの奥さんはここに来るだろうね」

典子は、その手紙のことも、このような場所で会う理由のことも、質問する勇気を失った。それほど緊迫した空気が彼女の胸を締めつけた。

目の前にあるのは、暗いだけの高原だった。声も音も死んでいた。空に低い雲が垂れさがっているらしく、暗い中にも黒いかたまりが動いている感じであった。

典子は肩をふるわせた。

「寒いかい?」

竜夫がきいた。その息が典子の頰《ほお》に触れた。

「ううん」

典子は首を振った。

「やせ我慢しているね」

竜夫の手が典子の肩にかかった。きわめて自然な手の置き方だった。

「ほら、ふるえているよ」

典子は、その肩におかれた竜夫の手に力がはいったのを知り、自分の身体が彼の胸に倒れるのを意識した。

「大丈夫だ。こわくないよ」

竜夫の低い声が彼女の耳朶《じだ》にさわった。

典子の上体が竜夫の膂力《りょりょく》の中に自由を失っていた。彼女は声を出して泣きたくなった。それは彼女を包んでいる暗黒の重圧かもしれなかった。

その闇の中に、突然、光がさした。前方に二つのまるい灯がならんで来ていた。

「来た」

竜夫は声をあげた。典子は息をのんだ。

自動車のエンジンの音が耳にはいったのはそれからである。二つの灯はしだいに光の強さを増した。

「よけよう」

竜夫が典子の肩を抱いて道の端に立った。むろん、道は狭く、自動車が一台通るのがやっとだった。

正面から進んでくる自動車のヘッドライトが眩《まぶ》しくなった。目を向けていられないくらいだった。

典子は、その光芒《こうぼう》が、当然、自分たちの前でとまるものと思っていたが、ライトの光は落ちないで、やや速力をゆるめたまま、こちらに進行をつづけていた。眩しくて、目が向けられなかった。

その光が、目の前に来て、まさに風を起して横を通り抜けた瞬間だった。

「危ない!」

竜夫の声といっしょに、典子は彼に突き飛ばされ、道の傍の暗い草の上に横転した。

竜夫がすぐつづいて倒れてきた。

5

暗い地面に突き倒されて、典子は身体が何か堅いものに衝突したと同じショックをうけた。思わずつかんだのが草であった。

「リコちゃん」

とおし殺したような声で竜夫が低く叫んだ。

「声を出すな」

その竜夫の声も、すぐ横の草の中だった。

「低い声で言ってくれ。怪我《けが》をしたかい？」

ささやくような声だった。

「ううん。大丈夫」

典子はもっと細い声で答えた。がんと身体が地面に叩《たた》かれたが、怪我をしたような感覚はなかった。

「自動車がとまった」

竜夫が言った。

なるほど自動車は十メートルばかり道をすべって、ライトの光芒を消した。あたりはふたたび闇《やみ》になったが、尾灯の赤い灯が二つ、かわいく点《つ》いた。

「身体を起さないで」

竜夫が注意した。身を伏せて自動車の方を凝視しているようだった。

これが竜夫の言う危険な実験であろうか。典子は胸に激しい動悸《どうき》が打ち、指先がふるえた。竜夫がなぜ身体をつきとばして草の上に倒したか分らない。あれは、自動車のヘッドライトが目の前を通過した瞬間だった。

道はせまかったが、車は自分たちがよけているすぐ横を通れるはずであった。轢《ひ》き殺される危険はなかった。いつもの経験で、事実、ヘッドライトが過ぎ、黒い車体の前部が通りすぎようとした瞬間だった。いつもの経験で、自分たちは車から安全だったはずである。

それを、なぜ、「危ない！」と叫んで、竜夫は自分もろとも、草の上に転倒したか、典子には分らなかった。が、もとより今の場合、彼に質問することもできなかった。

「来た」

竜夫が見つめたままの姿勢で低く言った。

ヘッドライトも、車内燈《ルームランプ》も消した自動車は、真黒い輪郭だけを闇の中にはめていた。ようやく見分けられるかたちからすると、中型のクラウンのようだった。

竜夫が、来た、と言ったのは、ドアのがたんと閉まる音が聞えたからだ。誰かが、車から地面におりる靴音《くつおと》がその前にしたのである。

「絶対に声を出してはいけない」

竜夫は、最後にささやいた。

「僕のとおりに這《は》っておいで。静かにやるんだ」

竜夫は背中を起し、両肘《りようひじ》と膝《ひざ》を動かして、草の中を這いはじめた。伏せたままの姿勢で移動しているのだ。草のすれる音がかすかにした。

典子も、それにならった。竜夫は兵隊がやるような匍伏《ほふく》の要領だが、典子は、それほどうまくできない。しかし、必死だった。膝から下が、靴下をとおしてべとべとに濡《ぬ》れた。彼女は胴ぶるいしながら、草の上を泳いだ。

危ぶんだとおりには、靴音は道路を歩いてこちらに向ってこなかった。

「よかろう」

竜夫が後ろの典子に向って微《かす》かな声で言った。

「ここで、じっと、伏せてるのだ。どんなことがあっても、声を出してはだめだよ」

典子は、力が脱けたように、その場所にとまって伏せた。さっきの位置からずいぶんはなれているのが、自動車の影が遠いことで分った。

その自動車の横に、ひとつの人影が立っていた。それは、なれた目に、よく見えるのだ。男の声が聞えた。

男である。声は、それで判断ができるが、何を話しているのか分らなかった。

気持のせいか、女の声が、それよりも低くしているようであった。その声の人物は見えない。だから、女の声は車の中からしているのだった。

（田倉の奥さんだ）

典子は、直感した。女の声を聞いた瞬間に察したことだ。竜夫が言ったとおりに、田倉の妻が自動車で来たのだ。

しかし、自動車の横に立っている黒い影の男は誰なのか。「危険」がその男にあるらしいことは、典子も竜夫の行動で感じたが、彼は、これから何をしようというのか。はっきり分っているのは、「実験」が典子の目の前で、これから始まろうとすることだ。

向うの声がやんだ。男の黒い影がこちらに歩いてくる。靴の音が地面から伝わってきていた。

突然、女の声が大きく聞えた。

「やめて!」

しかし、男の黒い姿は大股《おおまた》で道路を歩き、草の上におりてきた。

そこが、竜夫と典子の、最初、転倒した位置であった。

典子は息を殺して見つめた。

黒い男の影は、暗い夜空を背景にして、草の上をおよび腰で歩いている。あきらかに彼は、自分たちを探しているのだった。

典子が、咽喉《のど》から思わず声が洩《も》れそうになったのは、その黒い人物が手に短い棒を持っていることだった。凶器である。

草が音をたてている。靴音がもっと近い。歩きまわっている。たしか、このへんだったと、探しているのだ。

彼は腰を伸ばした。立って、ふしぎそうにあたりを見まわしている。相手がいないので、どこにかくれているかと、見当をつけようとしているのだ。典子は、彼の光っている目がこっちを見つめているような気がして顔をうつ伏せた。

はっとして、本能的に顔を上げると、竜夫が動きだしていた。やはり匍伏のままで、黒い男の影に向って前進しているのであった。

(危ない)

典子は危うく声が出るところだった。

向うの男は歩きまわっている。せかせかと性急な動作になっていた。苛立《いらだ》っているようすがみえた。

竜夫の匍伏が、休んでは続き、続いては休んだ。男が、こちらを向いたときは身体を草の中に沈めているのだ。そうでない場合にだけ、彼は芋虫《いもむし》のように用心深い前進を少しずつつづけていた。

空は重い雲を思わせるように黒かった。ふしぎなことだが、少し遠い人家の灯《ひ》がきれいに見えた。寒いはずの風が、少しもそれを感じさせなかった。典子の胴ぶるいはやまなかった。歯が小さくかちかちと鳴った。

遠いところに、突然、自動車のヘッドライトの光が射《さ》した。そこにとまっている自動車ではない。はるか向うに黒々とかたまっている人家の間から光ったものだ。

立っている男は、その光に、ぎょっとなったらしい。急に動きをやめて、脚を踏まえたまま、向うの光芒を見つめていた。彼の後ろ向きの姿が、遠い光芒で黒く浮いてきた。ジャンパーを着た男だ。

竜夫が、地面から、そろそろと立ちかけた。背中がもりあがり、足が立った。典子が息をのんで見ているうちに、彼の姿は、黒い姿に跳躍した。

「坂本!」

はじかれたように黒い男が動く前に、竜夫が彼の背中に激突した。男の影が前に崩れかけたとき、竜夫はその背中の上に掩《おお》いかかって抱きついた。棒がはねて落ちるのが見えた。

「くそ!」

男が叫んだ。身体を激しく振っていた。

「崎野か?」

「そうだ。静かにしろ」

竜夫がどなった。

「何を! 放せ」

相手はわめき、もみあった。

(坂本浩三!)

典子は、それほど意外ではなかった。半分は予想しないでもなかったからだ。が、現実に彼がここに姿を現わしたと知ると、やはり、あっと驚いた。

(田倉の奥さんは、弟を連れてきたのか)

竜夫と自分とを殺すためにか!

地響きを立てて、竜夫と坂本とは転がった。と同時に、竜夫の声が叫んだ。

「リコちゃん。車の中を見るんだ。早く、早く」

この声が、典子の脚に活を入れた。彼女はとまっている真暗い車に走りだした。が、膝から力が抜けていた。

典子は車のドアに手をかけた。指がふるえて、力がなく、思うように開かない。やっと開いた。

内部には、たしかに人がすわっていた。暗いから分らないが、女の恰好《かっこう》であることはたしかだった。それが動かないでいる。

「運転手さん!」

ハイヤーの運転手がいたのだ。目の前のあまりの出来事に動転して、すくんでいた。

「ルームランプをつけて!」

典子の息せき切った声で、運転手が、はじかれたようにスイッチを入れた。

内部が、明るくなった。

客は、女である。座席からすべり落ちそうにしてすわり、背中を後ろにもたせて眠っていた。

典子はその顔を見た。表情が動かぬ顔と知る前に、その容貌《ようぼう》を見て、仰天した。

「あ。畑中さん!」

目を疑った。しかし、間違いはなかった。まさしく、愛知県犬山の田舎の百姓家で会った畑中善一の妹であった。

が、大きな声を上げねばならぬことがあった。

「崎野さん、死んでるわー」

竜夫が来る前に、もつれて転がっているところから起きあがってきたのは坂本浩三だった。

青年は、典子を突きのけるようにして、車内をのぞきこむと、

「ああ!」

と異様な声を出した。

彼は、婦人にとびつき、その身体を揺すった。

「おばさん、おばさん！」

畑中善一の妹は、揺すられるたびに、うなだれた首を、がくがくと動かした。

「おばさん、おばさん！」

坂本浩三は、呼びつづけながら泣きだした。

前方からヘッドライトが近づいてきた。その光は、この車内を揺れながら動いた。坂本浩三の影と、死んだ女の影とが激しく動いた。

「リコちゃん」

いつのまにか、竜夫が後ろに来ていた。

「分ったかい、〝田倉の奥さん〟が誰だったか？」

坂本浩三の嗚咽《おえつ》が高くなった。

「畑中善一の妹さんだったの！」

典子は、まだ現実でない目つきだった。呆然《ぼうぜん》と立っていた。

「そう。犬山で、君が会った女だ。ただし、ほんとうの田倉の細君じゃない」

「ほんとうの奥さんは？」

「二年前に死んだ」

「えっ」

「君は、秋田の帰りの汽車で聞いているはずだ。塩沢の近くの、山間の踏切で、汽車にとびこんで自殺した」

「…………」

まだ、わけが分らなかった。

向うから来るヘッドライトの光が、いよいよ強くなり、それは十メートルくらいのところでとまった。

ばたんと音立ててドアが閉まり、人影が走ってきた。強い光が、彼を逆光に浮きだした。

白井編集長の姿だった。

「崎野君！」

編集長が叫んだ。

「編集長！」

竜夫が走って、その肩を抱いて迎えた。

「畑中さんは、自殺しましたよ」

「え？」

白井の足が、急にとまった。

「い、いつだ？」

「たった今です。車の中で死にました。急な死に方ですから、青酸カリをのんだと思います」

白井は、おどるように車の前に走った。

内をのぞき、うずくまって泣いている青年の丸い背中を見ると、

「坂本君か」

としぼるような声で呼んだ。

「とうとう、こんなことになったね！」

竜夫が、それを聞いて、はっとしてうなだれた。謝罪するようなうなだれ方であった。

暗い灯

1

暗い箱根旧街道を二台の自動車が、宮ノ下方面に向けてゆっくり走っていた。

後ろの車には、典子と竜夫とがすわっていたが、前方に十メートルくらいの間隔を置いて赤い尾燈《テール》が見える。ヘッドライトの光芒《こうぼう》が前を行く自動車の窓を照らしていた。

その窓には、隅《すみ》に白井編集長の背中が映しだされている。坂本浩三は助手台にすわっ

ているから後ろ姿は見えない。その隅にいる白井の空間には、畑中善一の妹の死体が、クッションに寝かされているはずであった。つまり、白井は、畑中善一の妹邦子の頭を、自分の膝《ひざ》にのせているのである。

典子は、まだ心臓の激しい動悸《どうき》がやんでいなかった。目の前で見たあまりの衝撃的な光景に、目がくらみ、唇《くちびる》がしびれていた。

「青酸カリをのんだのだ」

竜夫は言っている。

「油断だった。坂本と取っ組みあいをしているうちに、畑中さんは持っていた毒を口に入れたんだね。ちゃんと致死量だけオブラートに包んで、いつでものみこめるように用意していたんだろう」

典子には、まだ畑中の妹が、田倉殺しの犯人とは納得ができない。感情も理屈も、実感に密着しないのだ。

牛の啼《な》く濃尾平野の農家の内で見た彼女のおとなしそうな顔だけが、現実から浮きあがって、うかぶだけなのだ。

窓の外は暗い風が流れている。片側にせまった黒い山影が動いている。前を行く尾燈の赤い色が二つ、寂しげな儀式のしるしめいて見えるのである。

「白井さんが、もう少し早く駆けつけてくれたら」

と竜夫は言った。

「彼女の自殺はとりとめたかもしれない」

しかし、もし、畑中邦子が田倉殺しの犯人だったら、自殺させないことが幸か不幸か分らないのだ。

「白井編集長は、わたしたちが、ここで、あの方に会うのを知っていたの？」

典子は茫乎《ぼうこ》としてきいた。

「うん。知っていたのだ。白井さんはね」

竜夫は前方を見ながら言った。

「僕が、社員旅行会を箱根にえらんだときから、僕のほんとうの計画を知っていたのだ。だから、宿を出たときから、僕らの車のあとをつけてきていたんだよ」

典子は、強羅を出るときに見えた背後のヘッドライトの光や、ここへ到着した時も、ちらりと見えた遠い光芒を思いだした。

「すると、編集長も、犯人が畑中さんだということを知っていたの？」

「もちろんだ」

竜夫は答えた。

「知っていたというよりも、知らされていたのだ」

「だれに？」

「畑中邦子さんにだ」

「まあ」

典子は、竜夫の顔を見た。何がなんだか、さっぱり分らなかった。

「編集長と、畑中邦子さんとは、そんな連絡があったの？」

「君は、田倉が、十一日の午後八時ごろ外出して、宿に帰ったとき、おもしろいアベックを見た、とつぶやいたというのを覚えているだろう」

「ええ」

「あれが、白井編集長と畑中邦子さんだよ」

「まあ。だって……」

典子は目をまるくした。十一日の晩に、編集長は箱根に来ていたのか。しかし、十二日のひる頃《ごろ》、阿沙子女史の原稿が間に合わなくて、東京の社に電話したとき、白井編集長はたしかに社にいて、その指示を電話で言ったではないか。その声を典子は聞いている。

「いや、それはね。編集長はその晩に東京から箱根に来て、畑中邦子さんに会い、その翌朝早く東京に引き返したのだ」

その疑問に、竜夫は答えた。

「では、畑中邦子さんは、十一日には、もう、箱根に来ていたの？」

「そうさ。そして、十二日の晩に、田倉の細君のように駿麗閣の者には思わせて、田倉に会い、口論をして、あとでビールをいっしょに飲んだが、そのときに睡眠薬を入れておいた」

典子には、いよいよ事情が分らなかった。はじめから、順序どおりに竜夫にきくほかはないのだ。

「わたしには、さっぱり分らないわ。崎野さんが、どうして、畑中邦子さんに目をつけたか、それから言って頂戴《ちようだい》」

竜夫はうなずいた。

自動車は坂道にかかり、前方に強羅あたりの灯が暗い夜空に、うす明るく映えていた。前の尾燈は、少し揺れながら走っていた。

「いわゆる〝田倉の細君〟に、疑問を抱いた最初は……」

と竜夫は低い声で話しだした。

「田倉の細君の在りかが、全然、分らないことだ。遺骨を持って秋田に帰ったというが、君自身が調べに行って分ったとおり、まったくその形跡がない。のみならず、送った家財道具は、何者かの手によって処分されている。隠れているにしても、女ひとりがこんなに長く、ひとりで隠れられるものじゃない。だから、どこかに、家があるのじゃないか、とふと思ったんだ」

「…………」

「そこで、藤沢に行って、念のために近所にきくと、奥さんの姿は、二三度しか見ないという。田倉は別居していると言っている。彼が藤沢に来たのは一年半ばかり前だが、近所では、その別居を信じている。戸籍謄本の上では、たしかに田倉よし子という妻は、存在しているから、この筋道は立っているがね」

典子は竜夫の話を聞くだけだった。

「そこで、考えられるのは、殺された木下が持っていた一枚の切符さ」

竜夫はつづけた。

「坂本と木下とは、たしかに、十二日の晩に、トラックで宮ノ下を通りかかったとき、田倉の死に何かかかりあいを持っているはずだ。木下がその深夜便トラックの交替運転手だったことが、坂本にとって不幸だった」

「待って」

典子はさえぎった。

「畑中邦子さんと、坂本君との間には、どのような密接な連絡があったの？」

「それは、あとで話す。ややこしいから、今は、ただ、畑中邦子さんと坂本とは、ある種の関連があったとだけ納得してくれたまえ。いいな？」

「え、いいわ」

典子は、分らないが、そういうよりほかなかった。

「そこで、坂本浩三のトラックに乗っていた木下は、何か大変なことを見たか、手伝ったかしたのだ。それで名古屋で一時間半の延着をして、叱《しか》られて、その上、馘《くび》になっても理由を言えなかったんだ」

竜夫は、考え考え言いつづけた。

「ところが、木下は偶然のことから巻き添えをくっただけで、自分には関係のないことだ。本人にしては、その重大なことを隠してやるために馘になったのだから、何か代償をとらないとばかばかしい話だ。坂本は、初め何とか都合をして、木下をなだめたに違いないが、そういつまでも貧乏な坂本が続くわけがない。そこで、彼は坂本以外の人物のところへ強請《ゆす》りに行こうとして切符を買ったのだ」

「………」

「いつか、君と、切符の行先について、想像しあったことがあったね?」

「ええ、そうだったわ」

典子は思いだした。

「あの時は、この事件に関係ある土地として、秋田の五城目《ごじょうのめ》、浜松、豊橋、東京などが考えられたが、たった一つ抜けていたのが、愛知県の犬山だ」

「だって、あれは……」

「そうなんだ。この事件に直接には関係ないところだ。秋田は田倉の細君の故郷と称する土地、浜松、豊橋は村谷女史や、その女中の因縁《いんねん》の土地だ。犬山は、ただ、畑中善一の実家というだけで、事件に関係があるはずがない。しかし、君は、調査にそこに行っている」

竜夫は、少し語調に力を入れた。

「リコちゃん。これは初めから関係がないから全然問題にしなかったが、僕は、ふと、もしやと思ったんだ。すると、田倉の細君の年輩と、君の話で畑中善一の妹の年齢がよく似ていることに気づいた」

「………」

「いまも言ったように、田倉の細君が、ひとりでこんなに長くかくれているなら、かならず、宿屋住まいとか、他人の家に厄介《やっかい》になるということでなしに、自分の家があるのではないか、という想像と、畑中の妹とは奇妙に重なるのだ。この時、ふと思いだしたのは、畑中の妹が外地の引揚者だということさ。それと、田倉も外地でいちじ、生活していたということ。あるいは、と思ったね」

竜夫は言葉をついだ。

「もちろん、そうなると、田倉の妻が、畑中善一の妹と同一人だということはあり得ない。これは、田倉の妻を抹消《まっしょう》して考えた方がよい。そして、別居というが、ときどき、藤沢の田倉の家に現われていた女を、畑中の妹とした方がよい。しかし、田倉の妻を抹消するとしたら、どんなことが考えられるか。戸籍の上では、田倉よし子は、ちゃんと生存しているのだ」

典子には、それが分らなかった。

「そこで、失踪《しっそう》が考えられる。失踪も、届けをしないかぎり、戸籍の上では、そのまま残っているわけだ。すると、失踪から、生死不明、どこかで死亡しているが身もと不明、と順に想像の線は伸びてくる」

ここまで聞いて、典子は、はっと、胸に来るものがある。いつか、竜夫が、田舎を歩いてきたと、にやにやしていたことがあった。あれは、たしか、典子が秋田から帰ってからだ。

「そこで君が秋田から帰った。そして、君は何を僕に話してくれたと思う?」

「よく分らない男が、五城目に現われて、家財道具を処分したことでしょう?」

「それ以外だ。ほら、君はその帰りの汽車の中で、越後の塩沢付近で、二年前、身もと不明の中年女が、汽車に飛びこみ自殺した話を聞いただろう。そして、それを僕に話してくれたじゃないか」

「あっ」

典子は思わず声をあげた。

「あれが、あれが、そうだったの？」

「そうなんだ。僕は、それを聞いて、塩沢まで出かけたものだ。そして、役場に行って、その自殺者が未《い》だに身もと不明であること、遺書はなかったが、東京者らしいこと、人相は顔がひかれて滅茶滅茶《めちゃめちゃ》になり、分らないが、推定年齢を聞いてきた」

典子は息をのんだ。

「リコちゃん。すこし、大胆かもしれないが、僕は、その自殺者を実際の田倉よし子と想像したんだ」

自動車は木賀に出た。この辺から宮ノ下にかけて旅館の灯が明るいが、車は強羅には行かず、いっさんに小田原方面に坂道の下降をつづけた。

2

自動車は、宮ノ下を過ぎると、七曲りの道をくだってゆく。ヘッドライトは、曲るたびに、断崖《だんがい》にかかっている手すりや、樹木や、急斜面を白く浮き出して揺れる。

畑中邦子の死体と、坂本浩三と、白井編集長を乗せた自動車は、絶えず赤い尾燈を見せて前方を走っていた。

この道は、夜になっても、車の往来が激しい。下からは絶えず眩《まぶ》しいヘッドライトが登ってくる。ハイヤーが多いのだが、トラックも少なくなかった。

重い貨物を山のように背負った深夜便トラックがあえぎあえぎ、登ってくる。すれ違うときに見ると、運転台には若い男が二人、ひとりはハンドルを切り、ひとりは一心に前方を眺《なが》め、重いトラックを引きずるように転がしているのだ。

典子は、それを見ると、坂本浩三と木下一夫とを思わずにはいられなかった。彼らもあの晩、こうしてトラックをこの道に走らせていたのである。

「その自殺者が田倉よし子だと想定すると……」

竜夫は話をつづけていた。

「あの晩、この箱根の宿に訪ねてきた田倉の妻と思われる人物は誰だろう、ということになる。いや、その前には、藤沢の田倉の家に数回訪ねてきて、近所の者には田倉の妻だと思われていた。田倉自身も、実際に別居中の妻だと言っているのだ。それだけではない。あの事件後、彼女は、小田原署に出頭して、係官に、田倉の妻だと言って、堂々と事情の申し立てをしているのだ」

典子は、自動車が速度を抑えて旋回し下降するのを眺めていた。しかし、耳は竜夫の言葉に吸いついていた。

「なんという大胆さであろうと思ったね。いいや、これはよほど自信のある女でないと、田倉の女房になりすますことは、できないのだ。ということは、同時に田倉について詳細に知っている女を意味する」

典子はうなずいた。そのとおりである。

「僕は、前に、切符の行先にふれたね。木下の行先が、名古屋か、岐阜か、犬山か知らないが、とにかく君が会った畑中の妹ではないかと、ふと考えてみたのだ。すると、畑中の妹邦子と、田倉とが、どのように結びつくかが問題だった」

竜夫は、ちょっと言葉を切った。それこそ典子が聞きたい大事な点だった。

「結びつくものは一つある」

竜夫は、ゆっくりはじめた。

「それは、畑中善一の文学グループの中に田倉がいたことだ。当然、田倉は畑中善一の妹を前から知っていたと思う。その証拠に、ビルの社長の新田嘉一郎氏も、白井編集長も畑中の妹を知っていた」

「編集長も？」

典子は竜夫の横顔を見た。

「そうさ。編集長は知っていたのだよ。しかし、田倉はグループの誰よりも、畑中の妹を知っていた」

「その証拠は？」

「問題を逆に言ってみよう。畑中の妹は、田倉をグループの誰よりも知っていた、とね」

「あ、分った」

典子は言った。

「妹さんは、兄さんの恋人を奪った田倉さんを頭の中に刻みこんでいるはずなのね」

「そうなんだ」

竜夫はうなずいた。

「畑中善一君の死が、恋人を奪われた衝撃で早まったのかどうかは分らないが、少なくとも邦子さんにとっては、田倉は兄の敵《かたき》ぐらいに恨んでいただろうね。そのことは、同時に、田倉の方でも、邦子さんを意識していたことになるのだ。ところがね、僕の想像では、この二人は、その後で、それ以上、知りすぎた間柄《あいだがら》になっていると思うのだ」

「それ以上？」

「うん。その想像は、田倉の妻になりすましている自信だ。あれは大変な自信だからね。箱根の宿では、女中がすっかり夫婦と思いこんで、口喧嘩《くちげんか》を、夫婦の痴話喧嘩と思い違いをしたくらいだ。いったい、旅館の女中は、客が夫婦か、そうでないアベックかは、慣れた勘で分るものだが、その客なれした女中にも夫婦と思わせる何か雰囲気《ふんいき》のようなものが二人の間にあったのだ」

「…………」

「彼女は藤沢の田倉の家にも何回か訪ねて行っているだろう。田倉は近所の者には、別れた女房だと平気で言っているが、彼が平気でそう言うだけの関係があったと思うな。これは、彼女が小田原署で、田倉の妻になって自殺説を言う自信にも通じることだよ」

「だって……」

「そうだ。僕も、まさかとは思った。しかし、人間、どこでどういう因縁が発生するか分らない。僕は、それを、畑中邦子さんが外地にいたとき、そして田倉も外地にいたその時期に発生したのではないかと思う」

「だったら、それは外地の同じ土地だったの?」

「そういうことになる。それがどこだか、僕には分らない。おそらく、畑中邦子さんが引きあげてきた大陸だったと思うな。僕は、田倉の履歴を調べてみたが、あんな男だからよく分らなかった。

こう考えてくると、君が畑中邦子さんに会ったとき、彼女が、兄善一の創作ノートを、自分の留守中に死んだ母親が訪ねてきた旧友の誰かに渡した、と言ったのは嘘《うそ》なのだ。それは言いわけだった。おそらく、彼女が引きあげてきてから、田倉が訪ねて行って、彼女から借りだしたのだろうな。その理由が、また問題なのだが」

竜夫は一息ついてつづけた。

「田倉のそのときの理由は、畑中善一の創作を発表してあげる、とでも言ったに違いない。だから、邦子さんは、兄の遺稿を渡したのだろう。ところが、田倉には計画があったのだ。彼は、それを村谷阿沙子女史に売りつけたのだ。たまたま女史が、はじめて書いて発表した小説が評判になったときだ。しかし、そのあとが続かないで苦しんでいた。人間は誰でも、一つや二つの材料は持っていて、少しでも筆が立つ才能があれば、それなりにその作品は懸賞に入選して認められる。しかし、大切なのはそのあとだ。あとがつづかなければそれなりに終ってしまう。ことに村谷さんの場合は、父親が文学者としても一見識をもっていた宍戸《ししど》寛爾《かんじ》博士だというので、第一回の作品にも、その点で、ジャーナリストが珍重して、少々甘く評価したところがあったよ」

典子も、そのことは理解できた。

「村谷阿沙子さんは、あとの作品が書けないので苦しんでいた。彼女は、自負心の強い、負けず嫌《ぎら》いの女だったから、せっかくかち得た新人としての名声を失いたくなかった。名声というほどでもないのに、本人はそう思ったに違いない。その苦悶《くもん》を知ったのが、田倉義三だよ。なにしろ、あれはジャーナリズムの情報屋みたいな男で、いちはやく、村谷女史の正体を見抜いたに違いない。しかも、京都時代のグループで因縁の深い宍戸寛爾博士の娘だ。そこで、田倉が思いだしたのは畑中善一に創作ノートの遺稿があることで、これを彼女に与えて金にしようと考えたんだよ。そして、そのことは村谷阿沙子女史が大喜びで頼んで、成立したのだ。彼女が次々に発表した作品は実は畑中善一のノートが下敷きなのだ。阿沙子女史が、執筆中、極端に人を書斎に入れなかったのは、その理由もあったわけさ」

典子は声も出さずに聞き入った。自動車はようやく七曲りの屈折道路をおわって、塔《とう》ノ沢《さわ》のトンネルにかかっていた。

「才能豊かだったといわれていた畑中善一の遺稿が下敷きだっただけに、阿沙子女史の作品は好評だった。彼女の書いたものが他人の代作とは知らずに、雑誌社ではしきりと彼女に原稿を依頼する。幸い、畑中の遺稿は行李《こうり》にいっぱいあったといわれるくらいだから、当分はその注文にことは欠かさなかった。したがって、田倉も阿沙子女史から金をもらって儲《もう》けた。むろん、秘密な取引だ。そのままで行けば天下泰平だが、ここに困ったことは、畑中邦子さんが兄善一の作品が今に陽《ひ》の目を見るかと期待していたことだ」

典子は話を聞いていても胸が騒いだ。

「もちろん、阿沙子女史の代作がいつまでも邦子さんに知れずにはすまない。よほど後になって、彼女は真相を発見した。そして田倉のところへ何度も交渉に行ったに違いない。これが、藤沢の田倉の家に彼女が行っていたという理由だろうな。ところが田倉は、曲者《くせもの》だから相手にしない。ついに、邦子さんは、このことを亡兄の旧友の白井編集長のところへうったえて行ったのだ」

「えっ、編集長に？」

「うん。しかし、それは、あまりにおそすぎたのだ。おそらく、君が阿沙子女史の原稿催促で箱根に行く前後だろうな」

典子は息を詰めていた。

「編集長もびっくりしただろうが、辛《つら》いところだ。今さら、頼んでいる原稿を変えることもできない。つまり、それ一本をアテにしていたので、かわりがなかったのだ」

典子は、あの時の阿沙子女史に頼んでいる原稿のほかには、組み置きもなければ、かわるべき原稿が一つもなかったことを思いだした。校了がせまっているので、ほかに打つ手がないのである。当時、白井は典子にしきりと阿沙子女史の原稿のできるのを催促していた。

「白井さんの、もう一つの辛いところは、相手が恩師のお嬢さんという点だ。そこで、今回の原稿のことは、ともかくとして、今後の処置を相談のために、畑中邦子さんといっしょにこっそり、箱根の宿に村谷さんを訪ねて行ったのだ。それが七月十一日の晩だ。この時はまだ村谷さんは宮ノ下の杉ノ屋ホテルにいたのさ。田倉がおもしろいアベックを見たと言ったのは、白井さんと畑中邦子さんだったわけだ。つまりアベックX《A・B》はこの二人だ」

自動車は、早川の鉄橋を渡って、平坦《へいたん》な下降に移る。速力も出てきた。こっちのヘッドライトが、前の車の後窓を照らし、白井編集長の背中を浮きだしていた。

「その夜、白井編集長、畑中邦子さんと村谷阿沙子さんと話し合いがあったものと思う。おそいから、白井さんと、邦子さんとは、そのまま、杉ノ屋ホテルの別々の部屋に泊った。白井さんの方は、仕事があるので、朝早く帰京したが、その朝も、外に出て、霧の中で、もう一度、阿沙子女史と話しあっている」

「あ、そうすると……」

「そうさ。君が田倉だとばかり信じこんでいたのは、白井さんなんだ。深い霧が君の目を欺《だま》し、声まで勘違いさせてしまった。もっとも、白井さんと田倉とは背恰好《せかっこう》も同じくらいで、声も離れて聞くと似ているんだ。それからさ、阿沙子女史のノイローゼが始まったのは。畑中邦子さんが同じ杉ノ屋にいると思うと、一刻もその宿にいるのが嫌《いや》になって、急に、対渓荘に移ってしまったわけさ」

「すると、わたしが見た、霧の中のもう一組、阿沙子先生の旦那《だんな》さんの亮吾氏といっしょにいた女の人は、誰なの？」

「あれかい？」

竜夫は言った。

「あれは、女中の広子だ」

「え？」

典子には、まだよく分らない。いや、ききたいことが、まだ山のようにあった。

3

首をかしげてだまりこんだ典子を見て、竜夫は、ゆっくりした口調で話しつづける。

「亮吾氏の失踪は、はじめから広子と打ち合せた上でのものだったんだ。十一日の夜、君が見かけたのは、その相談をしていた時なんだよ」

「まあ、それじゃ、亮吾氏は、あの広子さんと……？」

典子は、びっくりした。

「そうなんだ。阿沙子女史が気づいていたかどうかは分らないが、二人はひそかに愛しあっていたのだな。なにしろ、阿沙子女史は気の強い女房だ。そして、亮吾氏と広子さんとは、二人だけで暮せる機会を待っていたに違いない。それには阿沙子女史から目立たぬよう離れなければだめだ。でなければ阿沙子女史がヒステリーを起して、どんなことになるか分らない。

君は覚えているだろうが、十二日の夜おそく、村谷女史が宿を出たあと、亮吾氏と広子が出かけている。これは、前からの予定の行動だったのだと思う。

亮吾氏は、小田原駅に急ぎ、そこから汽車に乗りこんだ。広子の方は旅館へ戻った。

彼女は、阿沙子女史といったん東京に帰り、あらためて暇を取った。こうすると亮吾氏と連絡がついているとは女史に気づかれまいと思ったんだね。二人いっしょに一どきにいなくなると、あの負けず嫌いな阿沙子女史に知られて面倒になるのを恐れての工作だった」

そうだったのかと、典子は合点《がてん》した。世間にはいろいろなことがあるものだ。遠いところにヘッドライトの光芒《こうぼう》が、見える。亮吾氏の失踪は、女中広子の失踪と一つに溶けあっているが、このヘッドライトのように、田倉怪死事件とは無関係な線であった。

「それで、二人は今、どこにいるの?」

「豊橋市のあるところだ。実はね、このことは例のビルの社長、新田嘉一郎氏に頼んで、二人の居所を調べてもらったのさ」

「新田さんに?」

思いがけない人の名に、典子は目をまるくした。

「うん、新田氏の話では、二人とも、しごく仕合せに暮しているということだ。今度の事件で、この二人のことは、明るい話になりそうだな」

竜夫はちょっと言葉を切った。典子の方を横目でうかがうようにして複雑に微笑《わら》った。

「新田氏の名前が出たら、君はびっくりしたようだけれど、彼には今のこと以上にもっと大事な仕事を依頼しておいたのさ。亮吾氏と広子のことはその帰りに調べてもらうという話でね」

「大事な用件っていうと……」

典子は言いかけてふと口をつぐんだ。いつか、東京駅でスーツケースをさげた新田嘉一郎と会ったのを思いだしたのである。あの時、新田は、確か京都までの旅行だと言っていた。彼は崎野の最近の消息をたずね、妙ににこにこと愉快そうであったが。……

「新田さんの行先は犬山さ。畑中邦子さんのアリバイを確かめに行ってもらったのだ。七月十二日の前後に、邦子さんが、自分の家にいたかどうかを調べてもらったのだよ」

典子は、自分で、もう、うすうすそれを感づいていたのを、あらためて教えられたような気持であった。

「でも、どうして新田さんなどに、そのようなことを頼んだの？」

「新田さんは勘が鋭い。昔、京都の大学の同人雑誌グループの一人だったし、畑中善一とも知りあっていた。僕は田倉のことを話し、今までの経過を打ちあけて頼んだのだ。邦子さんのことを調査するには、うってつけの人物だと思った。僕にはとてもそれだけの暇はないしね、これ以上は休めない」

「それで、あの時、私が新田さんのことをあなたに告げたら、へんににやにやしていた理由も分ったわ」

典子は、竜夫を軽くにらむようにして言った。

「ま、そういうわけで、畑中邦子さんは事件当日、犬山の家を留守にしていた事実が摑《つか》めた。僕の彼女に対する考えはここで完全にクロとなったんだ。だが、それを裏付ける物的証拠が何もない。そこで僕は決心したのだ。畑中邦子と対面しよう。何とか彼女と実際に会って話をしてみることだ。そう思って僕は彼女に手紙を出したのだ。今後のことにつき相談したいことがあるからというような文面で、僕自身の名前と、白井編集長の部下だと書いておいたのだ。邦子さんがそれをどう受け取ったかは分らない。彼女からは、すぐに返事がきた。ほら、このハガキがそうだ」

竜夫は服のポケットから二つに折れたハガキを取りだして典子に渡した。

車のルームランプは弱かったが、万年筆の字は読みとれる。

「仙石原という場所を指定したのは僕だった。彼女が僕と会う以上、その場所はどうしても仙石原でなければならないのだ。その理由はあとで話すが、今度の事件の鍵《かぎ》は、仙石原にあると言ってもいいくらいなのだ。彼女がそれに気づいたかどうか。おそらく、その意味を悟ったにちがいないと思う。彼女の方から会う時間を指定してきた。それが……」

「午後九時半から四十分までの間、というのね。この時刻にかならず来るようにと、二度書きしているわ」

典子はハガキを読みながら言った。

「そうだ。僕が、今度の実地検証に危険を感じたのは、その言葉からなのだ」

「え？」

典子はハガキから顔をあげた。竜夫の視線はまっすぐ典子に注がれている。典子はあわてて、またハガキを読みかえした。

「さっき、僕たちは、もう少しで殺されるところだったよ。あのトラック運転助手の木下と同じようにね」

「木下ですって？」

典子の声はかすれていた。目はハガキから離れて、前の闇《やみ》を見つめたまま、またたきもしないでいる。

「うん。暗がりから急に、強いヘッドライトの光を浴びせ、運転席から身体《からだ》をのりだした坂本が、手にした棒で頭を強打するというやり方だ。ヘッドライトの光で自動車の正体が分らないからね。われわれが、夜、道をよけていてもよく経験するね。普通の車かと思うと、意外に大きなトラックだったりして、通過して、あっとおどろくことがある。ヘッドライトで、目をくらませておいて、通りすがるときに、棒で殴りつけるのだ。立っているこっちには、先方がどんな姿勢でいるか光で分らないので、僕たち二人も、それと同じ目に会うところだったのだ。予期してはいたんだけど、危なかったよ」

「…………」

前方をぼんやりと典子は見つめている。さっき、竜夫につきとばされて地面に倒れた自分の姿が、暗い空間に一瞬浮んだように思われた。

「田倉を殺したのも、それに似たような手口だった。もともと邦子さんは初めから田倉を殺すつもりで、ビールに睡眠薬を混入してのませた。眠ったところを絞殺する計画だったが、それとは知らずに外出した田倉のあとをあわてて追って行った。すると、彼女は宮ノ下付近で意外な場面を目撃した。すなわち坂本と木下の運転する定期便トラックだ。二人が抱きかかえるようにしてトラックの中に乗せようとしているのが、すでに睡眠薬のききはじめた田倉なのだ。おそらく田倉はふらふらしていたのだろう。邦子さんはそのとき坂本にわけを話して田倉殺害の助けを借りる思案が起ったものと思う。もともと坂本は、姉をいじめ、自殺にまで追いやった義兄田倉を憎んでおり、ときどき家にくる邦子さんの身の上にも同情していたから、邦子さんに手伝うのを承知した。彼は木下をうまく説き伏せ、田倉をトラックに乗せて仙石原まで運び、そこで殺して、引き返し、坊ヶ島の崖下《がけした》へ突き落しておく、ということにしたのだ。これは僕の推定だ。その推定の根拠は、トラックの遅延が一時間半で、仙石原までの往復が五十分かかるところから来ている。

なぜ、その場で殺さずに、わざわざ仙石原まで行って殺すという手間をかけたのかは、いつかの箱根での実地検証を思いだしてくれれば分ると思うが、田倉の死体が発見された所は、片側は山、片側は断崖《だんがい》、幅二メートル半の村道が曲りくねっており、もちろんトラックのタイヤの跡もあった。しかし、突き当りには製材所があったのを忘れてはいけない。あの村道は、狭くて、トラックは通れても、途中で引き返すことはできない。一方交通になっているのだ。ターンをするとすれば製材所の広場だが、当夜製材所の者はほかのトラックが来たとは言っていない。田倉は、睡眠薬をのんでいる。墜落死は、自殺説か事故死説におあつらえむきだ。どうしても田倉を崖から突き落しておく必要がある。頭を強打しても突き落せば、その時の傷と間違えて、思うつぼというわけだ。

さて、坂本と邦子さんが最初田倉殺しの相談をするのに三十分という時間がかかった。これは邦子さんが田倉より先に駿麗閣に戻った時間と一致する。いったん宿に帰って女中たちにそれを確認させてから、今度はこっそり宿を抜け、川を渡って隣の対渓荘に移り、そこからケーブルで外出したのだ。そこで待っていた坂本のトラックに乗り、仙石原まで行き、そこで田倉をスパナか何かで撲殺して、ふたたびトラックで宮ノ下へ戻り、田倉の死体を崖の上まで運んでから突き落した、と思うね。

坂本らのトラックが一時間半遅延したのはこのためだった。邦子さんは、また前と同じ方法で、駿麗閣に何くわぬ顔をして戻ったのだ」

「じゃあ竜夫さんは、あの箱根の実地検証の時にもう邦子さんを疑っていたのね」

両方の旅館の客は、いちいちケーブルを使わなくても隣に行けることになる、と、川を渡り終ったとき言った竜夫の言葉を、典子はあらためて思いだしていた。

「それなのに、わたしには何も言わず、一人でかくしてたのね。意地が悪いわ」

恨めしげな典子の口調に、

「やあ、はじまったな、リコちゃんのくせ」

と言って竜夫は苦笑した。典子は笑えなかった。

「ちょっと待ってよ」

典子は、軽く左手をあげて、まじめになった。

「坂本ははじめから、わたしたちに殺意を持ってやってきたのかしら」

「そうだと確信するね。僕の手紙を見て、邦子さんは坂本に相談した。勘づかれたことを知った坂本は、真相を知った僕らを、殺してしまおうと決心したのだろうし、邦子さんは、万一の時には自殺する覚悟でやってきたのだろう。つまり、坂本は脅迫する木下を殺してから、邦子さんのところに逃げていたのだ」

典子はひざの上に置いたままのハガキを、手に取ってもう一度眺《なが》めてから、だまって竜夫に返した。

「だいたい分ってきたけど、まだすっきりしない点がいくつかあるわ。その一つは、秋田の五城目《ごじようのめ》で、家財道具を処分した男はいったい誰かっていう問いよ」

「それは犬山にいる邦子さんの従妹《いとこ》の夫さ。彼は見るとおり、田舎の醇朴《じゆんぼく》なおやじだ。知的で教養のある邦子さんを尊敬しているようだ。詳しい事情も知らずに、邦子さんの言うとおりにしたがったのだろう。これは新田氏の調べで、彼が五城目近くの村の出身者だということが分った」

「そうだったの。わたしはまた、いちじは白井編集長を疑ったわ。編集長には申しわけないけれど、社を休んだ理由がはっきりしなかったし、竜夫さん自身、いかにもあやしそうに編集長のことを気にするものだから……」

「編集長にしてみれば、それこそいい迷惑だろう。事件が終ったら、何もかも話そうと思っていたのだ。編集長は、僕たちとは違ったある意味で、大変だったと思うのだ」

竜夫は〝ある意味〟というのに力を入れた。

車は静かに走っている。点在する人家の灯が闇に小さい。

「竜夫さん」

典子が言った。

「もう一つ、分らないことが残っているわ。田倉よし子さんはなぜ自殺したのかしら」

「ほんとうの理由は僕にも分らない。だがこんなふうに推論することはできるだろう。すなわち、よし子は田倉を愛してはいなかった。彼女は畑中善一君の恋人なのだ。田倉を愛するどころか、むしろ憎んでさえいたに違いない。田倉は、しかし事実上よし子の夫だ。その田倉が、自分を裏切って邦子さんともなんらかの関係を持っていることを知り、その上、自分はしじゅう田倉に虐待《ぎゃくたい》されているので、そうしたことからの絶望が、彼女を自殺にまで追いやったのだと思う。弟の坂本浩三は、一つには、姉の仇《かたき》をとるのが目的で、憎い田倉殺害に手を貸したのだろう。だが、まだまだ、僕にも詳しいことは分っていない。よし子も邦子さんも、田倉義三も畑中善一も、事情を知っていた者はみな死んでしまっている。〝死人に口なし〟で、ほんとうのところは、誰にも分らないということになりそうだ」

竜夫は、クッションに深々と身体を埋め、大きく、ゆっくりと息を吸いこみ、吐きだした。しゃべり疲れたらしく、典子の方に顔を向け、口をつぐんだ。

遠くに小田原の街の明りが固まって見えてきた。車は速力を落し、まもなく街へはいると、小田原署の前でとまった。

4

前の車の尾燈《テール》がとまった。小田原署の窓の明りが道に射《さ》していた。

典子と竜夫の乗った車も、その後ろにつくように停止して、ライトを消した。

前の車からは編集長が降りて、こちらに手をあげた。

典子も竜夫も、ドアをあけて降りた。

「坂本君を、今から自首させるのだ」

白井編集長は、かすれた声で言った。窓の明りでも、白井の憔悴《しょうすい》した顔が分った。光線の加減でもあるが、頰《ほお》がこけて、濃い陰影がたまっていた。目がくぼみ、唇《くちびる》が乾いてみえた。

「坂本君は、もう観念している。君たちを襲っただいたいの顚末《てんまつ》は、車の中で彼から聞いたよ。しかし、もう悟りきっているから、静かなものだ」

白井は二人を見くらべて言った。

「畑中邦子さんは、シートの上で、おだやかに眠っている。これは、警察に言って、すぐに病院に届けなくてはいかん。どうせ、解剖の必要があるだろうからね。ぼくが坂本君を自首させる間、ここで畑中邦子さんを君たちで見まもっていてくれたまえ」

「承知しました」

竜夫が言った。素直なうなずき方だった。典子も黙って頭を下げた。

「それで安心だ」

編集長は、振りかえると、車の中に向って手招きした。ひとりの青年がしょんぼりして降りてきた。これも窓の灯《ひ》をうけて顔を見せた。ばさばさした髪ととがった顎《あご》は、いつか藤沢の田倉の家で見た坂本浩三だった。

白井編集長のあとについて署の中にはいってゆく時、竜夫と典子の方を見た。坂本は歩く足をちょっと停《と》めた。それからこちらを向いて、

「どうもすみませんでした」

と、ゆっくりとおじぎをした。

竜夫は坂本のところに進んで、その肩を軽く叩《たた》いた。

「もういいんだよ、君。いずれ、僕も、面会に行くからな」

青年はそれを聞くと、もう一度、おじぎをした。

「すみません」

泣いているような声だった。

白井が、何も言わないで、坂本の手を握り、片手で署のドアを押した。二人の姿が中に消えたあとも、ドアは揺れていた。典子は、坂本の姿がそのまま永遠に消えてゆくような気がした。

竜夫は、前の車の横に立った。典子もそれにしたがった。窓からさしのぞくと、暗い車内は、外の遠い灯が届いて、うす明るかった。

ひとりの女が、クッションの上に横になっている。知らない人だったら、疲れて仮睡しているように思うだろう。

典子は窓の外から頭を下げて合掌した。竜夫も手を合わせていた。さまざまな感慨が

典子の胸をつきあげてきた。

「君は、どこから、二人を乗せて仙石原に来たのだ？」

竜夫は低い声で、運転手にきいた。

「あたしは、元箱根の自動車屋ですよ」

運転手は、しょげて答えた。

「いまの若いお客さんと奥さんとが、仙石原へ行ってくれとおっしゃるので、九時ごろから運転して行ったんです。すると、いきなり、この有様でしょう。びっくりするも何も、なにがなんだか、さっぱり分りません」

すると、畑中邦子と、坂本浩三とはあらかじめ箱根に行って、時間を合わせてハイヤーを雇ったらしい。運転手は、実際、目をきょときょとさせていた。

「まあ、辛抱してくれたまえ」

竜夫が慰めてから、頼んだ。

「この車には、君も見たとおり、仏さまになったひとが寝ている。すまないが、これから静かに病院まで乗せて行ってくれないか？」

「ようがす」

と運転手は答えた。なりゆきを見ているので、半分は諦《あきら》めていた。

小田原署の警官が、あわてたように三人出てきた。二人は私服であった。

「これかな」

警官は窓から、車の中をさしのぞいた。

「そうです」

竜夫が横からひきとった。

「僕たちも関係者です。どこの病院に運ばれるか知りませんが、僕らも、この仏さまのお供をさせてください」

私服二人は竜夫と典子を見ていたが、

「関係者ならいいでしょう。かまいませんよ」

と言ってくれた。

このとき玄関のドアがまた開いて、白井編集長が出てきた。別な警官が横につきそっていた。車を中心に急にあわただしくなった。

畑中邦子の死体は、××病院に運ばれ、検屍《けんし》の前に屍室に一応安置された。きれいな死顔だった。典子が、濃尾平野の百姓家で話しあった顔であった。うす暗い電燈だったし、部屋の中まで草の匂《にお》いがし、牛が啼《な》いていた。兄の写真を出してくれ、親切に話してくれたひとだった。

帰りには、暗い夜の田圃《たんぼ》道《みち》を提灯《ちょうちん》つけて案内してくれた。一めんの田圃の中で、その提灯のぽつんとした一つの明りが揺れて小径《こみち》に動くのが、まだ目に残っていた。

典子は、ここに目を閉じている畑中邦子が、まだ一つの提灯を持っているような気がした。

典子は、自分の櫛《くし》で、邦子の髪を梳《す》いてやった。急に涙が出てきた。竜夫がすわって、それを見ていた。

どこかに行っていた白井編集長が、警官といっしょにはいってきた。

「畑中邦子さんの身体《からだ》から、遺書が出てきたのだ」

白井編集長が、典子と竜夫に言った。

「いま警察のかたから渡されたので、ぼくが先に読んだ。君たち、読んでみたまえ」

白井は、ひどく分厚い封筒をさしだした。

「リコちゃん、君、さきに読んでくれ」

竜夫は、典子にゆずった。

「では、拝見しますわ」

典子は、ふるえそうになる指で、その封筒から中身を出した。それは便箋《びんせん》に、何十枚も書かれた文字だった。きれいな文字で、すこしも乱れてはいなかった。

「このような結果になることを考えて、この文章をしたためます。明日、犬山の田舎から箱根に出発する前の晩に書いております。どなたのお目にふれるか、だいたい予想しております。それには、田倉義三と私との関係から書かねばなりますまい。私の兄は死にましたが、畑中善一と申します。京都の大学にいて宍戸寛爾先生に文学の影響をうけました。当時、たくさんの仲間がおりましたが、その中に白井良介氏や、新田嘉一郎氏などがおられました。学校の友だちではないのですが、いつとはなしにこの文学グループにつきあいのできた男がいます。それが田倉義三で、彼は学生ではなく、何かほかの勧めをもっていたようです。田倉はほかの連中とは、あまり深くつきあいませんでしたが、どういうものか、兄の畑中善一とは気が合ってよく往《ゆ》き来《き》したようです。このとき、兄にはひとりの恋人ができました。ご承知でしょうが、坂本よし子さんです。兄も、坂本さんも、お互いに愛しあっていました。もっとも、これは京都のことで、当時田舎にいた私は詳しいことは知りません。ときどき、帰省する兄に話を聞くだけでした。そのうち、この恋愛は破れました。坂本よし子さんがほかの男に走ったからです。それが田倉で、田倉はそれまで、兄とよし子さんの仲を理解して、共通の、いい友人のような顔をしていましたが、途中でよし子さんが好きになり、兄から奪ったのです。その奪い方というのは、田倉の性格として想像できます。なぜかと申しますと、お恥ずかしいしだいですが、後に私も、その卑怯《ひきょう》な手段で無理に従わせられたのですから。

しかし、これは後年のことで、当時、兄の失恋がどのような原因か、知るよしもありませんでした。兄は京都から田舎に帰ってきて、元気のない毎日を送っていましたが、まもなく病気にとりつかれて、死んでしまいました。よし子さんを奪われた失意のため、死を早めたのは言うまでもありません。兄は、文学的な才能は宍戸先生や、仲間にも認められていたようで、死ぬときは、ひそかにノートに書きためていた小説の草稿が、柳行李《やなぎごうり》にいっぱいあったくらいです。

兄の死後、写真が一枚出てきました。それは、かつての恋人どうしの兄とよし子さんの写真で、よし子さんの幼い弟もいっしょにうつっておりました。

ところが、その写真の裏にある撮影者の名前が墨で消してあります。写真は素人《しろうと》写真ですから、友だちが撮ったのでしょうが、それが兄の手で消してあるのはふしぎです。これはきっと、のちによし子さんを奪った男の名前だろうと察するのに長い時間は要しませんでした。むろん田倉義三という名前を、私が知ろうはずはありませんでした。

それを知ったのは、のちの偶然のことです。

私は結婚しました。夫は官吏でした。私たち夫婦は、結婚五、六年して、夫の仕事の関係で満州のある土地に参りました。すると、そこに偶然、田倉が来ていたのです。いや、田倉は、私は知りませんでしたが、その奥さんのよし子さんの顔を見て、びっくりいたしました。写真の兄の恋人、坂本よし子さんそっくりではありませんか。そして、よし子さんの弟の浩三さんも、いっしょにいましたが、これも写真の幼な顔にそのままです。

はっきり、それが、坂本よし子さんと知ったときの私の驚きをご想像ください。近所でしたが、ある日、よし子さんをこっそり呼んでそのことをききました。よし子さんもびっくりして、そのことを肯定しました。私は兄のためによし子さんを強く責めました。よし子さんは泣いて詫《わ》びました。田倉との結婚がけっして本意でなかったこと、現在の結婚が不幸であること、そして今でも、兄のことは忘れられないと言いました。それは、体裁や偽りでないことを私は知りました。私はよし子さんをゆるすとともに、同情しました。それは彼女の結婚生活が不幸であることを、目の前に見ているからです。そのころ、夫は風邪をこじらせて肺炎となり、一カ月ばかりで亡《な》くなりました。

よし子さんは、異郷でひとりぽっちとなった私に同情し、何かと親切にしてくれました。浩三さんも、ほんとうの弟のように、私になついてくるようになりました。

ところが、そのようにして二人とつきあっているうちに、田倉は、私が畑中善一の妹であることを知ったのです。たぶん、よし子さんが不用意に言ったのかもしれません。

田倉は、どうしたことか、それを聞くと、にわかに私に興味を起し、いろいろと言葉をかけているうちに、私の油断から、ついに私を暴力で屈伏させてしまいました。私はくやし泣きに泣きましたが、そのときの心をここに書く紙数がありません。亡くなった夫にすまないという呵責《かしやく》と、よし子さんにも申しわけないということでいっぱいでした。

田倉にすれば、いつまでも兄のことを想《おも》っているよし子さんへの面当《つらあ》て(実際、兄のことで田倉は、よく、よし子さんを殴ったり蹴《け》ったりしていじめていたそうです。それをまのあたりに見ている浩三さんは、姉を苦しめている田倉に憎しみをもちはじめていたと申します)と、兄に対するひとり勝手な仕返しとで、私をそのような目にあわせたのだと思います。しかし、夫を失った空虚からか、愚かな私は、苦しみながらよし子さんにかくれて、なんどか逢瀬《おうせ》を重ねました。一度、そんな関係をもつと、女というものは、それほどにもろく哀《かな》しいものでしょうか。田倉はせせら笑いながら、私をおもちゃにしていました。小心で、おとなしかった夫にくらべ、精力的な田倉に、私の身体が惹《ひ》きつけられていたのでしょうか。私が早々に満州をひきあげたのは、夫の死によって満州にとどまる意味がなくなったからでもありますが、こんな関係にたえられなかったからです。私が犬山に落ちついてから、歳月が経《た》ち、そのことを忘れているとき、ある日、ひょっこり、田倉が私を訪ねてきました。そのときの驚き、身体がふるえそうになったのを、いまでも忘れません……

田倉が私を訪ねてきた目的は、それでも、私が女として危惧《きぐ》していたものとは違っていました。田倉は、私に、兄善一の創作ノートを渡せと言うのです。もともと兄とは仲のよかった田倉のことですから、兄がひそかに書きためていた小説の草稿のあることは知っていたのです。

田倉は、善一君の才能を、ぜひとも世間に認めさせたい。小説にするのは誰か他人に頼むが、畑中善一の名前にきっとするからと熱心な顔つきでいう一方、満州での自分との関係を世間に黙っていてほしいのなら、この要求も当然のことだ、とうす笑いを浮べたりしました。これが、私に恐ろしかったのです。私は彼の言葉に負け、一方では信じました。それに、兄の才能が世に出るのならと思い、私は、田倉の言うとおりに、行李いっぱいの草稿を田倉に渡したのでした。私は田倉の言ったことが実現するのを待ちました。しかし、雑誌の上に兄の名は出ません。田倉があぁ言っても、そう簡単に載るはずがないと私もあきらめていました。ずっと経って、ある偶然から、私は兄の小説が村谷阿沙子という女流作家の名で発表されているのを知ったのです。もちろん、兄の名など、どこにも書かれてはいません。田倉が村谷さんに原稿を売ったのです。彼の奸計《かんけい》にかかったと知って、私は犬山から、彼のくれた名刺にある住所の藤沢へ出むき、問いただしたのですが、田倉は言を左右にしてごまかすばかりで、いっこうにらちが明きません。それどころか、いつか満州での関係を強引に復元させられてしまったのです。

（よし子さんとは、すでに別居しており、田倉は一人でした。よし子さんの不幸を思い、自分の身をのろって、私はそのとき自殺まで決心したのです）

私は田倉の家で、よし子さんの弟の坂本浩三さんとも会いました。よし子さんのことは、浩三さんから詳しい話を聞きました。姉思いで、気の弱そうな浩三さんは、それだけに田倉をひどく憎んでいるのが、私にはよくわかりました。お互いに心を打ち明けるようなことは何も言いませんでしたが、田倉に対して共通の憎しみを抱いていることはお互いが暗黙のうちに知りあっていました。私はその後も二三回、田倉に会って、ずいぶん強く責めてみましたが、ノレンに腕押しで、そのたびにうまくはぐらかされました。それでもあきらめきれずに、私は四度、藤沢にある田倉の家を訪ねました。意外にも田倉は留守で、箱根に出かけたということが、隣の家の人の話で分りました。箱根などへ何の用事で？　私は途方にくれました。詳しいことを聞こうにも、浩三さんも出勤中とあっては、それもだめでした。仕方なく家に戻りかけた時、私はふと、昔、兄の友人で、グループの一人であった白井さんのことを思いだしたのです。白井さんは確か陽光社という出版社で文芸雑誌の編集長をしていると田倉から聞いていました。

私はすぐに白井さんに電話をかけました。十一日の四時ごろです。わけを話して、白井さんに力を貸してほしかったのです。白井さんは私が畑中善一の妹と聞いて、ひどく驚かれたようでした。白井さんに近所の喫茶店まで来てもらい、いっさいを話しました。白井さんは、息をのみ、真青《まつさお》な顔をしていました。兄の創作が、村谷さんの代作に使われ、それが自分の雑誌にこれまでたびたび載ったのだから驚くのも無理がありません。いや、ほかの雑誌やジャーナリズムが欺《だま》されていたことになります。私はさらに、田倉を追って自分も箱根に行くつもりだと言うと、白井さんは、ちょっとだまっていてから、僕もいっしょに行こう、村谷さんも箱根にいるのだから、とカスれた声で言われました。時間の打ち合せをして喫茶店での話は終りましたが、私は白井さんの言われた、村谷さんも箱根にいるという言葉が妙に気になりました。もしや田倉は、村谷さんに会うために箱根に行ったのではないだろうか。それは兄の創作ノートを売りつけに行くだけではなく、村谷さんとも何か特別な関係があるのではないかと思ったのです。田倉はよし子さんや、私ばかりでなく、村谷阿沙子という女《ひと》にまで手を出していたのだ、兄の創作ノートを餌《えさ》にして村谷さんとも不倫な関係をつけた、と直感しました。私の胸はたぎりたちました。恋人のよし子さんを奪われたばかりか、今ではその作品まで盗まれた兄の恨みを心に刻んだ私は、その夜おそく、白井さんと小田急で箱根に向いながら、ひそかに最後の決心をしたのです。

杉ノ屋ホテルにひとまず落ちつくと、白井さんは、すぐに村谷阿沙子さんに会いに行きました。田倉のことはそのあとで、と白井さんに何度も念を押された私はホテルで待っていました。お二人の話合いがどんなものであったかは、まもなく帰ってこられた白井さんが、結果を尋ねても何も答えず、今夜はここで泊りましょうとだけ言って、すぐお休みになったので、よく分りませんでした。

翌朝早く、白井さんは、外で村谷さんと最後の話合いをするからと言って折から朝霧の深い中を歩いて行きました。外での話合いは、たぶん、村谷さんの旦那《だんな》さまがいっしょの宿におられたからでしょう。うまく話がつかなかったようすは、やがて、白井さんが宿に帰っての充血した目からも感じられました。私は落ちつかなくなりました。私は興奮し、じっとしていられなくなり、村谷さんに会いに行こうと決心したのはその夜の八時頃だったでしょうか(白井さんが、話は何とかつきそうだから僕にまかせておいてほしい、僕から連絡するまでどこにも出ないで待っているように、と言って東京に帰られたのは、その日の午前中でした)。村谷さんはどういうわけか杉ノ屋ホテルにはおられず、対渓荘に移っていました。たぶん私がいっしょにいるのが不愉快だったのでしょう。春日旅館に泊っていた田倉も、やはり宿を変え、隣の駿麗閣に移ったと知った時、私はさらに激しい憤《いきどお》りを覚えました。私も杉ノ屋ホテルを出て、駿麗閣専用ケーブルで降り、女中さんに田倉の部屋を尋ねました。女中さんには田倉に取り次がせないように、田倉の妻だと言っていきなり彼の部屋に案内させました。この妻と名乗ったことがほかのことでも、あんがいうまく行きました。田倉の妻だということで、田倉との口論も（実際は、田倉の不信と、村谷女史との不倫を責め、兄の小説の責任をはっきりさせようとした私との口論でした）、夫婦喧嘩《げんか》だと解釈され、また後になって、警察も、私が田倉の妻であることを信じてくれましたから。

兄の恋人を奪い、その妹をも暴力で従わせ、その上まだ飽きたりず、兄の創作ノートをだまし取ってそれを餌に村谷さんとも関係を持っている田倉という男を殺すことは私に真剣な勇気をおこさせました。私はビールを注文し、田倉が手洗いに立った隙《すき》に、用意の睡眠薬を田倉のコップに投入したのでした（警察での証言は全部嘘《うそ》でした。ビールを注文したのが私で、手洗いに立ったのは田倉、睡眠薬は、私の常用薬でした）。眠ったところを殺そうと思ったのですが、意外にも田倉はビールを飲んだあと、外出してしまいました。これは不意だったので、一時はどうしたものかと迷いましたが、とにかく田倉のあとを追いました。田倉をのせて昇ったケーブルが降りてくるのを待って、国道へ出、宮ノ下の方へ、田倉の姿を探して歩いて行くと、途中、トラックが一台停車しており、もつれるような二人の黒い影が目にとまったのです。近寄ってみて驚きました。浩三さんが、田倉をかかえこむようにして、トラックに乗せようとしているのです。浩三さんも私に気づくと、びっくりしました。それから浩三さんは、田倉をヘッドライトの光の中で見つけたが、ひどく酔っているらしいので、近くの家までトラックで運んで行こうとしたのだ、と言います。このトラックは名古屋行きの深夜便で、折からこの宮ノ下に通りかかっていたのです。浩三さんの腕の中で、田倉はもうほとんど意識がなくなりかけていました。私は田倉を離すように浩三さんに言いましたが、睡眠薬をのませていることで、浩三さんは私の殺意を見抜いてしまいました。田倉を殺したいのは僕も同じだ、と浩三さんは言い、おばさん、僕も手伝うよ、と言いました。私は、うなずくほかありませんでした。私たちは急いで計画をたてました。田倉を崖《がけ》からつきおとして、自殺と見せかけること、それには、発見後のことを考えて、あらかじめ頭の後ろを強打して殺しておく必要のあること、そうすれば、頭の傷は墜落のさい生じた傷と間違えられて一石二鳥であること、田倉を殺すには人や車の来ない所でトラックで通ったことのある寂しい仙石原にすること、などをきめ、私は、実行時刻のアリバイを作るため、いったん駿麗閣へ戻ってから、こっそり抜けだしてくるということにしました。助手席にいた木下という青年（浩三さんがそう呼んでいました）のことが気になりましたが、浩三さんが、何とか説き伏せておくということで、私はそのまま宿に戻りました。

宿の駿麗閣のケーブルは、私にとってまたとないアリバイ提供者となってくれました。私はさらに念を入れて、女中さんに私を確認させ、夫は知人の泊っている宿に麻雀《マージャン》に誘われたと話しておきました。

部屋にはいるとすぐ、私は窓から外へ出ました。庭を通り抜け、二つの旅館の間の川を渡り、塀《へい》を越えて隣の対渓荘に行き、そこから対渓荘専用のケーブルで国道へ出たのです。案の定、対渓荘のケーブル係は、自分の宿のお客だと思いこんでいました（さっき、村谷さんに会いに行ったとき、一刻も早く田倉に会おうと思い、ケーブルをいちいち使わずに駿麗閣に行けるテはないかと考えたことを思いだしたのです）。国道に出ると、浩三さんのトラックがすでに来ていました。田倉はそれに乗せられて眠りこけています。そこから仙石原に行く途中、運転手は木下青年がかわりました。手伝いを承知してくれたのだと、浩三さんは言って、私の現在の住所の犬山のことを詳しくたずねましたので、私は、道順などを答えたのです（木下青年は、この時の私たちの会話を聞いていて、私をゆすりにくるつもりだったのです）。仙石原に着くと人家のない所で、田倉を車から抱えおろしました。田倉の頭をなぐるのは、私がやりました。スパナで打ったのです。力がはいりすぎ、血が少しスパナと、田倉の倒れた草につきました。木下さんが、草を靴《くつ》でもみ、スパナを油を拭《ふ》く布でこすりました。

そこで、ふたたび坊ヶ島に戻り、ライトを消してトラックを国道に停《と》め、浩三さんと木下さんが、田倉の死体を村道の崖上に運び、そこからつき落しました。トラックでは道幅がせまくて、村道におりていくことはできなかったからです。

この間、一時間半ばかりもかかったでしょうか。私は浩三さんたちと別れて、前の順序を逆にしてうまく駿麗閣に帰り、翌日、警察に田倉の妻として偽りの証言をしたあと、犬山の家に戻りました。

白井さんには、それでも手紙で事のしだいをお知らせしました。白井さんの言いつけに従わなかった、せめてものお詫びにと思ったからです。白井さんは、おどろかれたことでしょう。そして、社内でも自分の部下たちがこの事件に興味を持ち、今ではもう自分でも押さえきれないところまで来てしまっている、しばらく家で身をかくしているように、とのお返事をいただいたのです。

私は、まさかこの犬山までは、と思い安心しておりましたが、それからほどなくして、白井さんの部下の女の編集者のかたが、新田さん（新田嘉一郎さんも、兄善一といっしょのグループの一人でした）の紹介状を持って、私を訪ねてこられた時は、田倉の時以上に驚きました。追及の手がのびてきたのを直感しました。私は表面はいかにも、のんびりした田舎女という印象をうえつけるようふるまいながら、頭の中で素早い計算を行なっていました。あまりすべてのことに知らないで通すのは、かえって怪しまれる危険があると考え、兄の作品の載っている古い雑誌を先に見せておき、つぎに、思いだしたようなふりをして、あの写真を見せました。あの時お話ししたことの中には嘘もありましたけれど、兄に関する話はほんとうのことでした。こんなことぐらいいだろうと思ってしゃべったことが、命取りとなろうとは、まったく思ってもみなかったことでした。その写真を取ってくると言って長い間待たせておいて私の計算に狂いがありはしないかと見定めたはずでしたが……私の犬山での生活はそれ以来、不安の連続でした。何とか犬山から注意をそらしたいと思い、秋田の五城目に、田倉の妻よし子の名で、家財道具を送ることにきめました。ちょうど浩三さんが、警察の追及を恐れて、私の家に逃げてきていましたので、田倉の家を整理するのに都合がいいと考えたのです。従妹《いとこ》には、浩三さんのことを知人の息子だと、言っておきました(のちに、浩三さんから、木下さんが今度のことで失職し、私の家に金をせびりに来ようとしていることを知って、あとを追い、ライトで目をくらませてからスパナで撲殺したことを聞いた時は、私は気の狂いそうな思いでした)。それに五城目の近くの村は従妹の夫の実家があるところなので、彼に口実を設け、後からその家財道具を処分しに行ってもらったのです。この従妹の夫というのは、素朴《そぼく》で、事情が分らないまま私の頼みをきいてくれました。これは、白井さんの忠告によりました。白井さんは、何とかこのことを、事件を追及している部下に知れぬよう苦心されていました。それは友人の妹に対する友情でした。

白井さんは犬山の私の家に見えて善後策を考えてくださったり、私も八月中旬に上京して電話を社にかけ、白井さんを呼びだして相談などしました。

私の長い不安がついに現実となる日がきました。新田さんが、ひょっこり犬山の私の家に見えたのです。さりげない口調で新田さんは私に、七月十二日前後にも一度伺ったが、お留守とかでお会いできませんでしたね、と言うのです。従妹は、新田さんのことなど何も言いませんでしたから、この話はでたらめに違いないと思いましたが、私はもう、絶望していました。私はただ、不在だったことを告げたきりでした。新田さんもそれ以上深くはきこうとせず、そうですかと微笑《わら》っていました。

新田さんが見えてから三日後、私は一通の分厚い手紙を受け取りました。私あてで、差出人は崎野竜夫、私にはその名前の意味が分りませんでしたが、やがて文面を見て、すべてが分りました。

手紙には、今度の仕事の推理が、順序よく述べてありました。そして、終りに、この事件につき、ぜひあなたとお話ししたいことがあるので、会ってほしいと書いてあり、場所は仙石原とありました。

ああ、仙石原――。私はすべてが終ったことを知りました。崎野竜夫さんは、自分は白井さんの部下だと書いていました。それを読んだ時、私は、白井さんはこのような部下をもって羨《うらや》ましい人だと思いました。私の気持は落ちついていました。

手紙ははじめ、浩三さんには見せないつもりでいました。ところが、いつのまにか傍《そば》に来ていて、手紙をもぎ取られ、読まれました。浩三さんは、畜生、殺してやるとひどく興奮して、手紙をたたきつけました。うわべは浩三さんに従ったものの、私は自殺する覚悟をきめました。

会う時刻は、私たちの方できめてくれとのことでしたので、浩三さんと相談し、九時半から九時四十分、場所は指定どおり仙石原、としました。浩三さんは、田倉や、木下さんを殺したと同じ方法で崎野さんも殺すと言い張り、そのため、時間厳守を再度書き加えました。

仙石原、と会う場所を指定されてきた以上、そこでどんなことが待っているのか、私にはよく分っています。それだけに、異常に興奮しきっている浩三さんを見ると、私の胸はつぶれそうでした。気の弱い浩三さんを、ここまで追いやったのは、私なのです。

しかし、浩三さんがどのようにいきりたって、崎野さんを殺すといっても、それが成功するとは思えませんでした。あれほど綿密な推理で私に迫ってきた崎野さんが、防備なしで仙石原に見えるとは、考えられなかったのです。腕力だけの浩三さんと、頭脳的な崎野さんとでは勝負になりません、かならず、敗れるにきまっています。

また、万が一にも、浩三さんがそれに成功したとしても、よけいに殺人の罪を犯すことになります。今度は警察の追及からのがれることができません。浩三さんは、いずれにしても破滅です。

私は、前から漠然《ばくぜん》と自殺の時期が来ることを予感していました。その最初の足音を聞いたのは、あの若い婦人記者のかたが犬山の家に見えたときです。私は兄の写真などをお渡しし、兄の話などしながら、心がふるえていました。そのかたを夜の畔道《あぜみち》に提灯《ちょうちん》をつけてお送りしましたが、バスが来て、そのかたの姿を明るい窓の中に収め、国道を走り去ったとき、私は涙が出ました。不安でもなく、罪の意識でもない、いわば、私の生命はもう長くないのだ、という寂しさでした。

第二の足音は、もっと高らかでした。友人を訪ねると言って、七月末に犬山の家を出ていった浩三さんが、ふたたび、蒼《あお》い顔をして私の前に立ったときです。木下を殺してきた、と彼は泣き声で言いました。私の絶望が、このときに、はっきりと死のかたちを取りました。

最後が崎野さんの手紙です。この手紙は、死の準備を教えました。

私は、崎野さんに回答の手紙を出したあと、そのまま、同じ机でこの遺書を書いております。おそらく、これは崎野さんと白井さんが第一の開封者になるでしょう。そのつもりで、上書きは、お二人の名前にしておきました。浩三さんは、私の決心を知りません。崎野さんを殺せば、おばさん(私のこと)も僕も安全だと言っております。

浩三さんも田倉を殺したことに罪の意識はないのです。姉のよし子さんは、どこかで自殺していると、彼は言うのです。田倉にいじめぬかれて失踪《しっそう》した姉の復讐《ふくしゅう》をした気持でいるのです。

浩三さんは、こう言うのです。崎野さんは宮ノ下方面から仙石原に来るに違いない。自分たちは、先に元箱根に行って、湖尻《こじり》側から仙石原に行こう。元箱根でハイヤーをやとって行くと言うのです。その自動車には、ヘッドライトをいっぱいに点《つ》けさせる。待っている指定の場所は、道が狭いから、先方は必ず自動車のライトを見て、道の傍によける。自動車は、そのすぐ前にきて徐行させるから、相手は安心する。

しかし、ライトで相手の目はくらんでいるから、自動車の本体は分らない。実際、ヘッドライトが過ぎるまでは、それが乗用車か、トラックか、大型のオート三輪車か分りません。まして、車の窓をあけて、人間が身体を乗りだし、凶器を構えていても、前方の視界には、はいらぬのです。この光の眩惑《げんわく》を利用すると彼は言いました。相手が、せまい路傍にぼんやり立っているところを、通過の瞬間に、頭上に一撃を加えるというのです。

そして倒れたところを、停車させて、車から降りてさらに撲《なぐ》り殺すのだ、と彼は計画を話しました。たいへんにうまくゆきそうだ、と彼は自信をもって言いました。私も、それを聞いて可能性があるように思いました。自分で、路傍に立って実験してみたのですが、実際、そのとおり、ライトが通過するまでは、自動車の種別さえ分りません。では、雇った自動車の運転手はどうするのか、と私がききますと、それは適当なところで縛って寝てもらい、逃走の時間を稼《かせ》ぐのだと言いました。幼稚な考えです。その場は、別なタクシーを拾って逃げても、あとは追及の手がかりを与えるようなものです。

私は、しかし、浩三さんの言うとおりになりました。彼には、自首の意志もないし、私の口から警察に訴えることもできません。そうなれば、彼に計画を実行させ、失敗させて警察に逮捕してもらうきっかけを作った方がよさそうです。浩三さんは、田倉殺しでは、いわば従犯で、田倉を殺したのは私なんです。ただ、木下さんを殺した罪が重なりますが、動機が動機だけに、まさか死刑になることはないでしょう。この上、重罪を重ねさせたくありません。

遺書にしては、ずいぶん、長いものを書きました。読み返してみる気力もありませんから、文脈の乱れているところは、よろしくご判読ください。

夜が明けかけています。何番鶏《どり》かが啼《な》いて、近所では早起きのお百姓さんの声が聞えています。私の机の中には、知合いの薬屋さん（農薬を買いますので）から頒《わ》けてもらった青酸カリの包みが、貴重薬のように、大事にしまってあります。いま、この遺書を書きおわって、包みを出して開いてみましたが、白砂糖かアスピリンを眺《なが》めているようで、少しもこわい気がいたしません。これをのむのは、暗い風の吹いている、仙石原の草の上でしょうか。

みなさまの御多幸をお祈りいたします。

畑中邦子」

5

朝の十時すぎの小田急で、典子と竜夫は東京に向った。

典子は昨夜はほとんど眠れなかった。湯本の旅館についたのが、午前一時を過ぎていた。警察官に参考人として事情を聞かれたりしたが、半分は、畑中邦子の通夜《つや》の気持であった。

竜夫もおそく帰ったらしい。彼は塔《とう》ノ沢《さわ》の旅館に泊って、朝早く電話をかけてきた。帰京の約束は電話でしたのだ。

電車は急行で、いわゆるロマンス・カーだった。はっきりそれと分る新婚組の幾組かが肩をふれ合ってすわっていた。

気が昂《たか》ぶっているのか、典子は、少しも眠くはなかった。竜夫も横で煙草《たばこ》ばかりすっている。

典子は、畑中邦子の遺書のことを、いま、話題にする気にはなれなかった。あまりに感情が生々《なまなま》しいのだ。それを落ちついて話せるのは、もっと先のことであろう。ここでは、畑中邦子の遺書には関係のない疑問を、竜夫にきかねばならなかった。

「崎野さんも、今度は、いろいろと気を持たせたわね？　ずいぶん、もったいぶって」

典子は、できるだけ明るい声で言った。

「ああ、まだ、あれを根に持っているのか」

竜夫も微笑を見せた。

「もったいぶったわけではないが、いちいち、君に言えなかったのだ。ほんとうのことは、自分の考えに自信がなかったのさ。たとえば、田倉の奥さんが死んでいるとは思ったが、これには確証がない。木下の切符のことから、犬山を思いつき、年齢的に畑中邦子さんを考えはじめたが、君のような神経質のひとには、うっかりした推測は言えないからね」

「仙石原を、危険な実験の場所にしたのは、何が根拠だったの？」

「田倉が、坊ヶ島の断崖《だんがい》の上から突き落されたのではない、という推定がついてからだ。あの村道は狭い。坂本のトラックがヘッドライトをつけて通ったら、田倉は当然に狭い道の傍に立つ。そこを、窓から凶器を出して殴ったのではないか、という推定は、はじめについたが……」

「あ、それは」

典子は思いだした。

「前に村谷先生のはいっている病院からの帰り、せまい道をバスが難儀しながら擂《す》れあった。あのとき、あなたは、田倉がどんな方法で殺されたか分ったぞ、と言ったけれど、そのときにそのヒントが出たの？」

「よく覚えてるな」

竜夫はうなずいた。

「実は、そうなんだ。トラック一台がやっと通れる、あの村道の狭さを思いだしたのだ。それで殺害の方法が分った、という気がしたのだが、あとがいけない。二度目に君と行ったときに、坂本のトラックはあの村道にはいっていなかったことが分った。これは弱ったな、と思っているときに、ふと考えたのだ、トラックの遅延時間さ。僕たちは、急行便トラックが、どこかで停車していたとばかり思っているが、そうではない。途中、別な方角へ往復してあらためて出発することだってあり得ると思ったのだ。そうすると、別な道を往復してたなら、田倉を殺すためとしか考えられない。では、殺しの現場は別じゃないか、と分ってくる」

電車は多摩川の鉄橋を、音立てて渡った。竜夫はつづけた。

「田倉を殺す時間は、前後のいろいろな手間をいれて三四十分は要するだろう。あのトラックは名古屋に一時間半遅延している。一時間半から三四十分ひくと、一時間か五十分だ。宮ノ下から、本道とは違うトラックの行ける別な方角といったら、仙石原から湖尻方面に行く道しかない。往復ほぼ一時間くらいで、殺人に向くような場所、人家が遠くて、暗いところといったら、まず仙石原、と見当がつく。あすこはあたりが広々としていて、しかも道は狭いからね」

「その推定は、ぴったりだったわけね」

「自信は最後までなかったよ。推定といっても、あくまでも当てずっぽうだ。邦子さんに手紙を出して、返事がくるまでは、自分でも頼りなかったな」

「坂本君が、車の窓から私たちに凶器を振るうことは分ってたの？」

「木下殺しの方法に推定がつけば、同じ方法でやられそうだ、という予測もつく。だから、君がぼんやりせぬよう、危険だ危険だ、と繰り返し警告を発したのだ」

「ライトが目の前をすぎた瞬間、いきなりあなたに突きとばされたときは、びっくりしたわ」

「それよりも、坂本君が棒を持って、かくれている僕らを探しているときが、もっとこわかったろう？」

「そう！」

典子は、思いだしたように目をおびえさせた。

「あのときは息が切れそうだったわ」

電車が多摩川を渡ると、東京の街がしだいに賑《にぎ》やかに流れてきた。

「わたし、邦子さんの遺書をよんで、はじめて白井編集長の苦衷が分ったわ。崎野さんは、編集長を犯人の片われみたいに、ずいぶん怪しんでいたけれど」

「それは、当然、こっちの目にはそう映るさ。だって、白井さんは犯人のかばい立てばかりしているのだもの。はじめは、僕たちがたいしたことはやらないだろうとタカをくくっていたが、だんだん雲行きが怪しくなったので、火の手の消し止めに一生懸命だった、というところだろうな。これは、事情を知らない僕らに、妙にうつるのは当りまえだよ」

竜夫は苦笑した。

「崎野さんが社員旅行会を箱根に強引に持っていったときは?」

「あのときは、事情がだいたい分ったから、白井編集長が、かならず僕らのあとから現場に来てくれるものと思ったよ。事実、そのとおりだったね。白井さんには、ほんとうに悪いことをしたような気がする。いずれ、白井さんが、小田原署での事情聴取がすんで東京に帰ったら、あらためてお詫《わ》びしたいよ」

竜夫は後悔したときの神妙な表情をした。

「わたし、まだ分らないことがあるんだけど、あの十二日の晩、編集長はやっぱり箱根に来ていたの？」

「ああ、さっき白井さんの口から聞いた。結局白井さんは十一日の夕方畑中邦子さんといっしょに箱根に行き、杉ノ屋ホテルに泊った。その翌朝、君に田倉と間違えて見られたように、朝はやく阿沙子女史と会い、それから東京に帰った。邦子さんのことも心配だったが、雑誌をほったらかしておくこともできなかったからね。そして、その夜また杉ノ屋ホテルへ邦子さんを訪ねたが、その時彼女は田倉を追って出たあとだったんだ。だから、問題の十二日の夜は、一晩じゅう、まんじりともせず、邦子さんを待っていたそうだ」

竜夫はここで、大きく溜息《ためいき》をついた。

「いや、白井さんも、じっさい、今度は、たいへんな心労だったろうよ。なんだか一度に年齢《とし》をとったようだものな」

典子は今になって思いだした。校了日の八月十四日に、白井にかかってきた女の声の電話だ。白井が送受器をひったくるように奪ったが、あのとき聞いた澄んだ低い声が畑中邦子だった。白井は、そのあと、あわてて出ていったが、それが相談の呼び出しだったのだ。あれが、邦子の声だったのか。

「まだ、気にかかっていることがあるわ」

「分っているよ」

「なアに?」

「亮吾氏と女中の広子さんのことだろう?」

「そう、そのことよ。あのお二人は、どこにいるの? あなたは、たしか新田さんに居どころを確かめてもらったはずだったわ」

「豊橋だったよ」

「え、では、広子さんの実家?」

典子は、いつか訪ねて行った自転車屋を、目にうかべた。

「実家ではないが、近くだったな。なんでも亮吾氏と広子さんとは、子供相手の小さな菓子屋、つまり、駄菓子屋さんをやってるそうだよ」

「へえ」

典子は感慨無量という感じがした。あの亮吾氏が、若い妻と駄菓子屋をひっそりと営んでいる。つつましやかな生活の中にいる。その幸福そうな姿が目に見えるようだった。

「実家が自転車屋さんで、その方の世話だそうだ。あ、そうそう、君は訪ねて行って知っているね?」

「ええ」

典子は、店の表で、自転車の修繕をしていた広子の父と、髪の毛の縮れた継母とを思いだした。

「あのときは、亮吾氏も広子さんも、自転車屋さんの裏にいたんだそうだよ」

「まあ」

典子は、竜夫の顔を見ているだけだった。それでは、あの夫婦は、完全に典子をだまして、追い帰したのだ。

「そればかりではない。村谷阿沙子さんも、それはかぎつけていたんだそうだ。豊橋の近くの浜名湖で自殺したのも、小説が書けなくなった世間的な虚栄が原因でだけではなく、その絶望もあったんだな」

典子は溜息をついた。

「今度のことで、いちばん、ぼんやりして、くるくるコマのように空《から》まわりしていたのは、わたしだったわ！」

「リコちゃん」

竜夫はなだめるように典子に微笑《わら》いかけた。

「君はよくやったよ。皮肉じゃない。君は、自分でぼんやりしていたというが、僕は君から、いろいろな暗示を得た。いや、それよりも、君と、しじゅういっしょに仕事をしていたことが、どんなに僕をたのしくさせ、利口にし、勇気を出させたかしれない」

竜夫は、ちょっと黙ってから、言いにくそうに典子の耳もとで言った。

「リコちゃん。君はずっと、僕のこれからの人生に勇気と知恵とを与えてくれるだろうね？」

典子は頰《ほお》に熱さを感じ、耳に騒音がいちじに鳴った。

四五日経《た》って、白井編集長が、典子と竜夫を慰労だと言って、しゃれた料理を出す家によんでくれた。

そこでは、事件の話は忘れたように出なかった。白井編集長は、若い二人に結婚することばかりをすすめていた。

解説

中島河太郎

松本清張氏が推理小説の分野を手がけてから、すでに十六年を経た。

わが国の推理小説の歴史をどこから始めるかについては、別段の説があるわけではない。前史はどこまでも遡《さかのぼ》れるだろうが、私は明治十年の『揚牙児《ヨンゲル》奇談』の紹介から幕を開けることにしている。しかし、推理小説——当時は探偵《たんてい》小説——に対する明確な自覚をもって筆を執ったのは黒岩涙香《るいこう》だから、厳密な見方からすれば明治二十年からといえよう。すると、おおよそ八十五年を経過したことになる。

この特殊文学の創始に、ポーの『モルグ街の殺人事件』を充《あ》てるのが定説だから、誕生は今から百三十年前ということになり、わが国のその方面の歩みは、欧米の三分の二の年数にあたる。殊《こと》に現代の推理小説に直接係《かか》わりをもっているのは、大正末期の江戸川乱歩の出現以後であるから、ようやく五十年に届こうとする程度であった。

この半世紀の展開を眺《なが》めてきた私の眼前を、おびただしい作家が現われては消えていった。それぞれユニークな作風で愉《たの》しませてくれたのだが、日本の推理小説の発展の跡《あと》を辿《たど》ろうとするとき、巨大な支柱となった作家を、思いきり数すくなく選んでみるなら、江戸川乱歩、横溝正史《よこみぞせいし》、松本清張の三人を挙げたい。

乱歩の出現が推理文壇形成の原動力になったことは、改めて述べるまでもあるまい。乱歩以前にすでに、横溝正史、角田《つのだ》喜久雄、水谷準《じゅん》らが登場しており、乱歩に続いて甲賀三郎、大下宇陀児《うだる》、小酒井不木《こざかいふぼく》、城昌幸《じょうまさゆき》、夢野久作らが現われたが、乱歩の作品によって推理小説の特色が闡明《せんめい》になった。

乱歩は怪奇・幻想小説にも佳作があり、通俗長編で探偵趣味を普及したことも忘れられないが、なんといっても欧米流の本格短編の形式をとりながら、独創性を盛りこんだ功績が顕著であった。

その反面、長編の構成力に乏しく、娯楽雑誌に連載したものは、他の趣向を借りたり、当時の流行語でいえばエロ・グロに趨《はし》ったりして、緻密《ちみつ》な論理性を具《そな》えたものではなかった。それらの作品は乱歩の本意ではなかったにせよ、一般読者に歓迎された。おかげでその他の作家の長編も右へ倣《なら》って、一、二の例外はあっても、戦前には欧米流の本格長編の収穫に乏しかった。

戦後は推理小説界の様相が一変した。従来の作風を一擲《いってき》した正史は、精力的に本格長編に取組んだ。角田喜久雄、坂口安吾、高木彬光《あきみつ》、島田一男らの新旧作家も、こぞって本格長編に力を注いで、欧米並みの水準に到達した。正史はその先頭に立ったばかりでなく、封建的風土に根ざした日本人の心情を捉《とら》え、それに伝奇的色彩を施して、なによりも直輸入体を却《しりぞ》けることに成功した。

著者の処女作『西郷札《さいごうさつ》』が発表されたのは、昭和二十六年三月である。推理小説に近づいたのは『張込み』以後だとすれば、昭和三十年も末の頃《ころ》である。若い時分から『新青年』の読者であり、乱歩の初期の作品などには傾倒し、「大変な天才が現われたと思った」ものである。

だが通俗物を書きはじめた乱歩に対して、著者はその「輝かしい生命はその時に終った」と述べている。「出現当時新鮮であった市井《しせい》的な要素は、跡形もなくなり、荒唐無稽《こうとうむけい》な、一般庶民とは縁もゆかりもない世界が創《つく》られていった」という不満を抱《いだ》いた。

著者の不満はさらに、一部の偏狭なマニヤを相手とする謎解《なぞと》きパズル小説ばかりでなく、そういう小説を書き続けてきた作家にも向けられた。「相変らず空疎《くうそ》で、コケ威《おど》し的な形容詞。これでもか、これでもかと、押しつけてくる煩雑《はんざつ》で虚《むな》しい文章……これでも小説か、と言いたくなった」のだ。

長年、愛着をもっていた推理小説の現状に愛想《あいそ》をつかした著者は、自分の心に叶《かな》った推理小説を書いてみようと決意した。氏のことばを借りれば、「自給自足的な意味でためしに書いた」というのである。

著者の意図したのは、第一に物理的トリックを心理的な作業に置き替えること、第二に特異な環境でなく、日常生活に設定を求めること、第三に人物も特別な性格者でなく、われわれと同じような平凡人であること、第四に描写「背筋に氷を当てられたようなぞっとする恐怖」の類《たぐ》いではなく、誰でもが日常の生活から経験しそうな、または予感しそうなサスペンスを求めたことである。

いわば日常性と庶民性を喪失した従来の作風を、敢然として否定し、そのアンチテーゼを押し出した。日本式推理小説の弊風ともいうべきものを、忌憚《きたん》なく指摘しただけでなく、それにとって代るべきものを実作に移した意欲の烈《はげ》しさは、読者にそれだけの反響を与えずにはおかなかった。

著者が「これからの推理小説の方向としては、もっとそれを個人から社会へ拡《ひろ》げた、社会悪というか、社会的な組織の矛盾というか、そういうものに動機を求める小説」が考えられるといい、組織と人間の係わりに深い関心を示した。

著者ばかりでなく、ついで活躍した作家たちの多くが、社会、企業、組織の中における人間の窮境と犯罪を採りあげたため、いわゆる社会派推理小説のレッテルが貼《は》られた。その亜流になると、「推理」のかけらも見かけられないものまで生産されるようになった。

著者の執筆活動があまりに華々しかったため、社会派作家の代表視されたのはいいとしても、社会派即非本格派という皮相な観察は、氏にとってははなはだ迷惑であった。著者ほど推理小説の特殊性格の尊重すべきことを力説した作家はないし、実作上にも新機軸を出そうと、絶えず新しい試みを怠らなかった。

著者は日本探偵作家クラブ賞を受賞した短編集『顔』に収められた諸編を、三十一年に発表したが、翌年には長編に着手し、『点と線』と『眼の壁』が並行して連載された。この二作が三十三年に刊行されて、推理小説ブームを招くことになった。

果然、著者は注目を浴び、この年に『ゼロの焦点』、『かげろう絵図』、『蒼《あお》い描点』、『黒い樹海』、『黒い画集』の連載にとりかかっている。そのうち『蒼い描点』は、『週刊明星』の創刊号である七月二十八日号から、翌年の八月三十日号まで連載された作品である。

女流作家村谷女史の原稿係を担当している編集者椎原典子《しいはらのりこ》は、箱根まで催促に出向いた際、女史の挙動に不審を抱き、また顔見知りのフリーのライターの変死にぶつかる。ライターの死が自殺で片づけられたことへの疑惑から、同僚の崎野と力を合わせて真相をさぐろうとする。女史には代作者がいたという推定、女史の夫と女中の失踪《しっそう》、女史の精神病院への逃避など、事態は展開するのだが、なにしろ編集の劇務の傍《かたわ》らの素人《しろうと》同士の探索だから、遅々として捗《はかど》らない。

ようやく女史の作品の原作者の見当はついたものの、どういう経緯で発表されるようになったのか分らない。関係者をたどって各地を調べるうち、第二の殺人事件へと発展する。散歩の途上に瞥見《べっけん》した人影から、疑問の波紋が拡がり、女流作家の盗作問題と、殺害事件とをからませながら、官憲の力を借りない若い二人だけの追及で終始している。

従来の推理小説はどうしても、謎解きや意外性だけにこだわりがちだったので、人間にも情景にも筆の及ばなかったものが多い。著者はまず人間の復活を求め、情景を活《い》かしてリアリティーの基盤を築いた。

若いもの同士の捜査の過程は、おたがいの個性を発揮して、必ずしも胸襟《きょうきん》を開いているわけではないが、次第に惹《ひ》かれてゆく微妙な心理の起伏の描写も行き届いている。

著者は少年時代、田山花袋《たやまかたい》の紀行文に夢中になったことを回想している。未知の土地に憧《あこが》れ、地図を眺めることが好きだった氏は、地方色を作品に見事に活かすことに成功した。『点と線』の香椎《かしい》、『眼の壁』の美濃《みの》、『ゼロの焦点』の能登《のと》と、その選んだ舞台は、作品の情趣を深めるのに、まことに効果的であった。

本編でも読者は、主人公たちに伴われて、方々の土地を訪ねることになる。霧の箱根に始まって、提灯《ちょうちん》の火で歩いた濃尾《のうび》平野、蜜柑畑《みかんばたけ》の真鶴《まなづる》、それに秋田の五城目《ごじょうのめ》といったところが写されて、期待と焦心を抱いた典子に旅愁をはげしく覚えさせるのである。

著者はいろんな事情で旅が不可能な場合、よく図上作戦をやると告白している。

「地図を拡げて、その上をたどりながら、自分が実際にその土地に旅行したような空想にふけるのである。こんな場合、もとより実景と自分の想像とは合わない。だが、たとえば、秋田県下の八郎潟《はちろうがた》のそばにある五城目という駅名を見付けたら、そこでは廂《ひさし》の深い寂しい家並みと、雪の上を歩く角巻《かくまき》を巻いた女たちの黒い姿が荒涼と泛《うか》ぶのだ。いや、その時の通行人の会話や、通りすがりに見かける家の中の人まで眼に見えてくる」

こういう文章を読むと、本文の五城目に著者は実際には赴いていないのかもしれない。足を踏み入れようと入れまいと、この土地の情景が椎原典子のわびしい心境にしっくり溶けこんでいるのである。

著者は従来の作家を否定し、「自給自足」を標榜《ひょうぼう》したのだが、それがいたずらな言挙《ことあ》げでなかったことを、見事に実証したのである。

（昭和四十七年五月）

この作品は昭和三十四年九月光文社より刊行された。

松本清張著
点と線
一見ありふれた心中事件に隠された奸計！列車時刻表を駆使してリアリスティックな状況を設定し、推理小説界に新風を送った秀作。

松本清張著
霧の旗
兄が殺人犯の汚名のまま獄死した時、桐子は依頼を退けた弁護士に対する復讐を開始した。法と裁判制度の限界を鋭く指摘した野心作。

松本清張著
影の地帯
信濃路の湖に沈められた謎の木箱を追う田代の周囲で起る連続殺人！ふとしたことから悽惨な事件に巻き込まれた市民の恐怖を描く。

松本清張著
砂の器（上・下）
東京・蒲田駅操車場で発見された扼殺死体！新進芸術家として栄光の座をねらう青年の過去を執拗に追う老練刑事の艱難辛苦を描く。

松本清張著
Dの複合
雑誌連載「僻地に伝説をさぐる旅」の取材旅行にまつわる不可解な謎と奇怪な事件！古代史、民俗説話と現代の事件を結ぶ推理長編。

松本清張著
死の枝
現代社会の裏面で複雑にもつれ、からみあう様々な犯罪——死神にとらえられ、破滅の淵に陥ちてゆく人間たちを描く連作推理小説。

松本清張著
渦
テレビ局を一喜一憂させ、その全てを支配する視聴率。だが、正体も定かならぬ調査による集計は信用に価するか。視聴率の怪に挑む。

松本清張著
渡された場面
四国と九州の二つの殺人事件が、小さな同人雑誌に発表された小説の一場面によって結びついた時、予期せぬ真相が……。推理長編。

松本清張著
天才画の女
彗星のように現われた新人女流画家。その作品が放つ謎めいた魅力——。画壇に巧妙にめぐらされた策謀を暴くサスペンス長編。

松本清張著
砂漠の塩
カイロからバグダッドへ向う一組の日本人男女。妻を捨て夫を裏切った二人は、不毛の愛を砂漠の谷間に埋めねばならなかった——。

松本清張著
黒革の手帖（上・下）
横領金を資本に銀座のママに転身したベテラン女子行員。夜の紳士を相手に、次の獲物をねらう彼女の前にたちふさがるものは——。

松本清張著
状況曲線（上・下）
二つの殺人の巧妙なワナにはめられ、追いつめられていく男。そして、発見された男の死体。三つの殺人の陰に建設業界の暗闘が……。

新潮文庫の新刊

乃南アサ著
家裁調査官・庵原かのん
家裁調査官の庵原かのんは、罪を犯した子どもたちの声を聴くうちに、事件の裏に潜む問題に気が付き……。待望の新シリーズ開幕！

燃え殻著
それでも日々はつづくから
きらきら映える日々からは遠い「まーまー」な日常こそが愛おしい。「週刊新潮」の人気連載をまとめた、共感度抜群のエッセイ集。

松家仁之著
火山のふもとで
読売文学賞受賞

若い建築家だったぼくが、「夏の家」で先生たちと過ごしたかけがえない時間とひそやかな恋。胸の奥底を震わせる圧巻のデビュー作。

岡田利規著
ブロッコリー・レボリューション
三島由紀夫賞受賞

ひと、もの、場所を超越して「ぼく」が語る「きみ」のバンコク逃避行。この複雑な世界をシンプルに生きる人々を描いた短編集。

藍銅ツバメ著
鯉姫婚姻譚
日本ファンタジーノベル大賞受賞

引越し先の屋敷の池には、人魚が棲んでいた。なぜか懐かれ、結婚を申し込まれてしまい……。異類婚姻譚史上、最高の恋が始まる！

沢木耕太郎著
いのちの記憶
―銀河を渡るII―

少年時代の衝動、海外へ足を向かわせた熱の正体、幾度もの出会いと別れ、少年時代から今日までの日々を辿る25年間のエッセイ集。

新潮文庫の新刊

杉井光著
世界でいちばん透きとおった物語2
新人作家の藤阪燈真の元に、再び遺稿を巡る謎が舞い込む。メディアで話題沸騰の超話題作、待望の続編。ビブリオ・ミステリ第二弾。

角田光代著
晴れの日散歩
丁寧な暮らしじゃなくてもいい！　さぼった日も、やる気が出なかった日も、全部丸ごと受け止めてくれる大人気エッセイ、第四弾！

沢木耕太郎著
キャラヴァンは進む
―銀河を渡るI―
ニューヨークの地下鉄で、モロッコのマラケシュで、香港の喧騒で……。旅をして、出会い、綴った25年の軌跡を辿るエッセイ集。

沢村凜著
紫姫の国（上・下）
船旅に出たソナンは、絶壁の岩棚に投げ出される。そこへひとりの少女が現れ……。絶体絶命の二人の運命が交わる傑作ファンタジー。

永井荷風著
つゆのあとさき・カッフェー一夕話
天性のあざとさを持つ君江と悩殺されては翻弄される男たち……。にわかにもつれ始めた男女の関係は、思わぬ展開を見せていく。

原田ひ香著
財布は踊る
人知れず毎月二万円を貯金して、小さな夢を叶えた専業主婦のみづほだが、夫の多額の借金が発覚し――。お金と向き合う超実践小説。

蒼《あお》い描《びょう》点《てん》

新潮文庫　ま-1-21

昭和四十七年五月二十五日　発行
平成十四年三月二十日　五十四刷改版
令和七年二月十日　七十五刷

著者　松《まつ》本《もと》清《せい》張《ちょう》

発行者　佐藤隆信
発行所　株式会社　新潮社
郵便番号　一六二―八七一一
東京都新宿区矢来町七一
電話　編集部(〇三)三二六六―五四四〇
読者係(〇三)三二六六―五一一一
https://www.shinchosha.co.jp
価格はカバーに表示してあります。
乱丁・落丁本は、ご面倒ですが小社読者係宛ご送付ください。送料小社負担にてお取替えいたします。

印刷・錦明印刷株式会社　製本・株式会社大進堂

ISBN978-4-10-110921-3 C0193